LEVIATHAN (1940) | STATIONSCHEF FALLMERAYER

DES KAISERS (1935) | DER 16)

VON DEM ICH JETZT SPRE KE

WELT … | DAS KARTELL (1925) | DER

(1928) | ERDBEEREN (1929) | HEUTE FRÜH KAM EIN

KER (1939) | DER LEVIATHAN (1940) | STATIONSCHEF

(1935) | DIE BÜSTE DES KAISERS (1935) | DER

(1920) | VON DEM ORTE, VON DEM ICH JETZT SPRE-

ENER WERDEN IN DIESER WELT … | DAS KARTELL

REICHE HAUS GEGENÜBER (1928) | ERDBEEREN (1929)

E VOM HEILIGEN TRINKER (1939) | DER LEVIATHAN

H DER SCHÖNHEIT (1935) | DIE BÜSTE DES KAISERS

) | KARRIERE (1920) | VON DEM ORTE, VON DEM ICH

MMER SELTENER WERDEN IN DIESER WELT… | DAS

EL (1925) | DAS REICHE HAUS GEGENÜBER (1928)

END | DIE LEGENDE VOM HEILIGEN TRINKER (1939)

ER (1933) | TRIUMPH DER SCHÖNHEIT (1935) | DIE

1916) | BARBARA (1918) | KARRIERE (1920) | VON DEM

NKE MENSCHHEIT | IMMER SELTENER WERDEN IN

R BLINDE SPIEGEL (1925) | DAS REICHE HAUS GEGEN-

EIN BRIEF | JUGEND | DIE LEGENDE VOM HEILIGEN

EF FALLMERAYER (1933) | TRIUMPH DER SCHÖNHEIT

SSCHÜLER (1916) | BARBARA (1918) | KARRIERE (1920)

ILL … | KRANKE MENSCHHEIT | IMMER SELTENER

Roth | *Die Erzählungen*

Joseph Roth

Die Erzählungen

Kiepenheuer & Witsch

1. Auflage 2008

© 2008, 1992 by Verlag Kiepenheuer & Witsch, Köln,
und Allert de Lange, Amsterdam
Umschlaggestaltung: Rudolf Linn, Köln
Umschlagmotiv: *Joseph Roth, lesend auf einer Parkbank; Südfrankreich im Spät-
sommer 1925*, mit freundlicher Genehmigung des Leo Baeck Instituts, New York
Gesetzt aus der Stempel Garamond
Satz: pagina GmbH, Tübingen
Druck und Bindearbeiten: GGP Media GmbH, Pößneck
ISBN 978-3-462-03971-9

Inhalt

Der Vorzugsschüler
|1916|

Des Briefträgers Andreas Wanzls Söhnchen, Anton, hatte
das merkwürdigste Kindergesicht von der Welt. Sein
schmales, blasses Gesichtchen mit den markanten Zügen,
die eine gekrümmte, ernste Nase noch verschärfte, war
von einem äußerst kargen weißgelben Haarschopf gekrönt. Eine hohe Stirn thronte ehrfurchtgebietend über
dem kaum sichtbaren weißen Brauenpaar, und darunter
sahen zwei blaßblaue, tiefe Äuglein sehr altklug und ernst
in die Welt. Ein Zug der Verbissenheit trotzte in den
schmalen, blassen, zusammengepreßten Lippen, und ein
schönes, regelmäßiges Kinn bildete einen imposanten Ab-
schluß des Gesichtes. Der Kopf stak auf einem dünnen
Halse, sein ganzer Körperbau war schmächtig und zart.
Zu seiner Gestalt bildeten nur die starken roten Hände,
die an den dünn-gebrechlichen Handgelenken wie lose
angeheftet schlenkerten, einen sonderbaren Gegensatz.
Anton Wanzl war stets nett und reinlich gekleidet. Kein
Stäubchen auf seinem Rock, kein winziges Loch im
Strumpf, keine Narbe, kein Ritz auf dem glatten, blassen
Gesichtchen. Anton Wanzl spielte selten, raufte nie mit
den Buben und stahl keine roten Äpfel aus Nachbars Garten. Anton Wanzl *lernte* nur. Er lernte vom Morgen bis
spät in die Nacht. Seine Bücher und Hefte waren fein säuberlich in knatterndes weißes Packpapier gehüllt, auf dem
ersten Blatte stand in der für ein Kind seltsam kleinen,
netten Schrift sein Name. Seine glänzenden Zeugnisse lagen feierlich gefaltet in einem großen ziegelroten Kuvert
dicht neben dem Album mit den wunderschönsten Briefmarken, um die Anton noch mehr als um seine Zeugnisse
beneidet wurde.
  Anton Wanzl war der ruhigste Junge im ganzen Ort. In

der Schule saß er still, die Arme nach Vorschrift »verschränkt«, und starrte mit seinen altklugen Äuglein auf den Mund des Lehrers. Freilich war er Primus. Ihn hielt man stets als Muster der ganzen Klasse vor, seine Schulhefte wiesen keinen roten Strich auf, mit Ausnahme der mächtigen 1, die regelmäßig unter allen Arbeiten prangte. Anton gab ruhige, sachliche Antworten, war stets vorbereitet, nie krank. Auf seinem Platz in der Schulbank saß er wie angenagelt. Am unangenehmsten waren ihm die Pausen. Da mußten alle hinaus, das Schulzimmer wurde gelüftet, nur der »Aufseher« blieb. Anton aber stand draußen im Schulhof, drückte sich scheu an die Wand und wagte keinen Schritt, aus Furcht, von einem der rennenden, lärmenden Knaben umgestoßen zu werden. Aber wenn die Glocke wieder läutete, atmete Anton auf. Bedächtig, wie sein Direktor, schritt er hinter den drängenden, polternden Jungen einher, bedächtig setzte er sich in die Bank, sprach zu keinem ein Wort, richtete sich kerzengerade auf und sank automatenhaft wieder auf den Platz nieder, wenn der Lehrer »Setzen!« kommandiert hatte.

Anton Wanzl war kein glückliches Kind. Ein brennender Ehrgeiz verzehrte ihn. Ein eiserner Wille zu glänzen, alle seine Kameraden zu überflügeln, rieb fast seine schwachen Kräfte auf. Vorderhand hatte Anton nur *ein* Ziel. Er wollte »Aufseher« werden. Das war nämlich zur Zeit ein anderer, ein »minder guter« Schüler, der aber der Älteste in der Klasse war und dessen respektables Alter im Klassenlehrer Vertrauen erweckt hatte. Der »Aufseher« war eine Art Stellvertreter des Lehrers. In dessen Abwesenheit hatte der also ausgezeichnete Schüler auf seine Kollegen aufzupassen, die Lärmenden »aufzuschreiben« und dem Klassenlehrer anzugeben, für eine blanke Tafel, feuchten Schwamm und zugespitzte Kreide zu sorgen, Geld für Schulhefte, Tintenfässer und Reparaturen rissiger Wände und zerbrochener Fensterscheiben zu sammeln. Ein solches Amt imponierte dem kleinen Anton gar gewaltig. Er brütete in schlaflosen Nächten grimmige, racheheiße Pläne aus, er sann unermüdlich nach, wie er den »Aufseher« stürzen könnte, um selber dieses Ehrenamt zu übernehmen. Eines Tages hatte er es heraus.

Der »Aufseher« hatte eine merkwürdige Vorliebe für Farbenstifte und -tinten, für Kanarienvögel, Tauben und junge Küchlein. Geschenke solcher Art konnten ihn leicht bestechen, und der Geber durfte nach Herzenslust lärmen, ohne angezeigt zu werden. Hier wollte Anton eingreifen. Er selbst gab nie Geschenke. Aber noch ein zweiter Junge zahlte keinen Tribut. Es war der Ärmste der Klasse. Da der »Aufseher« den Anton nicht anzeigen konnte, weil man diesem Jungen keinen Schabernack zutraute, war der arme Knabe das tägliche Opfer der aufseherischen Anzeigenwut. Hier konnte Anton ein glänzendes Geschäft machen. Keiner würde ahnen, daß er »Aufseher« werden wolle. Nein, nahm er sich des armen, windelweich geprügelten Jungen an und verriet er dem Lehrer die schändliche Bestechlichkeit des jungen Tyrannen, so würde man das sehr gerecht, ehrlich und mutig nennen. Aber auch kein anderer hatte dann Aussicht auf den vakanten Aufseherposten als eben Anton. Und so faßte er sich eines Tages ein Herz und schwärzte den »Aufseher« an. Derselbe wurde sofort unter Verabreichung einiger Rohrstockstreiche seines Amtes enthoben und Anton Wanzl zum »Aufseher« feierlich ernannt. Er hatte es erreicht.

Anton Wanzl saß sehr gerne auf dem schwarzen Katheder. Es war so ein wonniges Gefühl, von einer respektablen Höhe aus das Klassenzimmer zu überblicken, mit dem Bleistift zu kritzeln, hie und da Mahnungen auszuteilen und ein bißchen Vorsehung zu spielen, indem man ahnungslose Polterer aufschrieb, der gerechten Strafe zuführte und im vorhinein wußte, wen das unerbittliche Schicksal ereilen werde. Man wurde vom Lehrer ins Vertrauen gezogen, durfte Schulhefte tragen, konnte wichtig erscheinen, genoß ein Ansehn. Aber Anton Wanzls Ehrgeiz ruhte nicht. Stets hatte er ein neues Ziel vor Augen. Und darauf arbeitete er mit allen Kräften los.

Dabei konnte er aber keineswegs ein »Lecker« genannt werden. Er bewahrte äußerlich stets seine Würde, jede seiner kleinen Handlungen war wohldurchdacht, er erwies den Lehrern kleine Aufmerksamkeiten mit einem ruhigen Stolz, half ihnen in die Überröcke mit der strengsten Miene, und jede seiner Schmeicheleien war unauffällig und hatte den Charakter einer Amtshandlung.

Zu Hause hieß er »Tonerl« und galt als Respektsperson. Sein Vater hatte das charakteristische Wesen eines kleinstädtischen Briefträgers, halb Amtsperson, halb privater Geheimsekretär und Mitwisser mannigfaltiger Familiengeheimnisse, ein bißchen würdevoll, ein bißchen untertänig, ein wenig stolz, ein wenig trinkgeldbedürftig. Er hatte den charakteristischen geknickten Gang der Briefträger, scharrte mit den Füßen, war klein und dürr wie ein Schneiderlein, hatte eine etwas zu weite Amtskappe und bißchen zu lange Hosen an, war aber im übrigen ein recht »anständiger Mensch« und erfreute sich bei Vorgesetzten und Bürgern eines gewissen Ansehens.

Seinem einzigen Söhnchen bewies Herr Wanzl eine Hochachtung, wie er sie nur noch vor dem Herrn Bürgermeister und dem Herrn Postverwalter hatte. Ja, dachte sich oftmals Herr Wanzl an seinen freien Sonntagnachmittagen: Der Herr Postverwalter ist eben ein Postverwalter. Aber was mein Anton noch alles werden kann! Bürgermeister, Gymnasialdirektor, Bezirkshauptmann und – hier machte Herr Wanzl einen großen Sprung – vielleicht gar Minister? Wenn er solche Gedanken seiner Frau äußerte, so führte diese erst den rechten, dann den

linken blauen Schürzenzipfel an beide Augen, seufzte ein
bißchen und sagte bloß: »Ja, ja.« Denn Frau Margarethe
Wanzl hatte vor Mann und Sohn einen gewaltigen Respekt, und wenn sie schon einen Briefträger hoch über alle
andern stellte, wie nun gar einen Minister?!

Der kleine Anton aber vergalt den Eltern ihre Sorgfalt
und Liebe mit sehr viel Gehorsam. Freilich, das fiel ihm
gar nicht allzu schwer. Denn da seine Eltern wenig befah-
len, hatte Anton wenig zu gehorchen. Aber zugleich mit
seinem Ehrgeiz, der beste Schüler zu sein, ging auch sein
Bestreben, ein »guter Sohn« genannt zu werden. Wenn ihn
seine Mutter vor den Frauen lobte, sommers, draußen vor
der Türe, auf der dottergelben Holzbank, und Anton auf
dem Hühnerbauer mit seinem Buche saß, so schwoll sein
Herz vor Stolz. Er machte freilich dabei die gleichgültig-
ste Miene, schien, ganz in seine Sache vertieft, von den
Weiberreden kein Wort zu hören. Denn Anton Wanzl war
ein geriebener Diplomat. Er war so gescheit, daß er nicht
gut sein konnte.

Nein, Anton Wanzl war nicht gut. Er hatte keine Liebe,
er fühlte kein Herz. Er tat nur, was er für klug und praktisch fand. Er gab keine Liebe und verlangte keine. Nie
hatte er das Bedürfnis nach einer Zärtlichkeit, einer Lieb-
kosung, er war nicht wehleidig, er weinte nie. Anton
Wanzl hatte auch keine Tränen. Denn ein braver Junge
durfte nicht weinen.

So wurde Anton Wanzl älter. Oder besser: Er wuchs
heran. Denn jung war Anton nie gewesen.

Anton Wanzl änderte sich auch nicht im Gymnasium.
Nur in seinem äußeren Wesen war er noch sorgfältiger
geworden. Er war weiter der Vorzugsschüler, der Mu-
sterknabe, fleißig, sittsam und tugendhaft, er beherrschte
alle Gegenstände gleich gut und hatte keine sogenannten
»Vorlieben«, weil er überhaupt nichts hatte, was mit Liebe zusammenhing. Nichtsdestoweniger deklamierte er

Schillersche Balladen mit feurigem Pathos und künstlerischem Schwung, spielte Theater bei verschiedenen Schul-
feiern, sprach sehr altklug und weise von der Liebe, verliebte sich aber selbst nie und spielte den jungen Mädchen
gegenüber die langweilige Rolle des Mentors und Päd-
agogen. Aber er war ein vorzüglicher Tänzer, auf Kränz-
chen gesucht, von tadellos lackierten Manieren und
Stiefeln, steifgebügelter Haltung und Hose, und seine
Hemdbrust ersetzte an Reinheit, was seinem Charakter
von dieser Eigenschaft fehlte. Seinen Kollegen half er
stets, aber nicht weil er helfen wollte, sondern aus Furcht,
er könnte einmal auch was vom andern brauchen. Seinen
Lehrern half er weiter in die Überröcke, war stets bei der
Hand, wenn man ihn brauchte, aber ohne Aufsehen zu
erregen, und wurde trotz seines kränklichen Aussehens
nie krank.

Nach der glänzend bestandenen Matura, den obligaten
Glückwünschen und Gratulationen, den elterlichen Umarmungen und Küssen dachte Anton Wanzl über die wei-
tere Richtung seiner Studien nach. Theologie! Dazu hätte
er sich vielleicht am besten geeignet, dazu befähigte ihn
seine blasse Scheinheiligkeit. Aber – Theologie! Wie leicht
konnte man sich da kompromittieren! Nein, das war es
nicht. Arzt werden, dazu liebte er die Menschen zu wenig.
Advokat wäre er gerne geworden, Staatsanwalt am liebsten – aber Jurisprudenz – das war nicht vornehm, galt
nicht für ideal. Aber man war Idealist, wenn man Philosophie studierte. Und zwar: Literatur. Ein »Bettlerberuf«
– sagten die Leute. Aber man konnte zu Geld und Ansehn
kommen, wenn man es geschickt anstellte. Und etwas geschickt anstellen – das konnte Anton.

Anton war also Student. Aber einen so »soliden« Studenten hatte die Welt noch nicht gesehen. Anton Wanzl
rauchte nicht, trank nicht, schlug sich nicht. Freilich, einem Verein mußte er angehören, das lag tief in seiner Na-

tur. Er mußte Kollegen haben, die er überflügeln konnte, er mußte glänzen, ein Amt haben, Vorträge halten. Und wenn auch die übrigen Vereinsmitglieder Anton ins Gesicht lachten, ihn einen Stubenhocker und Büffler nannten, so hatten sie doch im stillen einen gewaltigen Respekt vor dem jungen Menschen, der noch in den grünen Semestern steckte und dennoch ein so ungeheures Wissen besaß.

Auch bei den Lehrern fand Anton Achtung. Daß er klug war, erkannten sie auf den ersten Blick. Er war übrigens ein äußerst notwendiges Nachschlagewerk, ein wandelndes Lexikon, er wußte alle Bücher, Verfasser, Jahreszahlen, Verlagsbuchhandlungen, er kannte alle neuen, verbesserten Auflagen, er war ein Schnüffler und Bücherwurm. Aber er hatte auch eine scharfe Kombinationsgabe, ein klein bißchen Stoffhuber, was den Professoren aber am meisten behagte, war eine wahrhaft köstliche Naturgabe. Er konnte nämlich stundenlang mit dem Kopf nikken, ohne zu ermüden. Er gab immer recht. Dem Professor gegenüber kannte er keinen Widerspruch. Und so kam es, daß Anton Wanzl in den Seminarübungen eine bekannte Persönlichkeit war. Er war stets gefällig, immer ruhig und dienstbeflissen, er fand unauffindbare Bücher auf, schrieb Zettel aus und Vortragsankündigungen, aber auch Überröcke hielt er weiter, war Schweizer, Türsteher, Professorenbegleiter.

Nur auf *einem* Gebiete hatte Anton Wanzl sich noch nicht hervorgetan: auf dem der Liebe. Aber er hatte kein Bedürfnis nach Liebe. Freilich, wenn er so im stillen überlegte, so fand er, daß erst der Besitz eines Weibes ihm bei Freunden und Kollegen die vollkommenste Achtung verschaffen konnte. Dann erst würden die Spötteleien aufhören, dann stände er, Anton, da, ehrfurchtgebietend, hochgeachtet, unerreichbar, das Muster eines Mannes.

Und auch seine unermeßliche Herrschsucht verlangte

nach einem Wesen, das ihm vollständig ergeben wäre, das
er kneten und formen konnte nach seinem Willen. Anton
Wanzl hatte bis jetzt gehorcht. Nun wollte er einmal be-
fehlen. In allem gehorchen würde ihm nur ein liebendes
Weib. Man mußte es nur geschickt anstellen. Und etwas
geschickt anstellen, das konnte Anton. –

Die kleine Mizzi Schinagl war Miederverkäuferin bei
Popper, Eibenschütz & Co. Sie war ein nettes, dunkles
Ding mit zwei großen braunen Rehaugen, einem schnip-
pischen Näschen und einer etwas zu kurzen Oberlippe, so
daß das blitzblanke Mäuschengebiß schimmernd hervor-
blinkte. Sie war schon »wie verlobt«, und zwar mit Herrn
Julius Reiner, Commis und Spezialist in Krawatten und
Schnupftüchern, ebenfalls bei der Firma Popper, Eiben-
schütz & Co. An dem sauberen jungen Mann fand Mizzi
zwar ein ziemliches Wohlgefallen, aber ihr kleines Köpf-
chen und noch weniger ihr Herz konnte sich den Herrn
Julius Reiner als den Gatten der Mizzi Schinagl vorstellen.
Nein, der konnte unmöglich ihr Mann werden, der junge
Mensch, der noch vor kaum zwei Jahren von Herrn Markus Popper zwei schallende Ohrfeigen erhalten hatte.
Mizzi mußte einen Mann haben, zu dem sie aufblicken
sollte, einen Ehrenmann von höherer sozialer Stellung.
Das echt weibliche Wesen, dessen angeborenen Takt ein
Mann erst durch Bildung erwerben muß, empfand manche Seiten des Spezialisten in Krawatten und Schnupftüchern doppelt unschön. Am liebsten wäre Mizzi Schinagl
ein junger Student gewesen, einer von den vielen bunt-
bekappten jungen Leuten, die draußen nach Geschäfts-
schluß auf die weiblichen Angestellten warteten. Mizzi
hätte sich so gerne von einem Herrn auf der Straße an-
sprechen lassen, wenn nur der Julius Reiner nicht so
furchtbar achtgegeben hätte.

Aber da hatte grade ihre Tante, Frau Marianne Wontek
in der Josefstadt, einen neuen, liebenswürdigen Zimmer-

herrn bekommen. Herr Anton Wanzl war zwar sehr ernst und gelehrt, aber von einer zuvorkommenden Höflichkeit, besonders Fräulein Mizzi Schinagl gegenüber. Sie brachte ihm an den Sonntagnachmittagen den Jausenkaffee in seine Stube, und der junge Herr dankte immer mit einem freundlichen Wort und einem warmen Blick. Ja, einmal lud er sie sogar zum Sitzen ein, aber Mizzi dankte, murmelte etwas von Nicht-stören-Wollen, errötete und schlüpfte etwas verwirrt ins Zimmer der Tante. Als Herr Anton aber sie einmal auf der Straße grüßte und sich anschloß, ging Mizzi sehr gerne mit, machte sogar einen kleinen Umweg, um zu ihrer Wohnung zu gelangen, verabredete mit Herrn stud. phil. Anton Wanzl ein Rendezvous am Sonntag und zankte am nächsten Morgen mit Julius Reiner.

Anton Wanzl erschien einfach, aber elegant gekleidet, sein fades, blasses Haar war heute sorgfältiger gescheitelt als je, eine kleine Erregung war seinem weißen, kalten Marmorantlitz doch anzumerken. Er saß im Stadtpark neben Mizzi Schinagl und dachte angestrengt darüber nach, was er eigentlich reden sollte. In einer solch fatalen Situation war er noch nie gewesen. Aber Mizzi wußte zu plaudern. Sie erzählte das und jenes, es wurde Abend, der Flieder duftete, die Amsel schlug, der Mai kicherte aus dem Gebüsch, da vergaß sich Mizzi Schinagl und sagte etwas unvermittelt: »Du, Anton, ich liebe dich.« Herr Anton Wanzl erschrak ein wenig, Mizzi Schinagl noch mehr, sie wollte ihr glühendes Gesichtchen irgendwo verbergen und wußte kein besseres Versteck als Herrn Anton Wanzls Rockklappen. Herrn Anton Wanzl war das noch nie passiert, seine steife Hemdbrust knackte vernehmlich, aber er faßte sich bald – einmal mußte das doch geschehn!

Als er sich beruhigt hatte, fiel ihm etwas Vortreffliches ein. »Ich bin dîn, du bist mîn«, zitierte er halblaut. Und daran knüpfte er einen kleinen Vortrag über die Periode der Minnesinger, er sprach mit Pathos von Walther von der Vogelweide, kam auch auf die erste und zweite Lautverschiebung, von da auf die Schönheit unserer Muttersprache und ohne einen rechten Übergang auf die Treue der deutschen Frauen. Mizzi lauschte angestrengt, sie verstand kein Wort, aber das war eben der Gelehrte, so mußte ein Mann wie Herr Anton Wanzl eben sprechen. Sein Vortrag kam ihr just so schön vor wie das Pfeifen der Amsel und das Flöten der Nachtigall. Aber vor lauter Liebe und Frühling hielt sie es nicht länger aus und unterbrach Antons wunderschönen Vortrag durch einen recht angenehmen Kuß auf die schmalen, blassen Lippen Wanzls, den dieser zu erwidern nicht minder angenehm fand. Bald regnete es Küsse auf ihn nieder, derer sich Herr Wanzl weder erwehren konnte noch wollte. Sie gingen schließlich stumm nach Hause, Mizzi hatte zu viel auf dem Herzen, Anton wußte trotz angestrengten Nachdenkens kein Wort zu finden. Er war froh, als ihn Mizzi nach einem Dutzend heißer Küsse und Umarmungen entlassen hatte.

Seit jenem denkwürdigen Tage »liebten« sie sich.

Herr Anton Wanzl hatte sich bald gefunden. Er lernte an Wochentagen und liebte an Sonntagen. Seinem Stolze schmeichelte es, daß er von einigen »Bundesbrüdern« mit Mizzi gesehen und mit einem vieldeutigen Lächeln begrüßt worden war. Er war fleißig und ausdauernd, und nicht mehr lange dauerte es, und Herr Anton Wanzl war Doktor.

Als »Probekandidat« kam er ins Gymnasium, von den Eltern brieflich bejubelt und beglückwünscht, von den Professoren »wärmstens« empfohlen, von dem Direktor herzlich begrüßt.

Hofrat Sabbäus Kreitmeyr war Direktor des II. k. k. Staatsgymnasiums, ein Philologe von Ruf, mit vielen sogenannten »Verbindungen«, bei den Schülern beliebt, bei Vorgesetzten gut angeschrieben, und verkehrte in der be-

sten Gesellschaft. Seine Frau Cäcilie wußte ein »großes
Haus« zu führen, veranstaltete Abende und Bälle, die den
Zweck hatten, das einzige Töchterchen des Direktors,
Lavinia – wie dieser sie etwas unpassend benannt hatte –,
unter die Haube zu bringen. Hofrat Sabbäus Kreitmeyr
war, wie die meisten Gelehrten alten Schlages, ein Pan-
toffelheld, er fand alles für richtig, was seine würdige Gemahlin anordnete, und glaubte an sie wie an die alleinse-
ligmachenden Regeln der lateinischen Grammatik. Seine
Lavinia war ein sehr gehorsames Kind, las keine Romane,
beschäftigte sich nur mit der antiken Mythologie und verliebte sich nichtsdestoweniger in ihren jungen Klavierleh-
rer, den Virtuosen Hans Pauli.

Hans Pauli war eine echte Künstlernatur. Das naive
Kindergemüt Lavinias hatte es ihm angetan. Er war in der
Liebe noch recht unerfahren, Lavinia war das erste weibliche Wesen, mit dem er stundenlang zusammensaß, bei
ihr fand er Bewunderung, die ihm sonst nicht sehr oft
zuteil wurde; und wenn auch die Hofratstochter nicht
schön zu nennen war – sie hatte eine etwas zu breite Stirn
und wässerige, farblose Augen –, so konnte man sie doch
nicht, schon ihrer schönen Statur wegen, gerade unhübsch
nennen. Hans Pauli träumte zudem von einer »deutschen« Frau, hielt viel auf Treue und verlangte, wie die
meisten Künstler, ein weibliches Weib, bei dem er seine
Launen austoben, aber auch Trost und Erholung finden
könnte. Nun schien ihm Fräulein Lavinia dazu am besten
geeignet, und da noch um sie der Zauber knospender Jugend wehte, schlug die Künstlerphantasie Herrn Hans
Pauli ein Schnippchen, und der angehende Virtuose von
Ruf verliebte sich stracks in Fräulein Lavinia Kreitmeyr.

Wie es um die beiden stand, erkannte Herr Anton
Wanzl gleich am ersten Abend, den er im Kreitmeyrschen
Hause zubrachte. Lavinia Kreitmeyr gefiel ihm nicht im
geringsten. Aber der Instinkt, mit dem Vorzugsschüler

des Lebens stets ausgerüstet sind, sagte ihm, daß Lavinia
eine gar passende Frau für ihn wäre und Herr Hofrat Sabbäus ein noch passenderer Schwiegervater. Diesen kindi-
schen Künstler Pauli konnte man leicht an die Luft setzen.
Man mußte es nur geschickt anstellen. Und etwas geschickt anstellen – das verstand Anton.

Herr Anton Wanzl hatte es nach einer halben Stunde
herausgefunden, daß Frau Cäcilie die wichtigste Rolle im
Hause spielte. Wollte er die Hand des Frl. Lavinia, so
mußte er vor allem das Herz der Mutter gewinnen. Und
da er sich auf die Unterhaltung älterer Matronen besser
verstand als auf die junger Mädchen, so verband er nach
der alten lateinischen Regel das dulce mit dem utile und
machte den Kavalier der Frau Direktor. Er sagte ihr manche zarte Schmeichelei, die ein Pauli in seiner reinen Torheit Fräulein Lavinia gesagt hätte. Und bald hatte Frau
Cäcilie Kreitmeyr den Herrn Anton Wanzl ins Herz geschlossen. Seinem Rivalen Hans Pauli gegenüber benahm
sich Anton mit kühner ironisierender Höflichkeit. Dem
Musiker verriet sein künstlerisches Feingefühl, mit wem
er es zu tun habe. Er, der Tor, das Kind, durchschaute
Herrn Anton Wanzl tiefer als alle Professoren und weisen
Männer. Aber Hans Pauli war kein Diplomat. Er äußerte
Anton Wanzl gegenüber stets unverhohlen seine Meinung. Anton blieb kühl und sachlich, Pauli erhitzte sich,
Anton rückte bald mit seiner schweren Rüstung der Ge-
lehrsamkeit ins Feld, gegen solche Waffen konnte Hans
Pauli nichts ausrichten, denn er war wie so viele Musiker
ohne größeres Wissen, seine schwerfällige Verträumtheit
erdrückte in ihm dasjenige, was man in der Gesellschaft
»Geist« nennt, und er mußte sich beschämt zurückziehen.

Fräulein Lavinia Kreitmeyr schwärmte zwar für Bach
und Beethoven und Mozart, aber als rechte Tochter eines
Philologen von Ruf hatte sie eine gleich große Verehrung
für die Wissenschaft. Hans Pauli war ihr wie ein Orpheus

erschienen, dem Flora und Fauna lauschen mußten. Nun
aber war ein Prometheus gekommen, der das heilige Feuer
vom Olymp geradewegs in die Wohnung des Herrn Hofrat Kreitmeyr brachte. Hans Pauli aber hatte sich mehrere
Male blamiert, er zählte in der Gesellschaft kaum mit.
Auch war Anton Wanzl ein Mann, den auch der Hofrat
sehr hochstellte, den Mama so sehr lobte. Lavinia war eine
gehorsame Tochter. Und als Herr Kreitmeyr ihr eines Tages riet, Herrn Dr. Wanzl die Hand zum Bunde fürs Leben zu reichen, sagte sie: »Ja.« Ein gleiches »Ja« bekam
auch der hocherfreute Anton zu hören, als er bei Fräulein
Lavinia bescheiden anfragte. Die Verlobung wurde für einen bestimmten Tag, den Geburtstag der Lavinia, ange-
setzt. Hans Pauli aber verstand jetzt die Tragik seines
Künstlerlebens. Er war verzweifelt, daß man ihm einen
Anton Wanzl vorgezogen, er haßte die Menschen, die
Welt, Gott. Dann setzte er sich auf einen Dampfer, reiste
nach Amerika, spielte in Kinos und Varietés, wurde ein
verlottertes Genie und starb schließlich vor Hunger auf
der Straße. An einem wunderschönen Juniabend wurde
im hofrätlichen Hause die Verlobung gefeiert. Frau Cäcilie rauschte in grauseidenem Kleide, Herr Hofrat Kreitmeyr fühlte sich unbehaglich in seinem schlechtsitzenden
Frack und zupfte abwechselnd bald an seiner windschie-
fen Krawatte, bald an den blitzblanken Manschettenröll-
chen. Herr Anton strahlte vor Freude an der Seite seiner
hellgekleideten, etwas ernsten Braut, Toaste wurden gehalten und erwidert, Becher erklangen, Hochrufe dröhnten bis hinaus durch die offenen Fenster in das Tuten der
Autos.

Draußen rauschten die Wellen der Donau ihr uraltes
Lied von Werden und Vergehen. Sie trugen die Sterne mit
und die weißen Wölklein, den blauen Himmel und den
Mond. In heißduftenden Jasminbüschen lag die Nacht
und hielt den Wind in ihren weichen Armen, daß nicht der
leiseste Hauch durch die schwüle Welt ging.

Mizzi Schinagl stand am Ufer. Sie fürchtete sich nicht vor dem tiefdunklen Wasser unten. Drin mußte es wohlig und weich sein, man stieß sich nicht an Kanten und Ecken wie auf der dummen Erde droben, und nur Fische gab es drin, stumme Wesen, die nicht lügen konnten, so entsetzlich lügen wie die bösen Menschen. Stumme Fische!

Stumme! Auch ihr Kindchen war stumm, tot geboren. »Es ist am besten so«, hatte Tante Marianne gesagt. Ja, ja, es war wirklich am besten. Und das Leben war doch so schön! Heute, vor einem Jahr. Ja, wenn das Kindchen lebte, so mußte auch sie leben, die Mutter. Aber so! Das Kind war tot, und das Leben tot – –

Durch die nächtliche Stille klang plötzlich ein Lied aus tiefen Männerkehlen. Burschengesänge, alte Lieder – – Studenten waren es. Ob wohl alle Studenten so waren? Nein! Der Wanzl! Der war doch nicht einmal ein richtiger Student! Oh, sie kannte ihn gut! Ein Feigling war er, ein Heuchler, ein Scheinheiliger! Oh, wie sie ihn haßte!

Die Lieder klangen immer näher. Deutliche Schritte waren vernehmbar.

Antons »Bundesbrüder« kehrten von einem Sommerfest zurück. Herr stud. jur. Xandl Hummer, hoch in den Dreißigern, im 18. Semester, »Bierfaß« genannt, betrank sich nicht leicht und holte jetzt rüstig aus. Seine kleinen Äuglein erspähten dort ferne am Ufer eine Frauengestalt. »Holla. Brüder, es gilt ein Leben zu retten!« sagte er.

»Fräulein«, rief er, »warten Sie einen Augenblick! Ich komm' schon!« Mizzi Schinagl sah trübe in das aufgedunsene rote Gesicht Xandls. Ein jäher Gedanke durchzuckte ihr Hirn. Wie, wenn – – Ja, ja, sie wollte sich rächen! Rächen an der Welt, an der Gesellschaft!

Mizzi Schinagl lachte. Ein gelles, schneidendes Lachen. So lacht eine – dachte sie. Nur noch einen Blick warf sie ins Wasser. Und starrte dann eine Weile in die Luft.

Sie hörte nicht die rohen Späße des Studenten. Er aber

nahm ihren Arm. Im Triumph wurde sie auf die »Bude« Xandls geführt.

Am nächsten Morgen brachte sie »Bierfaß« in die »Pension« zu »Tante« Waclawa Jancic am Spittel. –

Herr Anton Wanzl war mit seiner jungen Frau von der Ferien- und Hochzeitsreise zurückgekehrt. Er war ein gewissenhafter, strenger, gerechter Lehrer. Er wuchs in den Augen der Vorgesetzten, spielte eine Rolle in der besseren Gesellschaft und arbeitete an einem wissenschaftlichen Werk. Sein Gehalt stieg und stieg, er wuchs von einer Rangklasse in die andere. Seine Eltern hatten ihm den Gefallen erwiesen und waren kurz nach seiner Hochzeit beide fast in derselben Zeit gestorben. Herr Anton Wanzl aber ließ sich jetzt zu der größten Verwunderung aller in seine Heimatstadt versetzen.

Das kleine Gymnasium verwaltete dort ein alter Direktor, ein lässiger Mann, alleinstehend, ohne Weib und Kind, der nur in der Vergangenheit lebte und sich um seine Pflichten nicht kümmerte. Nichtsdestoweniger war ihm sein Amt lieb geworden, er mußte lachende, junge Gesichter um sich sehen, seine Bäume im großen Park pflegen, von den Bürgern des Städtchens ehrfürchtig gegrüßt werden. Man hatte drüben im Landesschulrat Mitleid mit dem alten Manne und wartete nur noch auf seinen Tod.

Anton Wanzl kam und nahm die Verwaltung der Schule in die Hand. Als Rangältester wurde er Sekretär, er schrieb Berichte an den Schulrat, bekam die Kasse in Verwaltung, beaufsichtigte den Unterricht und die Reparaturen, schaffte Ordnung. Er kam auch hie und da nach Wien und hatte Gelegenheit, an den Abenden, die seine Schwiegermutter seltener zwar, aber doch immer noch veranstaltete, hie und da einem Herrn von der Statthalterei auch mündlichen Bericht zu erstatten. Dabei verstand er es vortrefflich, seine eigene Tätigkeit ins hellste Licht zu rücken, von seinem Direktor mit einem bedauernden Un-

terton in der Stimme zu sprechen und seine Worte mit
einem vielsagenden Achselzucken zu begleiten. Frau Cäcilie Kreitmeyr aber besorgte das übrige.

Eines Tages spazierte der alte Herr Direktor mit seinem
Sekretär Dr. Wanzl in den schönen Gartenanlagen des
Gymnasiums. Der alte Herr freute sich beim Anblick der
Bäume, hie und da huschte ein frisches Jungengesicht vor-
bei und verschwand wieder. Des Herrn Direktors altes
Greisenherz freute sich.

Gerade bog der Schuldiener in die Allee ein, grüßte und
überreichte einen mächtigen Brief. Der Herr Direktor
schnitt das große weiße Kuvert bedächtig auf, zog das
Blatt mit dem großen Amtssiegel hervor und begann zu
lesen. Ein Ausdruck des Schreckens belebte plötzlich seine alten, schlaffen Züge. Er machte eine Bewegung, als
wollte er nach seinem Herz greifen, schwankte und fiel.
Nach einigen Sekunden war er in den Armen seines Se-
kretärs gestorben.

Dem Herrn Direktor Dr. Anton Wanzl ging es gut. Sein
Ehrgeiz ruhte seit Jahren. Manchmal dachte er wohl an
eine Universitätsprofessur, die er hätte erreichen können,
aber bald hatte er sich die Sache überlegt. Er war mit sich
sehr zufrieden. Und noch mehr mit den Menschen.
Manchmal im tiefsten Winkel seines Herzens lachte er
über die Leichtgläubigkeit der Welt. Aber seine blassen
Lippen blieben geschlossen. Selbst wenn er allein war, in
seinen vier Wänden, lachte er nicht. Er fürchtete, die Wände hätten nicht nur Ohren, sondern auch Augen und
könnten ihn verraten.

Kinder hatte er keine, sehnte sich auch nicht nach ihnen.
Zu Hause war er der Herr, seine Gemahlin blickte be-
wundernd zu ihm empor, seine Schüler verehrten ihn.
Nur nach Wien kam er seit einigen Jahren nicht mehr.
Dort war ihm einmal was höchst Fatales passiert. Als er
einmal in der Nacht mit seiner Frau aus der Oper heim-

kehrte, begegnete ihm an der Ecke ein aufgeputztes
Frauenzimmer, warf einen Blick auf Frau Lavinia an sei-
ner Seite und lachte schrill auf. Lange klang dieses wilde
Lachen Herrn Anton Wanzl in den Ohren.

Direktor Wanzl lebte noch lange glücklich an der Seite
seiner Frau. Aber seine stark überspannten Kräfte ließen
mählich nach. Der überanstrengte Organismus rächte
sich. Die lange durch die Macht des straffen Willens zu-
rückgehaltene Schwache brach auf einmal durch. Eine
schwere Lungenentzündung warf Anton Wanzl aufs
Krankenlager, das ihn nicht mehr loslassen sollte. Nach
einigen Wochen schweren Leidens starb Anton Wanzl.

Alle Schüler waren gekommen, alle Bürger des Städtchens, Kränze mit langen schwarzen Schleifen überdeck-
ten den Sarg, Reden wurden gehalten, Abschiedsworte
nachgerufen.

Herr Anton Wanzl aber lag tief drinnen im schwarzen
Metallsarg und lachte. Anton Wanzl lachte zum ersten
Male. Er lachte über die Leichtgläubigkeit der Menschen,
über die Dummheit der Welt. Hier durfte er lachen. Die
Wände seines schwarzen Kastens konnten ihn nicht verraten. Und Anton Wanzl lachte. Lachte stark und herzlich.

Seine Schüler ließen es sich nicht nehmen, ihrem verehrten und geliebten Direktor einen marmornen Grabstein
zu setzen. Auf diesem standen unter dem Namen des Verstorbenen die Verse:
          »Üb immer Treu und Redlichkeit
          Bis an dein kühles Grab!«

Barbara
|1918|

Sie hieß Barbara. Klang ihr Name nicht wie Arbeit? Sie hatte eines jener Frauengesichter, die so aussehen, als wären sie nie jung gewesen. Man kann ihr Alter auch nicht mutmaßen. Es lag verwittert in den weißen Kissen und stach von diesen ab durch eine Art gelblichgrauer Sandsteinfärbung. Die grauen Augen flogen rastlos hin und her wie Vögel, die sich in den Wust der Polster verirrt; zuweilen aber kam eine Starrheit in diese Augen; sie blieben an einem dunklen Punkt oben an der weißen Zimmerdecke kleben, einem Loch oder einer rastenden Fliege. Dann überdachte Barbara ihr Leben.

Barbara war 10 Jahre alt, als ihre Mutter starb. Der Vater war ein wohlhabender Kaufmann gewesen, aber er hatte angefangen zu spielen und hatte der Reihe nach Geld und Laden verloren; aber er saß weiter im Wirtshause und spielte. Er war lang und dürr und hielt die Hände krampfhaft in den Hosentaschen versenkt. Man wußte nicht: Wollte er auf diese Art das noch übrige Geld festhalten oder es verhüten, daß jemand in seine Tasche greife und sich von deren Inhalt oder Leere überzeuge? Er liebte es, seine Bekannten zu überraschen, und wenn es seinen Partnern beim Kartenspiel schien, daß er schon alles verloren habe, zog er zur allgemeinen Verblüffung noch immer irgendeinen Wertgegenstand, einen Ring oder eine Berlokke, hervor und spielte weiter. Er starb schließlich in einer Nacht, ganz plötzlich, ohne Vorbereitung, als wollte er die Welt überraschen. Er fiel, wie ein leerer Sack, zu Boden und war tot. Aber die Hände hatte er noch immer in den Taschen, und die Leute hatten Mühe, sie ihm herauszuzerren. Erst damals sah man, daß die Taschen leer waren und daß er vermutlich nur deshalb gestorben war, weil er nichts mehr zu verspielen hatte …

Barbara war 16 Jahre alt. Sie kam zu einem Onkel, einem dicken Schweinehändler, dessen Hände wie die Pölsterchen »Ruhe sanft« oder »Nur ein halbes Stündchen« aussahen, die zu Dutzenden in seinem Salon herumlagen. Er tätschelte Barbara die Wange, und ihr schien es, als kröchen fünf kleine Ferkelchen über ihr Gesicht. Die Tante war eine große Person, dürr und mager wie eine Klavierlehrerin. Sie hatte große, rollende Augen, die aus den Hohlen quollen, als wollten sie nicht im Kopfe sitzen bleiben, sondern rastlos spazierengehen.

Sie waren grünlichhell, von jener unangenehmen Grüne, wie sie die ganz billigen Trinkgläser haben. Mit diesen Augen sah sie alles, was im Hause und im Herzen des Schweinehändlers vorging, über den sie übrigens eine unglaubliche Macht hatte. Sie beschäftigte Barbara, »so gut es ging«, aber es ging nicht immer gut. Barbara mußte sich sehr in acht nehmen, um nichts zu zerbrechen, denn die grünen Augen der Tante kamen gleich wie schwere Wasserwogen heran und rollten kalt über den heißen Kopf der Barbara.

Als Barbara 20 Jahre alt war, verlobte sie der Onkel mit einem seiner Freunde, einem starkknochigen Tischlermeister mit breiten, schwieligen Händen, die schwer und massiv waren wie Hobel. Er zerdrückte ihre Hand bei der Verlobung, daß es knackte und sie aus seiner mächtigen Faust mit Not ein Bündel lebloser Finger rettete. Dann gab er ihr einen kräftigen Kuß auf den Mund. So waren sie endgültig verlobt.

Die Hochzeit, die bald darauf stattfand, verlief regelrecht und vorschriftsmäßig mit weißem Kleide und grünen Myrten, einer kleinen, öligen Pfarrersrede und einem asthmatischen Toast des Schweinehändlers. Der glückliche Tischlermeister zerbrach ein paar der feinsten Weingläser, und die Augen der Schweinehändlerin rollten über seine starken Knochen, ohne ihm was anhaben zu können.

Barbara saß da, als säße sie auf der Hochzeit einer Freundin. Sie wollte es gar nicht begreifen, daß sie Frau war. Aber sie begriff es schließlich doch. Als sie Mutter war, kümmerte sie sich mehr um ihren Jungen als um den Tischler, dem sie täglich in die Werkstätte sein Essen brachte. Sonst machte ihr der fremde Mann mit den starken Fäusten keine Umstände. Er schien von einer eichenhölzernen Gesundheit, roch immer nach frischen Hobelspänen und war schweigsam wie eine Ofenbank. Eines Tages fiel ihm in seiner Werkstätte ein schwerer Holzbalken auf den Kopf und tötete ihn auf der Stelle.

Barbara war 22 Jahre alt, nicht unhübsch zu nennen, sie war Meisterin, und es gab Gesellen, die nicht übel Lust hatten, Meister zu werden. Der Schweinehändler kam und ließ seine fünf Ferkel über die Wange Barbaras laufen, um sie zu trösten. Er hätte es gar zu gerne gesehen, wenn Barbara sich noch einmal verheiratet hätte. Sie aber verkaufte bei einer günstigen Gelegenheit ihre Werkstätte und wurde Heimarbeiterin. Sie stopfte Strümpfe, strickte wollene Halstücher und verdiente ihren Unterhalt für sich und ihr Kind.

Sie ging fast auf in der Liebe zu ihrem Knaben. Es war ein starker Junge, die groben Knochen hatte er von seinem Vater geerbt, aber er schrie nur zu gerne und strampelte mit seinen Gliedmaßen so heftig, daß die zusehende Barbara oft meinte, der Junge hätte mindestens ein Dutzend fetter Beinchen und Arme. Der Kleine war häßlich, von einer geradezu robusten Häßlichkeit. Aber Barbara sah nichts Unschönes an ihm. Sie war stolz und zufrieden und lobte seine guten geistigen und seelischen Qualitäten vor allen Nachbarinnen. Sie nähte Häubchen und bunte Bänder für das Kind und verbrachte ganze Sonntage damit, den Knaben herauszuputzen. Mit der Zeit aber reichte ihr Verdienst nicht aus, und sie mußte andere Einnahmequellen suchen. Da fand sich, daß sie eigentlich eine zu große

Wohnung hatte. Und sie hängte eine Tafel an das Haustor, an der mit komischen, hilflosen Buchstaben, die jeden Augenblick vom Papier herunterzufallen und auf dem harten Pflaster zu zerbrechen drohten, geschrieben stand, daß in diesem Hause ein Zimmer zu vermieten wäre. Es kamen Mieter, fremde Menschen, die einen kalten Hauch mit sich in die Wohnung brachten, eine Zeitlang blieben und sich dann wieder von ihrem Schicksal hinausfegen ließen in eine andere Gegend. Dann kamen neue.

Aber eines Tages, es war Ende März, und von den Dächern tropfte es, kam er. Er hieß Peter Wendelin, war Schreiber bei einem Advokaten und hatte einen treuen Glanz in seinen goldbraunen Augen. Er machte keine Scherereien, packte gleich aus und blieb wohnen.

Er wohnte bis in den April hinein. Ging in der Früh aus und kam am Abend wieder. Aber eines Tages ging er überhaupt nicht aus. Seine Türe blieb zu. Barbara klopfte an und trat ein, da lag Herr Wendelin im Bette. Er war krank. Barbara brachte ihm ein warmes Glas Milch, und in seine goldbraunen Augen kam ein warmer, sonniger Glanz.

Mit der Zeit entwickelte sich zwischen beiden eine Art Vertraulichkeit. Das Kind Barbaras war ein Thema, das sich nicht erschöpfen ließ. Aber man sprach auch natürlich von vielem andern. Vorn Wetter und von den Ereignissen. Aber es war so, als steckte etwas ganz anderes hinter den gewöhnlichen Gesprächen und als wären die alltäglichen Worte nur Hüllen für etwas Außergewöhnliches, Wunderbares.

Es schien, als wäre Herr Wendelin eigentlich schon längst wieder gesund und arbeitsfähig und als läge er nur so zu seinem Privatvergnügen länger im Bett als notwendig. Schließlich mußte er doch aufstehen. An jenem Tage war es warm und sonnig, und in der Nähe war eine kleine Gartenanlage. Sie lag zwar staubig und trist zwischen den grauen Mauern, aber ihre Bäume hatten schon das erste

Grün. Und wenn man die Häuser rings vergaß, konnte man für eine Weile meinen, in einem schönen, echten Park zu sitzen. Barbara ging zuweilen in jenen Park mit ihrem Kinde. Herr Wendelin ging mit. Es war ein Nachmittag, die junge Sonne küßte eine verstaubte Bank, und sie sprachen. Aber alle Worte waren wieder nur Hüllen, wenn sie abfielen, war nacktes Schweigen um die beiden, und im Schweigen zitterte der Frühling.

Aber einmal ergab es sich, daß Barbara Herrn Wendelin um eine Gefälligkeit bitten mußte. Es galt eine kleine Reparatur an dem Haken der alten Hängelampe, und Herr Wendelin stellte einen Stuhl auf den wackligen Tisch und stieg auf das bedenkliche Gerüst. Barbara stand unten und hielt den Tisch. Als Herr Wendelin fertig war, stützte er sich zufällig auf die Schulter der Barbara und sprang ab. Aber er stand schon lange unten und hatte festen Boden unter seinen Füßen, und er hielt immer noch ihre Schulter umfaßt. Sie wußten beide nicht, wie ihnen geschah, aber sie standen fest und rührten sich nicht und starrten nur einander an. So verweilten sie einige Sekunden. Jedes wollte sprechen, aber die Kehle war wie zugeschnürt, sie konnten kein Wort hervorbringen, und es war ihnen wie ein Traum, wenn man rufen will und doch nicht kann. Sie waren beide blaß. Endlich ermannte sich Wendelin. Er ergriff Barbaras Hand und würgte hervor: »Du!« »Ja!« sagte sie, und es war, als ob sie einander erst jetzt erkannt hätten, als wären sie auf einer Maskerade nur so nebeneinander hergegangen und hätten erst jetzt die Masken abgelegt.

Und nun kam es wie eine Erlösung über beide. »Wirklich? Barbara? Du?« stammelte Wendelin. Sie tat die Lippen auf, um »Ja« zu sagen, da polterte plötzlich der kleine Philipp von einem Stuhl herab und erhob ein jämmerliches Geschrei. Barbara mußte Wendelin stehenlassen, sie eilte zum Kinde und beruhigte es. Wendelin folgte ihr. Als der Kleine still war und nur noch ein restliches Glucksen durch das Zimmer flatterte, sagte Wendelin: »Ich hol' sie mir morgen! Leb wohl!« Er nahm seinen Hut und ging, aber um ihn war es wie Sonnenglanz, als er im Türrahmen stand und noch einmal auf Barbara zurückblickte.

Als Barbara allein war, brach sie in lautes Weinen aus. Die Tränen erleichterten sie, und es war ihr, als läge sie an einer warmen Brust. Sie ließ sich von dem Mitleid, das sie mit sich selbst hatte, streicheln. Es war ihr lange nicht so wohl gewesen, ihr war wie einem Kinde, das sich in einem Wald verirrt und nach langer Zeit wieder zu Hause angekommen war.

So hatte sie lange im Walde des Lebens herumgeirrt, um jetzt erst nach Hause zu treffen. Aus einem Winkel der Stube kroch die Dämmerung hervor und wob Schleier um Schleier um alle Gegenstände. Auf der Straße ging der Abend herum und leuchtete mit einem Stern zum Fenster herein. Barbara saß noch immer da und seufzte still in sich hinein. Das Kind war in einem alten Lehnstuhl eingeschlummert. Es bewegte sich plötzlich im Schlafe, und das brachte Barbara zur Besinnung. Sie machte Licht, brachte das Kind zu Bett und setzte sich an den Tisch. Das helle, vernünftige Lampenlicht ließ sie klar und ruhig denken. Sie überdachte alles, ihr bisheriges Leben, sie sah ihre Mutter, ihren Vater, wie er hilflos am Boden lag, ihren Mann, den plumpen Tischler, sie dachte an ihren Onkel, und sie fühlte wieder seine fünf Ferkel.

Aber immer und immer wieder war Peter Wendelin da, mit dem sonnigen Glanz in seinen guten Augen. Gewiß würde sie morgen »Ja« sagen, der gute Mensch, wie lieb sie ihn hatte. Warum hatte sie ihm eigentlich nicht schon heute »Ja« gesagt? Aha! Das Kind! Plötzlich fühlte sie etwas wie Groll in sich aufsteigen. Es dauerte bloß den Bruchteil einer Sekunde, und sie hatte gleich darauf die Empfindung, als hätte sie ihr Kind ermordet. Sie stürzte zum Bett, um sich zu überzeugen, daß dem Kind kein Leid geschehn war. Sie beugte sich darüber und küßte es und bat es mit einem hilflosen Blick um Verzeihung. Nun dachte sie, wie doch jetzt alles so ganz anders werden müßte. Was geschah mit dem Kinde? Es bekam einen fremden Vater, würde er es liebhaben können? Und sie, sie selbst? Dann kamen andere Kinder, die sie mehr liebhaben würde. – – – – War das möglich? Mehr lieb? Nein, sie blieb ihm treu, ihrem armen Kleinen. Plötzlich war es ihr, als würde sie morgen das arme, hilflose Kind verlassen, um in eine andere Welt zu gehen. Und der Kleine blieb zurück. – – Nein, sie wird ja bleiben, und alles wird gut sein, sucht sie sich zu trösten. Aber immer wieder kommt diese Ahnung. Sie sieht es, ja, sie sieht es schon, wie sie den Kleinen hilflos läßt. Selbst wird sie gehen mit einem fremden Manne. Aber er war ja gar nicht fremd!

Auf einmal schreit der Kleine laut auf im Schlafe. »Mama! Mama!« lallt das Kind; sie läßt sich zu ihm nieder, und er streckt ihr die kleinen Händchen entgegen. Mama! Mama! Es klingt wie ein Hilferuf.

Ihr Kind! – So weint es, weil sie es verlassen will. Nein! Nein! Sie will ewig bei ihm bleiben.

Plötzlich ist ihr Entschluß reif. Sie kramt aus der Lade Schreibzeug und Papier und zeichnet mühevoll hinkende Buchstaben auf das Blatt. Sie ist nicht erregt, sie ist ganz ruhig, sie bemüht sich sogar, so schön als möglich zu schreiben. Dann hält sie den Brief vor sich und überliest ihn noch einmal.

»Es kann nicht sein. Wegen meines Kindes nicht!« Sie steckt das Blatt in einen Umschlag und schleicht sich leise in den Flur zu seiner Tür. Morgen würde er es finden.

Sie kehrt zurück, löscht die Lampe aus, aber sie kann keinen Schlaf finden, und sie sieht die ganze Nacht zum Fenster hinaus.

Am nächsten Tage zog Peter Wendelin aus. Er war

müde und zerschlagen, als hätte er selbst alle seine Koffer geschleppt, und es war kein Glanz mehr in seinen braunen Augen. Barbara blieb den ganzen Tag über in ihrem Zimmer. Aber ehe Peter Wendelin endgültig fortging, kam er mit einem Sträußlein Waldblumen zurück und legte es stumm auf den Tisch der Barbara. Es lag ein verhaltenes Weinen in ihrer Stimme, und als sie ihm die Hand zum Abschied gab, zitterte sie ein wenig. Wendelin sah sich noch eine Weile im Zimmer um, und wieder kam ein goldener Glanz in seine Augen, dann ging er. Drüben im kleinen Park sang eine Amsel, Barbara saß still und lauschte. Draußen am Haustor flatterte wieder die Tafel mit der Wohnungsanzeige im Frühlingswind.

Mieter und Monde kamen und gingen, Philipp war groß und ging in die Schule. Er brachte gute Zeugnisse heim, und Barbara war stolz auf ihn. Sie bildete sich ein, aus ihrem Sohne müsse etwas Besonderes werden, und sie wollte alles anwenden, um ihn studieren zu lassen. Nach einem Jahre sollte es sich entscheiden, ob er Handwerker werden oder ins Gymnasium kommen sollte. Barbara wollte mit ihrem Kinde höher hinauf. Alle die Opfer sollten nicht umsonst gebracht sein.

Zuweilen dachte sie noch an Peter Wendelin. Sie hatte seine vergilbte Visitkarte, die vergessen an der Tür steckengeblieben war, und die Blumen, die er ihr zum Abschied gebracht hatte, in ihrem Gebetbuch sorgfältig aufbewahrt. Sie betete selten, aber an Sonntagen schlug sie die Stelle auf, wo die Karte und die Blumen lagen, und verweilte lange über den Erinnerungen.

Ihr Verdienst reichte nicht, und sie begann, vom kleinen Kapital zu zehren, das ihr vom Verkauf der Werkstätte geblieben war. Aber es konnte auf die Dauer nicht weitergehen, und sie sah sich nach neuen Verdienstmöglichkeiten um. Sie wurde Wäscherin. In der Früh ging sie aus, und in der Mittagsstunde schleppte sie einen schweren

Pack schmutziger Wäsche heim. Sie stand halbe Tage im Dunst der Waschküche, und es war, als ob der Dampf des Schmutzes sich auf ihrem Gesicht ablagerte.

Sie bekam eine fahle, sandsteinfarbene Haut, um die Augen zitterte ein engmaschiges Netz haarfeiner Falten. Die Arbeit verunstaltete ihren Leib, ihre Hände waren rissig, und die Haut faltete sich schlaff an den Fingerspitzen unter der Wirkung des heißen Wassers. Selbst wenn sie keinen Pack trug, ging sie gebückt. Die Arbeit lastete auf ihrem Rücken. Aber um den bittern Mund spielte ein Lächeln, sooft sie ihren Sohn ansah.

Nun hatte sie ihn glücklich ins Gymnasium hinüberbugsiert. Er lernte nicht leicht, aber er behielt alles, was er einmal gehört hatte, und seine Lehrer waren zufrieden. Jedes Zeugnis, das er nach Hause brachte, war für Barbara ein Fest, und sie versäumte es nicht, ihrem Sohn kleine Freuden zu bereiten. Extratouren gewissermaßen, die sie um große Opfer erkaufen mußte. Philipp ahnte das alles nicht, er war ein Dickhäuter. Er weinte selten, ging robust auf sein Ziel los und machte seine Aufgaben mit einer Art Aufwand von körperlicher Kraft, als hätte er ein Eichenbrett zu hobeln. Er war ganz seines Vaters Sohn, und er begriff seine Mutter gar nicht. Er sah sie arbeiten, aber das schien ihm selbstverständlich, er besaß nicht die Feinheit, um das Leid zu lesen, das in der Seele seiner Mutter lag und in jedem Opfer, das sie ihm brachte.

So schwammen die Jahre im Dunst der schmutzigen Wäsche. Allmählich kam eine Gleichgültigkeit in die Seele Barbaras, eine stumpfe Müdigkeit. Ihr Herz hatte nur noch einige seiner stillen Feste, zu denen die Erinnerung an Wendelin gehörte und ein Schulzeugnis Philipps. Ihre Gesundheit war stark angegriffen, sie mußte zeitweilig in ihrer Arbeit einhalten, der Rücken schmerzte gar sehr. Aber keine Klage kam über ihre Lippen. Und auch wenn sie gekommen wäre, an der Elefantenhaut Philipps wäre sie glatt abgeprallt.

Er mußte nun darangehen, an einen Beruf zu denken.
Zu einem weiteren Studium mangelte es an Geld, zu einer
anständigen Stelle an Protektion. Philipp hatte keine besondere Vorliebe für einen Beruf, er hatte überhaupt keine
Liebe. Am bequemsten war ihm noch die Theologie. Man
konnte Aufnahme finden im Seminar und hatte vor sich
ein behäbiges und unabhängiges Leben. So glitt er denn,
als er das Gymnasium hinter sich hatte, in die Kutte der
Religionswissenschaft. Er packte seine kleinen Habseligkeiten in einen kleinen Holzkoffer und übersiedelte in die
engbrüstige Stube seiner Zukunft.

Seine Briefe waren selten und trocken wie Hobelspäne.
Barbara las sie mühevoll und andächtig. Sie begann, häufiger in die Kirche zu gehen, nicht weil sie ein religiöses
Verlangen danach verspürte, sondern um den Priester zu
sehen und im Geiste ihren Sohn auf die Kanzel zu versetzen. Sie arbeitete noch immer viel, trotzdem sie es jetzt
nicht nötig hatte, aber sie glich einem aufgezogenen Uhr-
werk etwa, das nicht stehenbleiben kann, solange sich die
Rädchen drehen. Doch ging es merklich abwärts mit ihr.
Sie mußte sich hie und da ins Bett legen und etliche Tage
liegenbleiben. Der Rücken schmerzte heftig, und ein trok-
kenes Husten schüttelte ihren abgemagerten Körper. Bis
eines Tages das Fieber dazukam und sie ganz hilflos machte.

Sie lag eine Woche und zwei. Eine Nachbarin kam und
half aus. Endlich entschloß sie sich, an Philipp zu schreiben. Sie konnte nicht mehr, sie mußte diktieren. Sie küßte
den Brief verstohlen, als sie ihn zum Absenden übergab.
Nach acht langen Tagen kam Philipp. Er war gesund, aber
nicht frisch und steckte in einer blauen Kutte. Auf dem
Kopfe trug er eine Art Zylinder. Er legte ihn sehr sanft
aufs Bett, küßte seiner Mutter die Hand und zeigte nicht
das mindeste Erschrecken. Er erzählte von seiner Pro-
motion, zeigte sein Doktordiplom und stand selbst dabei

so steif, daß er aussah wie die steife Papierrolle und seine
Kutte mit dem Zylinder wie eine Blechkapsel. Er sprach
von seinen Arbeiten, trotzdem Barbara nichts davon verstand. Zeitweilig verfiel er in einen näselnden, fetten Ton,
den er seinen Lehrern abgelauscht und für seine Bedürfnisse zugeölt haben mochte. Als die Glocken zu läuten
begannen, bekreuzigte er sich, holte ein Gebetbuch hervor und flüsterte lange mit einem andächtigen Ausdrucke
im Gesicht.

Barbara lag da und staunte. Sie hatte sich das alles so
ganz anders vorgestellt. Sie begann, von ihrer Sehnsucht
zu sprechen und wie sie ihn vor ihrem Tode noch einmal
hatte sehen wollen. Er hatte bloß das Wort »Tod« gehört,
und schon begann er, über das Jenseits zu sprechen und
über den Lohn, der die Frommen im Himmel erwartete.
Kein Schmerz lag in seiner Stimme, nur eine Art Wohlgefallen an sich selbst und die Freude darüber, daß er am
Lager seiner todkranken Mutter zeigen konnte, was er
gelernt hatte.

Über die kranke Barbara kam mit Gewalt das Verlangen, in ihrem Sohn ein bißchen Liebe wachzurufen. Sie
fühlte, daß es das letzte Mal war, da sie sprechen konnte,
und wie von selbst und als hauche ihr ein Geist die Worte
ein, begann sie, langsam und zögernd von der einzigen
Liebe ihres Lebens zu sprechen und von dem Opfer, das
sie ihrem Kinde gebracht. Als sie zu Ende war, schwieg sie
erschöpft, aber in ihrem Schweigen lag zitternde Erwartung. Ihr Sohn schwieg. So etwas begriff er nicht. Es rührte ihn nicht. Er blieb stumpf und steif und schwieg. Dann
begann er, verstohlen zu gähnen, und sagte, er gehe für
eine Weile weg, um sich ein bißchen zu stärken.

Barbara lag da und begriff gar nichts. Nur eine tiefe
Wehmut bebte in ihr und der Schmerz um das verlorene
Leben. Sie dachte an Peter Wendelin und lächelte müde. In
ihrer Todesstunde wärmte sie noch der Glanz seiner gold-

braunen Augen. Dann erschütterte sie ein starker Husten-
anfall. Als er vorüber war, blieb sie bewußtlos liegen. Philipp kam zurück, sah den Zustand seiner Mutter und begann, krampfhaft zu beten. Er schickte um den Arzt und
um den Priester. Beide kamen; die Nachbarinnen füllten
das Zimmer mit ihrem Weinen. Inzwischen aber taumelte
Barbara, unverstanden und verständnislos, hinüber in die
Ewigkeit.

Karriere
|1920|

Er war dreiundzwanzig Jahre zweiter Buchhalter bei der
Firma Reckzügel und Compagnie, Sattel- und Riemen-
zeug-Export en gros, und verdiente dreihundertundfünf-
zig Kronen im Monat.

Und hieß Gabriel Stieglecker.

Und weiters ist über ihn zu sagen, daß er, um nicht ganz
zu verhungern, nach Nebenverdiensten suchte und einige
fand. Er leistete bei den Firmen Brüder Pollacek, Simon
Silberstein und Bruder, Rosalie Funkel Aushilfsdienste
jeden Monat einige Tage vor Ultimo. Zusammen hatte
Gabriel Stieglecker sechshundertundfünfundsiebzig Kronen im Monat. Und davon starb er nun schon drei Jahre
und fünf Monate lang.

Er war ein ausgezeichneter, prompter und verläßlicher
Buchhalter. Die Firmen Brüder Pollacek, Simon Silberstein und Bruder und Rosalie Funkel konnten sich dank
den Leistungen des Gabriel Stieglecker einen eigenen
Buchhalter ersparen. Er hielt ihre Bücher in Ordnung,
wußte auch, was vor Steuerbehörden und Polizei verborgen bleiben mußte, und war diskret wie ein Brunnenloch.

Gabriel Stieglecker liebte seinen Beruf. Die grüne Tinte
bevorzugte er vor der blauen und vor dieser die rote. Aber
am liebsten war ihm die violette. Alle Buchhalter der Welt
schrieben Zahlen in schwarzer Kaisertinte. Gabriel
Stieglecker schrieb grundsätzlich violette Zahlen. Er behauptete, von der violetten Tinte bestimmt zu wissen, daß
sie dauerhafter sei als die andere und mit einer unerreich-
baren Intensität durch die Poren des Papiers dringe. Ja, es
sei sogar anzunehmen, daß mit violetter Tinte geschrie-
bene Ziffern noch lange nach dem völligen Zerfall des Pa-

piers gleichsam wie transparente Bilder in der Luft fortbeständen.

Was die von Gabriel Stieglecker geschriebenen Ziffern
selbst betrifft, so ist zu bemerken, daß sie niemals mit
andern zu verwechseln waren. Sie hatten eine persönliche
Note, einen Charakter, waren Individualitäten. Die 3 hatte keinen Bauch, die 2 keinen Buckel, die 7 keinen
Schwanz. Sondern alle Ziffern hatten »Linie«, waren zart
und schlank wie moderne Frauen und konnten an künstlerischem Schwung nur von Modellzeichnungen in den
neuesten Modezeitschriften übertroffen werden.

Denn Gabriel Stieglecker liebte seine Geschöpfe, die
Ziffern. Er blies ihnen sozusagen seinen Atem ein, und
davon erschienen sie so unterernährt. Er spielte mit ihnen
wie ein Knabe mit Zinnsoldaten, er ließ sie in Doppelreihen aufmarschieren und markierte den Rand eines Exerzierplatzes durch einen grasgrünen Strich. Oder er richtete mit roter Tinte ein Blutbad unter ihnen an, das aber
niemals mutwillig und schrankenlos sich über das Blachfeld ergießen durfte, sondern mittels eines Lineals gewissermaßen in säuberliche Kanäle abgeleitet wurde. Ordnung mußte sein, auf jeden Fall.

Nur so ist es zu verstehen, daß Gabriel Stieglecker nun
schon den sechsten Monat des vierten Jahres mit sechshundertundfünfundsiebzig Kronen Monatslohn stirbt.
Ich sage: »stirbt«, nicht etwa aus Vergeßlichkeit, sondern
mit Absicht. Denn die Geschichte ist wahr, Gabriel
Stieglecker heißt anders, aber er lebt. Die Geschichte ist
übrigens zu merkwürdig, als daß jemand anderer als das
Leben sie erfunden haben könnte. Wie aus dem Folgenden zu ersehen ist.

Gabriel Stieglecker war immer noch Gast am Stammtisch im Café Aspern, wo er allsonntäglich einen Schwarzen mit Sacharin trank. Und allsonntäglich mußte er, der
gerade damit beschäftigt war, über den seltsamen Patina-

glanz seiner gestern erstandenen violetten Tinte nachzudenken, Vorwürfe anhören. Warum er denn noch immer
nicht eine Gehaltserhöhung verlangt habe? Und ob er
denn nicht einsehe, daß er schändlich ausgebeutet würde?
heutzutage? von *der* Firma? *der* sauberen Gesellschaft?

Um diese Vorwürfe rasch und sicher vergessen zu können, ging Gabriel Stieglecker jeden Sonntag nach der
Stammtischsitzung ins Büro Zahlen schreiben. Gabriel
Stieglecker erledigte das ganze Montagsmorgenpensum
und wäre eigentlich sehr glücklich darüber schlafen gegangen, wenn ihn nicht die Sorge geplagt hätte, daß er
– am nächsten Morgen nichts mehr zu tun haben würde.

So waren Gabriel Stiegleckers Sonntagsnächte qualvoll
und zerrissen. Gabriel Stieglecker war überhaupt gegen
Sonntage.

An einem und demselben Tag geschah folgendes:
Die Wäscherin kündigte eine zehnprozentige Erhöhung
an;
die Elektrische führte den Zweikronentarif ein;
und die Wirtin erhöhte den Mietzins mit Rücksicht auf die
»Verteuerung der Elektrizität« um dreißig Kronen.

(Daß Gabriel Stieglecker trotzdem kein elektrisches
Licht im Zimmer hatte, setze ich als selbstverständlich
voraus und erwähne es nur zum Zweck der Beruhigung
aller jener, die sich etwa über das Vorgehen der Wirtin
Gabriel Stiegleckers aufregen sollten.)

Diese drei Katastrophen veranlaßten den zweiten
Buchhalter Gabriel Stieglecker, sich beim ersten Buchhalter Rat zu erbitten.

Der erste Buchhalter nahm seine Brille ab, die er bei der
Arbeit trug, und setzte den goldenen Zwicker auf; was er
sonst nur zu tun pflegte, wenn ihn der Prokurist rufen
ließ.

Der erste Buchhalter sah aber nicht, wie zu erwarten

gewesen wäre, durch die Mitte der Zwickergläser, sondern über deren oberen Goldrand hinweg auf Gabriel.
Dabei neigte er den Kopf auf die Brust, und es sah aus, als
wollte er mit imaginären Hörnern gegen Gabriel anren-
nen.

»Die zwanzigprozentige Aufbesserung dürfte Ihnen
doch wohl genügen, oder nicht?« sagte der erste Buchhalter, der nur deshalb erster war, weil er schon zwei-
unddreißig Jahre im Hause Ziffern schrieb; nur mit Kaisertinte natürlich.

Seine Frage war geflüstert, aber sie trug deutlich die
Tonfarbe eines etwa in Wolkenpölstern gedämpften Don-
nergrollens.

»Ich habe keine zwanzigprozentige Aufbesserung erhalten!« stöhnte Gabriel.

»Dann müssen Sie sie verlangen«, sagte der erste Buchhalter laut, wobei er den Zwicker wieder abnahm und die
Brille aufsetzte.

Infolgedessen mußte sich Gabriel Stieglecker entfernen.

Er ging an seinen Schreibtisch und dachte nach. Eine
zwanzigprozentige Aufbesserung direkt verlangen konnte man nicht. Wohl aber konnte man unter behutsamer
Berufung auf die seinerzeit gütigst erfolgte Aufbesserung
an alle Angestellten und mit Rücksicht auf die durch die
allgemeine Teuerung besonders erschwerte Lebensfüh-
rung um eine Gehaltserhöhung von fünfzig Kronen ergebenst ansuchen.

Gabriel Stieglecker tauchte eine neue Feder in die violette Tinte mit dem seltsamen Patinaglanz und schrieb einen Brief an seinen Chef. Er bat um fünfzig Kronen und
zeichnete schließlich nicht nur hochachtungsvoll ergebenst, sondern auch noch ganz tief, in der unteren Ecke
rechts, seinen Namen. So tief, daß der Familienname fast
unter den Tisch gefallen wäre.

Am nächsten Morgen fand Gabriel Stieglecker auf seinem Tisch einen Brief, in dem ihm die Firma mitteilte, daß sein Gehalt ab Fünfzehnten dieses um fünfundzwanzig Kronen mehr betrage.

Zu Hause fand Gabriel Stieglecker zu seiner großen Überraschung einen anderen Brief vor. Und zwar von der Firma Simon Silberstein und Bruder, bei der Gabriel aushilfsweise Buchhalter war. Vielleicht stand darin um Gottes willen, daß die Firma auf seine weiteren Dienste verzichte? Dann konnte er freilich verzweifeln.

Aber die Firma Simon Silberstein und Bruder teilte dem Buchhalter Gabriel Stieglecker mit, daß sie ihren Betrieb bedeutend erweitert habe und daß sie ihn als ersten Buchhalter mit einem Anfangsgehalt von tausend Kronen zu engagieren wünsche. Gabriel Stieglecker möchte sofort schriftlich mitteilen, ob er diese Stellung anzunehmen »bereit eventuell in der Lage« wäre.

Gabriel Stieglecker überzeugte sich zuerst von der Echtheit der Unterschrift und setzte sich sofort an seinen Schreibtisch, um seine Bereitwilligkeit zum Eintritt bei der Firma Simon Silberstein und Bruder unter den ihm im Schreiben Zahl soundso mitgeteilten Bedingungen kundzugeben. Aber er erinnerte sich, daß er zu Hause keine violette Tinte habe. Mit schwarzer Kaisertinte aber konnte er einen Brief von solch entscheidender Bedeutung natürlich nicht schreiben.

Während er Polenta mit Sauce aß, kamen ihm Bedenken. Jetzt mußte er natürlich kündigen! Aber wie? Konnte man so ohne weiteres einen Brief an die Firma schreiben? Ging das so? Jetzt war er dreiundzwanzig Jahre im Hause. Noch zwei Jahre, und er würde ein Jubiläum feiern. Der Chef selbst würde kommen und ihm ein Präsent überreichen, vielleicht eine außertourliche Zuwendung, und der Prokurist würde eine kleine Rede halten, und der Oberbuchhalter würde seinen goldenen Zwicker aufhaben. Konnte man so ohne weiteres kündigen?

Und wenn schon! Die Kündigung allein hätte natürlich wenig gemacht! Aber sicherlich würde ihn der Chef, zumindest Herr Reckzügel junior, in das Chefzimmer rufen. Und das Zimmer, ja, das war es, was Gabriel eigentlich fürchtete.

Es war eine Doppeltür. Die erste war aus Holz, und die zweite war gepolstert. Sie erinnerte so von ungefähr an eine Kassaschranktür, nur war sie lautlos und vornehm. Wenn man die Tür nur ansah, fühlte man schon weiche Müdigkeit. Sitzend auf gepolsterten Lederstühlen, war man in den vorhypnotischen Zustand versetzt, in den man unbedingt fallen mußte, wenn der Herr Reckzügel jemanden anredete. Im Zimmer standen breite, behagliche Ledersofas um einen nußbraunen Tisch. In der Ecke links wuchtete ein massiver Schreibtisch, und an der linken Wand schlief die braune Feuerkassa mit ihren zugefallenen metallenen Klappenlidern über den Schlössern. In der Luft aber war ein sinnbetörender Duft von Havanna, Ananasäpfeln und Perolin.

Dieses Zimmer malte sich Gabriel so deutlich aus, daß er in eine Art Lethargie fiel. In diesem Zustand schrieb er einen Brief an die Firma Simon Silberstein und Bruder, in dem er hervorhob, daß er die Ehre wohl zu schätzen wisse, aber mit Rücksicht auf sein langjähriges Verhältnis zu dem Hause, in dem er jetzt seit nunmehr dreiundzwanzig Jahren bedienstet sei, um eine Bedenkzeit von acht Tagen bitten müsse.

Diese acht Tage waren die unangenehmsten in Gabriels nicht sehr angenehmem Leben.

Gabriel Stieglecker hatte sogar seine Ziffern vergessen. Er dachte nicht mehr recht an sie, und es kam vor, daß er – man denke! – mit schwarzer Kaisertinte eine ganze Zahlenreihe auf der Soll-Seite schrieb. Hier und dort hatte sogar eine 2 schon einen Buckel, eine 7 schon einen Schwanz. Es war schrecklich.

Am Montag hatte sich Gabriel zu entscheiden. Am Sonntag ging er nicht in sein Stammcafé. Und auch nicht ins Büro.

Vielmehr machte Gabriel einen Spaziergang durch den Stadtpark in Anbetracht des schon frühlingsmilden Wetters. Und begegnete der Firma Simon Silberstein und Bruder.

Die Firma Silberstein und Bruder war unerhört freundlich mit Gabriel. Sie nahm die Voraussetzung, daß er als Buchhalter eintreten würde, als schon gegeben an und ließ sich überhaupt nur mehr in Detailfragen ein. Schließlich lud sie ihn auch noch zu einem bescheidenen Nachtmahl im Parkrestaurant ein. – –

Als Gabriel am Sonntagabend heimkehrte, stand es bei ihm fest, daß er bei der Firma Silberstein und Bruder eintreten würde.

Er stand um fünf Uhr früh auf, rasierte sich und machte mit einem Stuhl Gelenksübungen. Er atmete tief, hielt den Atem ein und führte sich überhaupt sehr sonderbar auf. Er gymnastizierte sich Mut zu. Dann fuhr er ins Büro mit der Straßenbahn; zum ersten Male seit der Einführung des Zweikronentarifes.

Er setzte sich schnell und mit jünglinghafter Gebärde an den Schreibtisch, tunkte eine neue Feder in die violette Tinte mit dem seltsamen Patinaglanz und schrieb, schrieb seine Kündigung.

Just als er hochachtungsvoll ergebenst schließen wollte, kam der Diener. Gabriel sollte zum Chef.

Seit dem ersten Jänner, an welchem Tage Gabriel Stieglecker nach althergebrachter Sitte dem Chef viel Glück zum neuen Jahre gewünscht hatte, war Gabriel

Stieglecker nicht in dem gefährlichen, hypnotisierenden Zimmer gewesen. Was wollte der Chef? Vielleicht hatte er schon eine Ahnung und wollte gar Gabriel zuvorkommen? Nun! Desto besser!

Im Zimmer des Chefs duftete es sehr nachdrücklich nach Zigarren, Ananas und Perolin.

Der Herr Reckzügel senior stand in der Mitte unter dem Kronleuchter, dessen unterster Messingknopf sich bequem in seiner Glatze spiegelte, und hielt einen dunkelblauen Rock in der Hand.

Gabriel blieb hart an der gepolsterten Tür stehen. Er war betäubt. Wie durch eine sehr dicke Wand hörte er den Chef:

»Herr Stieglecker, ich wollte nur sagen, daß ich diesen noch an und für sich« – Herr Reckzügel sagte immer »an und für sich« – »sehr gebrauchsfähigen Rock in meinem Schrank gefunden habe. Ich glaube bemerkt zu haben, daß Sie sich gegenwärtig leider in nicht sehr günstigen Verhältnissen befinden. Ich wollte nur sagen, daß an und für sich nichts daran wäre. Sie wissen, wie ich es meine, wenn Sie et cetera.« Herr Reckzügel sagte immer »et cetera«, wenn er nichts Passendes wußte.

Gabriel Stieglecker wankte mit dem Rock hinaus und an seinen Schreibtisch. Hier brach er zusammen. Den Kündigungsbrief zerriß er in unzählige Fetzen. Und dachte dabei angestrengt nach, daß er den Rock zerreiße.

Wie konnte man da kündigen? Der Rock, der Rock! Durfte er so undankbar sein? Einen Rock hatte ihm der gegeben, und er sollte kündigen?! Das tat er nicht, er, Gabriel Stieglecker.

Sondern er tat folgendes: Er tunkte abermals eine neue Feder in die violette Tinte mit dem seltenen Patinaglanz und schrieb an die Firma Simon Silberstein und Bruder, daß er für die gestrige freundliche Einladung sehr dankbar sei, jedoch mit Rücksicht auf ganz besondere, erst im Laufe der letzten Stunde eingetretene Umstände gezwungen sei usw.

Dann schrieb Gabriel mit derselben Feder tadellos schlanke Ziffern mit violetter, patinaschimmernder Tinte auf die Haben-Seite. Es waren die herrlichsten Ziffern, die Gabriel Stieglecker je geschrieben hatte.

Von dem Orte, von dem ich jetzt sprechen will ...
|undatiert|

Von dem Orte, von dem ich jetzt sprechen will, mochte es wohl einst geheißen haben, daß er außerhalb der Stadt liege. Heute kann davon längst nicht mehr die Rede sein. Zwar grenzt er noch an freiliegende Felder und sumpfige Wiesen, aber an seiner rissigen Mauer, die ihn rings umgibt, kleben, wie Schwalbennester an Dachrinnen, armselige Häuschen, in die sich die Armut geflüchtet hat, vor deren schmutzigen gelben Türen keifende Weiber schwatzen und schmierige Kinder sich balgen. Im Frühling ruft der Kuckuck dort und stört die eifrigen Frauen in ihrem Geschwätz, die Amsel pfeift wohl auch dazwischen, und abends kann der Lauscher das reinste Nachtigallengold aus den kleinen Sängerkehlen rinnen hören.

Der Ort, von dessen Lage ich erzähle, ist der alte Friedhof meiner Vaterstadt. Die verwitterte Inschrift auf dem längst geschlossenen Eingangstore zeigt die Zahl 1470. Seit ungefähr fünfzehn Jahren ist der Friedhof vom löblichen Magistrat meines Heimatstädtchens gesperrt. »Aus sanitären Gründen« – hieß es in der Kundmachung. Die Leute in meiner Heimat erfreuten sich meistens eines langen Lebens – sie lebten oft hundert Jahre und wohl noch mehr darüber. – Der kleine, alte Friedhof bekam also selten neue Einwohner. Das änderte sich nun eines schönen Tages – oder besser: Jahres. Meinen hochachtbaren Mitbürgern schien es nicht sonderlich auf Erden zu gefallen, und sie traten frühzeitig die Reise in jenes unbekannte Land an, von dessen Gefilden kein Wanderer je wiederkehrt. Aber ihre sterblichen Überreste wurden nicht mehr auf dem alten Friedhof bestattet, sondern mußten sich einen etwas längeren Weg gefallen lassen. In der Nähe des

sogenannten Grenzwaldes befand sich die neue Ruhestät-
te der Toten. Der alte Friedhof aber wurde gesperrt.

Natürlich mußte man einen Wächter haben, der Enkeln
und Urenkeln die Gräber ihrer in Gott ruhenden Vorfahren zu zeigen hätte, wenn es jenen etwa einmal einfallen
würde, ihre Großväter und -mütter aufzusuchen, sei es,
um sich bloß einmal so recht auszuweinen und getröstet
wieder fortzugehen, sei es, um die Toten, die sich doch
gewiß eines großen Ansehens beim lieben Herrgott erfreuten, um eine kleine oder größere Protektion anzuge-
hen. Aber merkwürdigerweise wollte keiner das Wäch-
teramt übernehmen. Endlich entschloß sich dazu ein alter
Magistratsdiener, ein bekannter Freigeist, der aus einer
nahegelegenen deutschen Kolonie stammte, äußerst wort-
karg war, mit keinem Menschen verkehrte, riesige Men-
gen Tabak schnupfte und in seinem ganzen Wesen wohl
recht in jenen düstern Ort passen mochte. Er hatte übrigens viele der dort Ruhenden bei ihren Lebzeiten wohl
gekannt und konnte etwaigen forschenden Urenkeln zu-
verlässige Auskunft geben. Ein Stück freier Erde war noch
übriggeblieben, und auf diesem baute sich der Martin
Schwab Kartoffeln und rote Rüben an. Er bezog ein kleines Stübchen in dem Wächterhause, das zugleich ein Sei-
teneingang in den Friedhof war, schnupfte Tabak, briet
Kartoffeln und kam selten zum Vorschein.

Auf jenem Friedhof pflegte ich nun als Gymnasiast viele
Stunden zu verbringen. Pochte ich an die Türe des alten
Martin, so erschien in einer viereckigen Öffnung die
scharfe Hakennase meines Freundes, und eine hohle Stimme fragte: »Hast du Tabak?« Wenn ich hierauf das kleine
mitgebrachte Päckchen an die Nasenlöcher des Martin
hob, so roch er lange, lange daran, so etwa an die fünf
Minuten, daß es mir vorkam, als wollte er, wie ein Elefant,
den Tabak mit der Nase durch das viereckige Loch ziehen.
Aber bald darauf schob er den schweren Holzriegel zu-

rück, langte nach dem Päckchen, ließ mich ein und schob
den Riegel wieder vor. Durch Martins enge Kammer stol-
perte ich über zerbrochene Stuhlbeine und riesengroße,
knorrige Kartoffeln zur zweiten Türe hinaus, durch die
ich in den Friedhof trat. Ich zündete mir eine Zigarette an,
um die Heuschrecken und Wespen zu vertreiben, und
wandelte stundenlang zwischen den Gräbern, las die verschiedenen Inschriften, setzte mich wohl auch auf einen
halb in den Boden gesunkenen Stein und lebte so einige
Stunden in längst verrauschten Zeiten mit längst vergangenen Geschlechtern.

Unter den neuen Grabsteinen trug einer die Inschrift:
Markus Möllner, ums Leben gekommen am 15. Juni
1901.
Den alten Markus hatte ich wohl gekannt. Er war oft
Gast im Hause meines Großvaters gewesen, und der wun-
derlichen Geschichten, die er mir zu erzählen pflegte, erinnerte ich mich noch sehr wohl. Allein, ich wollte noch
Näheres aus seinem Leben wissen, und ich beschloß, mich
bei den Stadtältesten zu erkundigen. Der erste, den ich
fragte, war natürlich Martin. Er gab aber an, von einem
Markus Möllner keine Ahnung zu haben. Ich versprach
ihm Tabak – das half. Martin erzählte mir die Geschichte.

In den letzten Jahrzehnten des neunzehnten Jahrhunderts
teilte sich die Bevölkerung meiner Vaterstadt in zwei
Gruppen: Es gab nur sehr Reiche und sehr Arme. Man
könnte ebensogut sagen: Herren und Diener. Denn die
Armen schien der liebe Herrgott, der es allezeit mit den
Reichen hält, nur zu dem Zwecke geschaffen haben, um
den Reichen das Leben zu erleichtern. Kurz, es gab Pa-
trizier und Plebejer. Die letzteren dienten den Vornehmen entweder direkt als Kutscher, Köche, Dienstboten,
Lakaien oder indirekt: D.h., sie waren Vermittler von

Dienstpersonal, Zuträger, Makler, brachten Eier, Butter und Geflügel in die Häuser der Reichen, übernahmen Botengänge um ein warmes Mittagessen, buken, wuschen und lebten überhaupt von und für die Reichen. Diese hatten natürlich sämtliche Ehrenämter der Stadt inne. Sie waren Gemeinderäte, Verwalter öffentlicher Anstalten, Waisenhausväter und Schulinspektoren. Sie trugen stets feierliche schwarze Kleider, blitzblanke Zylinder, glänzende Stiefel, hatten runde Bäuchlein unter buntgeblümten Westen und goldene Uhrkettlein darüber, und ihre Brust zierten bei feierlichen Anlässen verschiedene hohe Auszeichnungen. Ihre Söhne schickten sie in der Regel ins Gymnasium. Wenn diese sich mit knapper Not durch den mit Gleichungen vierten Grades und unregelmäßigen Verben vollbesäten Weg zum Ausgangstor der Maturitätsprüfung durchgeschlagen hatten, so bekamen sie entweder irgendeine staatliche oder private Beamtenstelle oder reisten in die Hauptstadt, um nach vollendeten Universitätsstudien als Ärzte, Advokaten, Gymnasiallehrer usw. in ihre Heimat zurückzukehren. Freilich kam es auch hie und da vor, daß einer oder der zweite von ihnen so ganz aus der Art geschlagen war, daß er in die Heimat zurückzukehren vergaß und in des lieben Herrgotts wunderschöner Welt irgendwo spurlos verschwand. Doch das war recht selten der Fall, und in ewig-gleichem Geleise schlich das Leben in meiner Vaterstadt seinen Schneckengang weiter.

Da war aber einer und just der Sohn des Herrn Bürgermeisters, der sich das Ungeheuerliche vermaß, sein Heimatstädtchen aus der behaglichen Dahinduselei zu rütteln und die braven Gemüter seiner ehrenhaften Mitbürger in eine nervöse Spannung zu bringen.

Der junge Markus war schon auf dem Gymnasium ein Exemplar gewesen.

Er konnte den Mädeln den Kopf verdrehen, hatte bunte

Abenteuer, stritt sich mit seinen Lehrern herum, und
– was das allerschlimmste war und den Herrn Bürgermeister und dessen vollbusige Gemahlin in Angst und
Schrecken versetzte: Markus machte Verse. Nichts konnte
ihn davon abbringen: weder Strafen noch Prügel, noch
Drohungen, daß man ihn aus dem Hause schicken würde,
konnten fruchten. Markus machte Verse.

Er haßte das Gymnasium, er haßte die Gesetze, er haßte
die ganze kleinstädtische, enge Welt, in der er verurteilt
war zu leben. Er atmete daher auf, als er mit Weh und Ach
die Matura bestanden hatte und nun frei seine Schwingen
entfalten konnte. Er rollte schließlich, mit allerlei notwen-
digen und unnützen Dingen vollbepackt, von väterlichen
Mahnungen begleitet und mütterlichen Tränen benetzt,
dem Ziel seiner Sehnsucht, der Hauptstadt, zu. Dort in-
skribierte er Jus – er war Student.

Aber Gesetze und Pandekten – das war es gerade nicht,
was dem jungen Markus behagen konnte. Er schwänzte
die Vorlesungen, kümmerte sich nicht im geringsten um
die Studien, lebte in Saus und Braus, trank und spielte und
verlor Unsummen. Wenn ihn der Herr Papa, »der Alte«,
wie ihn Markus nannte, in seinen nicht allzu häufigen und
langen, aber sehr inhaltsreichen Briefen ermahnte, doch
einmal zur Prüfung zu steigen, so antwortete Markus, er
sei schon längst vorbereitet, die Prüfung wäre ein Kinder-
spiel, aber daran, daß er sie noch immer nicht hinter sich
habe, sei niemand anderer Schuld als eben der Herr Papa.
Es gehe nämlich, schrieb Markus, auf der Universität alles
nach dem Alphabet, und da er Zwerdling heiße und also
als der letzte im Kataloge stehe, vor ihm aber nicht weniger als neuntausend, sage neuntausend Hörer seien, so
müsse er eben warten. Der gute Bürgermeister war sein
Leben lang Kaufmann gewesen und hatte von Universität
und Studieren nur einen sehr blauen Dunst. Fragte er aber
einen Gymnasiallehrer, ob sich es wirklich so auf den

Hochschulen verhalte, so zwinkerte dieser mit den Augen, dachte sich, dem jungen, reichen Manne wären wohl ein paar lustige Jährchen zu gönnen, und behauptete, es könne wohl möglich sein, daß eine neue Studienordnung den Zutritt der Hörer zu den Prüfungen nach dem Alphabet geordnet verlange. Der Herr Bürgermeister beruhigte sich und schickte seinem Sohn mit biedermännischer Pünktlichkeit jeden Ersten die verlangte Summe. Als aber aus der Hauptstadt etliche Male Mahnungen auf größere Summen gekommen waren, da schnürte der Herr Bürgermeister seinen Ranzen, vergaß auch den großen Regenschirm nicht mit dem Griff aus echtem Elfenbein und fuhr nach Wien.

Er traf seinen Sohn zu Hause in der Gesellschaft von Freunden und Freundinnen, bei einem überaus geräuschvollen Gelage. Seinen Herrn Papa hatte nun der Markus am wenigsten erwartet. Es mußte rasch eine Ausrede gefunden werden. Ein bemoostes Studentenhaupt wurde als ein Herr Professor vorgestellt, der just heute seinen Geburtstag feire, und zwar im Hause seines geliebtesten Schülers. Das wäre nun so ziemlich gegangen, allein der Herr Bürgermeister fragte sich mit Recht, was denn wohl die Frauenzimmer beim Geburtstage des Herrn Professor zu machen hätten, überlegte bloß einen Augenblick, bat den Herrn Sohn ins Vorzimmer und versetzte ihm dort zwei schallende Ohrfeigen, darob sich die Tafelrunde entsetzte und, ein ähnliches Schicksal befürchtend, mitsamt dem Herrn Professor eilig das Feld räumte. Aber mit den Ohrfeigen war die Geschichte noch lange nicht zu Ende. Es gab noch einen großen Krach, Herr Zwerdling senior gab sein bürgermeisterliches Ehrenwort, von seinem Einzigen nichts mehr wissen zu wollen, setzte sich auf die Eisenbahn und fuhr nach Hause. Weder das Zureden seiner Freunde noch die Tränen der Frau Bürgermeisterin wollten helfen. Markus aber war verschollen.

Jahre waren vergangen. Längst ruhte der Bürgermeister mit seiner Ehegattin in der kühlen Erde. Ihr Haus hatte ein biederer Fleischer erworben, vor dessen Ladentüre rote Lampen brannten und die saftigen Fleischstücke in der Auslage grell beleuchteten. Ein neuer Geist war ins Städtchen gekommen. Es war der Geist der Demokratie und der Elektrizität, Fabriken schossen wie über Nacht aus dem Boden, Fremde kamen und gingen, ein pracht volles Hotel wurde gebaut, ein Bürgermeister von ganz anderem Schlage, als es der gottselige Herr Zwerdling gewesen, thronte auf dem Kurulensessel im Rathause. Da kam eines Tages der Markus heim. Er trug einen wilden grauen Bart und einen Schlapphut, eine Künstlerkrawatte und einen langen Rock und zerrissene Schuhe. Er begab sich zum Besitzer des Hauses, das einstmals seinen Eltern gehört hatte. Was zwischen den beiden gesprochen worden, hat keiner je erfahren. Aber noch am selben Tage bezog Markus ein kleines Erkerstübchen im Hause des Fleischers, kaufte sich einen blitzblanken, wenn auch ganz unmodernen Zylinder, einen schwarzen Schlußrock und ebensolche Stiefel. Hierauf machte er Visiten bei den Reichen der Stadt. Überall mußte er erzählen. Markus erzählte. Aber schlau wußte er seine interessante Erzählung immer mit einer Bitte abzuschließen, die man ihm gewähren mußte. Immer aber bat er um Kleinigkeiten: ein Rasiermesser, eine Krawatte, eine Busennadel. Das bekam er und noch obendrein mehr. Er aß nämlich täglich irgendwo zu Mittag. Die Leute, die den alten Bürgermeister noch wohl gekannt hatten, mochten sich wohl eine Ehre daraus machen, den jungen Zwerdling zu Gaste zu haben. Die Vermögenden nahmen sich gerne seiner an. Aber mit der Zeit wurde aus dem Gaste ein Hausgerät. Markus war ein besserer Dienstbote, der alle Aufträge zur größten Zufriedenheit der Auftraggeber ausführte.

Marcellus besaß eine große Geschicklichkeit in häusli-

chen Verrichtungen. Er konnte das Unmöglichste möglich machen. Er konnte zerbrochene Öllampen tadellos
reparieren, Strickleitern drehen, kunstvolle Mäusefallen
herrichten, Rattengift zubereiten, konnte Messer haar-
scharf schleifen und Mauerlöcher zukleben. Aber er wußte noch viel, viel mehr. Kinder liebte er besonders, und für
sie hatte er die schönsten Geschichten bereit. Kleine Erlebnisse wußte er phantastisch aufzuputzen, bengalisches
Feuerwerk stellte er selber her, er schnitzte Puppenspiele
und führte kleine Dramen auf. Aber schon seine Persönlichkeit allein bot den Kindern einen prächtigen Unter-
haltungsstoff. Er ging gebückt, hatte scharf geschnittene
Züge, wässerige, blaue, kleine Äuglein, eine stark gebo-
gene Hakennase, einen kahlen Schädel, auf dem der unvermeidliche Zylinder feierlich glänzte, um seine wanken-
den Knie schlotterten die langen Schöße des Schlußrocks,
die gelben Hosen steckten in spiegelblank geputzten Stiefeln, die linke Hand saß stets im kanariengelben Leder-
handschuh, den Marcellus nur zur Arbeit mit einer vornehmen Geste abstreifte. Wie gesagt: Marcellus konnte
alles. Brauchte man irgend etwas im Haushalte – Marcellus brachte es. Allerdings, oft kam es vor, daß ein notwendiges Werkzeug, ein Beil oder eine Säge, in einem Hause
abhanden gekommen waren. Das hatte nun der alte Marcellus irgendwohin, wo es benötigt wurde, gebracht. So
tauschte er die Güter der verschiedenen Häuser, und gar
oft bemerkte ein Bürger zu seinem größten Erstaunen einen ihm gehörigen Gegenstand bei seinem ahnungslosen
Nachbar. Aber den alten Marcellus ließ man gerne gewähren. Er war ein nützliches Haustier und eine »ehrliche
Haut«.

Ja, ehrlich war Marcellus vor allem. Vielleicht auch ein
bißchen zu ehrlich. Geradezu wunderbar war die Veränderung, die mit ihm vorgegangen war. Aus dem jugendlichen Stürmer und geschworenen Feind aller menschli-

chen Gesetze war ein trockener Pedant geworden, ein
starrer »Moralist«, steif gepreßt in die Zwangsjacke der
Bürgerlichkeit, ein wandelnder Sittenkodex. Unendlich
stolz auf seine patrizischen Vorfahren, hielt er es doch gar
nicht unter seiner Würde, anderen zu dienen. Er war auch
mehr ein Schutzgeist der Häuser, in denen er einging, als
ein Diener. Ja, er vollführte die Aufträge mit einer Würde,
als erweise er eine herablassende Gefälligkeit, nahm kleine
Geschenke entgegen mit dem Gesichtsausdruck einer
orientalischen Majestät, der die Untertanen den Ehren-
sold überreichen. Von Dank war nie die Rede, man mußte
belohnt genug sein, wenn er überhaupt geruhte, das Ge-
schenkte anzunehmen.

Mit der Zeit war es so in seinem Kopfe etwas wunder-
lich geworden. Er glaubte fest daran, alleiniger Besitzer
des Hauses zu sein, in dem er nur gelitten war, und oft ließ
er durchblicken, daß der biedere Fleischer es nur seiner,
des Marcellus, Güte zu verdanken hatte, wenn er überhaupt noch im Hause saß. Das Haus – ja, das war sein
Allerheiligstes. Das böse Gewissen, seine Eltern vielleicht
zu früh in den Tod getrieben zu haben, die bittere Reue
über ein verfehltes Leben hätten ihn in den rasenden
Wahnsinn getrieben, wenn ihm seine Phantasie nicht vor-
gegaukelt hätte, daß er im Grunde doch ein wohlanstän-
diger Bürger geworden sei im Sinne seiner [...]

Kranke Menschheit
|undatiert|

Es war eine stille Gasse. Wie irgendeine in einem Vorort. Der Lärm der Großstadt drang in die Gasse nur als fernes, seltsames Summen und Klingeln. Kleine Häuser und dürftige Gärten umsäumten sie. Herbstlich-mild und freundlich war der Tag. Einer von den Tagen, die man genießen soll mit gleichmutsvoller, ruhiger Seele.

Wenn man in der Gasse fortging, immer fort, dann kam man wohl irgendwohin ins Freie, wo sich die kleinen Häuser nicht mehr aneinanderklammerten, sondern lose standen und frei, wo Wiesen waren und Sträucher, wo dunkle Berge und Wälder lockten; wo Menschenpaare gingen und aus Tüten Zwetschken aßen und die Hände verschlungen hielten, um einander am hellen Tag ihre Liebe durch stark-zärtlichen Druck zu bezeigen; wo aus Häusern Stangen mit häßlichen Strohgeflechten hingen und verkündeten, daß aufs neue ein Herbst gekommen war mit neuem, heurigem, Fröhlichkeit und, ach, Vergessenheit bringendem Trunk.

Aber die wenigen Menschen, die an diesem Tage in der Gasse gingen, hatten keine Zeit, den Wiesen und Wäldern zuzueilen, sich der Liebe oder dem Weine hinzugeben. Sie wendeten sich stadtwärts, sie gingen im Trott des Alltags: Männer in blauen, ölbefleckten Arbeitskleidern, Männer mit Amtskappen, Frauen in Kleidern, die hell und bunt waren wie der Tag; sie trugen große Taschen leicht und sicher, und die unförmliche Last vermochte nicht die zierliche Schönheit ihres Schrittes zu hemmen, der die Frauen dieser Stadt auszeichnet.

Einer ging unter ihnen, der nicht zu den Menschen dieser Gasse zu gehören schien, der irgendwie fremd war in der Gasse, der kein Ziel zu haben schien wie sie. Ein gro-

ßer Mann in schlichtem, dunklem Gewand, barhaupt, ein
wenig gebeugt, ein wenig unsicheren, schwankenden
Schrittes, den rechten Fuß mit einiger Mühe schleppend.
Er sah die Menschen, die vorübergingen, forschend an,
und die Frauen erschraken ein bißchen, wenn sie der Blick
traf, aus Augen, die groß, dunkel, ein wenig starr in dem
bleichen Antlitz standen. Er sah die Häuser an, eines nach
dem anderen, und schien eines von ihnen zu suchen. Aber
er hatte offenbar keine Eile; er ging ganz langsam, schier,
als ob er sich gefürchtet hätte, zu finden, was er suchte.
Man kommt auch mit langsamem, schwankendem Schritt
zum Ziele: Da stand unter den niederen Häusern eines,
das groß war und stattlich, nicht aufdringlich, eher anmutig und freundlich wie ein Landsitz, der vor langen
Zeiten einem großen Herrn zur Kurzweil gedient hatte,
wenn er ausruhen wollte von den Anstrengungen der
Machtausübung. Die Inschrift freilich, die das große Tor
trug, war wenig anmutig. »Spitalseingang« stand dort in
großen Buchstaben.

Der fremde Mann in der stillen Gasse zuckte ein bißchen zusammen, als er zu dem Hause gelangte und die
Inschrift las. Und er ging ein bißchen schneller; deutlicher
merkte man das Nachschleppen des rechten Fußes. Er
ging an dem Hause vorüber, weiter in der stillen Gasse,
die ins Freie führte zu Wiesen und zum Wald. Der Mann
konnte nicht in den Wald gehen, in den ruhigen, weiten,
freien; er konnte es gestern nicht, er durfte es heute und
morgen nicht.

Er gehorchte dem Zwang, der in ihm war und ihn unsichtbar umgab, und ging zurück zu dem Hause, das wie
ein alter, freundlicher Landsitz aussah und die Inschrift
»Spitalseingang« trug.

Ein blondes Mädchen stürmte aus einem Hauseingang,
verfolgt von einem strahlenden Burschen. Es kreischte
und lief blind in sorglosem Ungestüm. Und stieß mit dem

Manne zusammen, der in der Gasse ging. Er taumelte, suchte Halt an einem Gitter und sah in das heiße, junge Gesicht. Das Mädchenlachen erlosch. Da kam schon der Bursche, nahm heftig den Arm des Mädchens und führte es die Gasse entlang den Wiesen und Sträuchern zu. Und das Mädchenlachen erfüllte wieder die Gasse und kam zurück zu dem Manne, der noch beim Gitter stand und der freien, unbekümmerten Jugend nachsah, die es eilig hatte, seinem Blick zu entrinnen. Noch ein Weilchen stand das Jugendlachen in seinem Ohr, ward schließlich mißtönend, verzerrt und verließ ihn.

Dann stand er wieder vor dem freundlich-ernsten Landsitz. Er maß das Haus mit langem Blick und suchte die Mauern zu durchdringen und des Hauses Geheimnisse zu erforschen.

Er sah eine Tafel, auf der geschrieben stand, daß die Kranken der ersten und zweiten Klasse täglich von neun Uhr morgens bis neun Uhr abends und die Kranken der dritten Klasse an vier Tagen der Woche von zwei bis vier Uhr nachmittags Besuche empfangen dürfen. Eines wußte er nun: Es war Ordnung hinter dem braunen Tor. Da freute er sich in der schönen Erkenntnis, daß die Menschen Ordnungssinn haben und ihn überall, wo sie nur können und es für nötig halten, betätigen. Nur die große Welt, in der sie alle, die Brüder und Schwestern, die Klassen und die Rassen und die Völker, nebeneinander leben müssen, ist noch ein wenig in Unordnung. Da nützen selbst die Tafeln mit der Einteilung für die Menschen der ersten und zweiten und die Menschen der dritten Klasse nicht viel. Aber einmal, irgendeinmal wird schon der schöne, immer wache, immer tatenbereite Ordnungssinn der Menschen Ordnung schaffen, überall, in den Städten, in den Ländern, in der ganzen, großen, schönen Welt. Heute wollte er zufrieden sein in dem Bewußtsein, daß Ordnung war hinter dem stattlichen braunen Tor.

Und der fremde Mann in der stillen Gasse versuchte, ein wenig zu lächeln; es ward aber ein verzerrtes Grinsen, bei dem der rechte Mundwinkel tiefer hing als der linke.

Da tat sich die kleine Pforte auf, die neben dem großen braunen Tore war, ein kleiner, dicker Mann mit einem Käppchen auf dem Kopfe kam heraus und sagte mit beflissener Freundlichkeit: »Guten Tag, Herr, wollen Sie zu uns kommen? Bitte, gehen Sie nur weiter!« Seine Hand wies höflich einladend den Weg.

Ein kleiner Schauer lief über die lange, schmale Gestalt des Mannes, aber es war der Zwang in ihm und um ihn, der Zwang, der ihn oft begleitet hatte in stillen Gassen und auf breiten, lärmenden Straßen und Plätzen. Und er ging durch die Pforte und bückte sich ein wenig, weil sie nieder war.

Sorgsam schloß der freundliche Türhüter die Pforte der Nervenheilanstalt und geleitete, immer ruhig-höflich, den fremden Mann wie einen Gast. Er führte ihn in eine große, helle Vorhalle, wo Menschen auf Sesseln, Bänken und in Rollwägelchen saßen und warteten. Heinrich Reinegg setzte sich zu ihnen und begann zu warten wie sie. Es ist gleichgültig, dachte er, wo man wartet. Irgendwo, irgendwie warten wir immer.

Sie musterten den Neuen neugierig, fast wohlwollend. Und tuschelten. Eine Frau kam in blauer Schwesterntracht, groß und ernst, und half einem Mädchen, das im Rollstuhl saß, beim Aufstehen. Das Gesicht des Mädchens war fein und schmal und lächelnd. Indes: Das Leid schien im Kampf mit der Heiterkeit zu liegen. Das Mädchen stützte sich auf zwei Stöcke, die am Ende einen Gummibelag hatten. Schon hatte es sich aufgerichtet, da rutschte ein Stock auf dem glatten Boden, und das Mädchen fiel mit einem leise klagenden Ruf zu Boden. Heinrich Reinegg, der zunächst saß, half der Schwester, das Mädchen auf die Beine zu bringen. Es war kein schweres Bemühen; unheimlich leicht war dieser Mädchenkörper. Das Mädchen sah dankend in die großen, dunklen, starren Augen des fremden Mannes; es erschrak nicht wie die Frauen draußen vor dem braunen Tor; es lächelte wieder: heiter und ein wenig leidvoll.

Nun stand das Mädchen wieder auf den schmalen Füßen und mußte gehen. Es setzte zaghaft den linken Fuß vor, schnellte den rechten ein wenig in die Höhe und dann nach vorne und zur Erde. Dann waren zwei Schritte getan. Die Schwester führte das Mädchen langsam und geduldig zu einer weißen Türe. Heinrich Reinegg dachte einen Augenblick an die zierlichen, sicheren, leichten Schritte der Frauen und Mädchen, die draußen in der Gasse gingen.

»Die wird nicht mehr tanzen«, sagte ein Mann, der über dem linken Auge eine schwarze Binde trug; sie verdunkelte sein hageres Gesicht. Niemand antwortete.

Eine alte Frau schüttelte den kleinen grauen Kopf. Es war eine ganz leichte, mißbilligende Bewegung. Sie erfolgte in regelmäßigen, kleinen Zeitabständen. Warum sollte sie nicht den Kopf schütteln, dachte Heinrich Reinegg, es ist ganz natürlich, daß sie es tut.

Unwillig sah die alte Frau den Mann mit der schwarzen Binde an. Sie beugte sich zu dem jungen Mann, der gleichgültig neben ihr saß, und begann zu flüstern. Der junge Mann sagte ruhig: »Reg dich nicht auf, Mutter, warum regst du dich auf? Es steht nicht dafür.« Teilnahmslos ging sein Blick über den Raum, über die Menschen und Gegenstände.

Ein paar Augenblicke lang blieb er an den Händen eines kleinen, schwarzhaarigen Mädchens haften, die ohne Unterlaß in einem Buche blätterten. Aber als das Mädchen seinen Blick fühlte und ihn ansah, wendete er sich unbewegt ab.

Der Mann mit der schwarzen Binde litt unter der hä-

mischen Stille. Er verstand nicht, warum sie nicht ant-
worteten. Seine Stimme hatte einen ganz kleinen Bruch,
als er sagte: »Sie ist Tänzerin. Tänzerin von Beruf.« Und
sein rechtes Auge blickte unruhig nach der Tür, hinter der
die Tänzerin war.

Da folgten sie alle, ein wenig betroffen, dem Blicke seines rechten Auges.

Und sahen alle nach der weißen Tür. Dann begann die
alte Frau wieder, den Kopf zu bewegen, leise und ein wenig mißbilligend. Ihr Sohn sah gleichgültig nach der Uhr.
Das schwarzhaarige Mädchen blätterte wieder in dem Buche.

Aber plötzlich legte die Schwarzhaarige das Buch mit
einem kleinen Knall auf den Tisch, wendete ihr kleines
Mädchengesicht dem Manne mit der schwarzen Binde zu
und sagte mit einigem Nachdruck: »Vor sechs Wochen
konnte ich auch nicht gehen. Jetzt kann ich schon wieder
gehen. Bald werde ich hinausgehen. Bald werde ich wieder
wandern. Vielleicht schon in einer Woche. Jetzt werde ich
es gleich hören, wann ich hinausgehen darf.« Sie sah zum
Fenster und dann zur weißen Tür. »Ja. Und die Tänzerin
wird schon auch wieder gehen können. Und tanzen, ja,
vielleicht wird sie sogar tanzen können.« Da brach sie ab.
Und alle wußten, daß sie in ihren Gedanken hinzufügte:
Und wenn sie auch nicht tanzen kann –! Die Tänzerin!

Die alte Frau vergaß, den Kopf zu schütteln; es war ein
leichter, freudiger Schimmer in ihrem grauen Gesicht.
»Sei still, Mutter«, murmelte gleichmütig ihr Sohn, »sei
still, es steht nicht dafür.« So nahm er ihr das Wort, ehe sie
es sprechen konnte.

Der Mann mit der schwarzen Binde sah zornig mit dem
rechten Auge das schwarzhaarige Mädchen an. »Das ist
etwas ganz anderes bei Ihnen«, sagte er, »was hat Ihnen
gefehlt? Sie haben etwas ganz anderes. Was wollen Sie sagen? Sie werden wieder gehen. Wer weiß, wohin Sie ge-

hen. Aber diese Frau – sie wird nicht mehr tanzen können.« Seine Stimme war noch ein wenig brüchiger. Er hatte zu viel und zu lange gesprochen. Nun schwieg er. Und
rückte die schwarze Binde zurecht. Die große, ernste
Schwester öffnete die weiße Tür und führte die Tänzerin
heraus. Behutsam setzte die Tänzerin den linken Fuß vor,
dann hüpfte der rechte in die Höhe und nach vorne und
zur Erde. Und seltsam schwang der leichte Körper der
Tänzerin mit. So kam sie hüpfend und tanzend zum Rollwägelchen. Lächelnd sah sie Heinrich Reinegg an, der versunken saß.

Der einäugige Mann, der der hilflosen Tänzerin Ritter
sein wollte, machte sich erbötig, sie fortzuführen. Aber da
stand schon einer im weißen Kittel, der ihn zur Seite schob
und sagte: »Gehn S' weg! Dazu bin ich da.« Er war dazu
da, Lasten zu führen, und es war ihm gleichgültig, ob es
lebende, leidende oder tote waren.

Ein Sonnenstrahl fiel in den Raum und blieb haften am
roten Haare der Tänzerin. Und das Haar leuchtete. Aber
der Rollwagen fuhr weiter, und der Sonnenstrahl fiel zu
Boden, wo ein weißer, glutender Fleck entstand.

Wieder öffnete die ernste Schwester die weiße Tür. Und
Heinrich Reinegg ging hinein. Er zauderte ein wenig, aber
er mußte gehen. Oft hatten sich weiße und graue und
schwarze Türen vor ihm geöffnet. Oft hatte er gezögert
und war doch gegangen, weil er mußte.

Eine Frau saß an einem Schreibtisch und sah, ruhig forschend, Heinrich Reinegg entgegen. Warum eine Frau?
dachte er. Was macht ein Mann, wenn er einer Frau begegnet? Er macht eine Verbeugung, die linkischer und un-
schöner ist, als wenn er sie vor einem Manne machte, und
dann sieht er, nicht geradeaus, eher von der Seite her, ob
sie jung oder hübsch ist und welche Farbe ihre Haare haben. Oft dauert es, zu seiner Freude oder zu seinem Schaden, lange, bis er den Menschen entdeckt.

War dieser Weg nun leichter oder schwerer, weil dort eine Frau saß? Aber die Frau trug einen weißen Mantel. Der verbarg die Frauengestalt, der verbreitete Unparteilichkeit; der weiße Mantel entschied in diesem Raum.

In ärztlichen Zimmern ist immer irgend etwas Geheimnisvolles. Da ist ein Ruhebett, das nicht der Ruhe dient, da sind Glaskästen mit glitzernden Dingern, die dich irgendwie feindselig ansehen. Da ist einer, der sich anschickt und beruten ist, zu erforschen, was im Kopf oder in der Brust oder im Bauch anders ist, als es nach den Gesetzen, die er kennt, zu sein hat. Heinrich Reinegg dachte an einen Uhrmacher, der die Uhr schüttelt und ihre Rädchen lange und scharf durch eine Lupe ansieht, ehe er an die Arbeit geht, und an einen Mechaniker, der den Motor eines Kraftrades in Tätigkeit setzt und mit scharfem Ohr zu erforschen trachtet, ob er unregelmäßig klopft oder Nebengeräusche hat. Aber waren das nicht törichte Gedanken? Menschen sind keine Uhren und keine Krafträder, und Ärzte können nicht Uhrmacher und Mechaniker sein.

Ein Arzt, ein junger Mann mit einer großen Glatze, kam in das Zimmer. Er sah Heinrich Reinegg flüchtig, gleichgültig an. Dann beachtete er ihn nicht mehr. Er sprach kurz mit der Frau im weißen Mantel über einen »Fall«. Einige Fachwörter, hinter denen Gesunde wie Kranke immer etwas Drohendes wittern, schwirrten durch das Zimmer. Dann ging der Arzt.

Die Frau schrieb Heinrich Reineggs Namen und Alter auf einen gelben Papierbogen. Dann tauchten ihre Augen, die sich hinter einer schlichten Brille zu verbergen suchten, in sein Gesicht.

»Erzählen Sie«, sagte sie, »warum Sie zu uns geschickt wurden?«

Es schien Heinrich Reinegg, daß ihre Stimme gut klang und warm und freundlich war und ihre Frage nicht der geschäftsmäßigen Gewohnheitsfrage eines Uhrmachers glich. Aber sie besiegte sein Mißtrauen nicht, das immer wach und auf der Lauer war.

Er saß verschlossen.

»Warum?« sagte er, »ich hatte keine andere Wahl.« Sie wurde nicht ungeduldig. Nicht sogleich. Sie fragte weiter: »Waren Sie krank?« Es ist nett, dachte er, daß sie von der Vergangenheit spricht und nicht vom Augenblick. Ein bißchen spöttisch, kaum merklich, zuckten seine Lippen.

Krank? Ja, ja, er war krank. Viele waren es in der Zeit, in der er daniederlag. Und nicht alle, die krank waren, lagen danieder wie er. Im Gegenteil: Sie waren sehr tätig und glaubten an ihre starke Gesundheit. Aber da fiel ihm ein, daß es gerade als Krankheitszeichen gelten könnte, wenn er andere für krank, für noch kranker hielt. Und er sprach den Gedanken nicht aus.

Krank? Ja, ja, er wollte schon berichten. Er wollte gewiß nicht unhöflich sein. Nicht, weil sie eine Frau war. Das machte vielleicht das Reden noch schwieriger. Aber vielleicht, weil sie nicht wie eine Uhrmacherin fragte.

Er sprach langsam und karg. Und vieles von dem, was nun durch sein Gehirn zog, sagte er nicht.

Krank? Es gab – zu allen Zeiten – Diktatoren, die krank waren und Diktatoren geworden sind, weil sie krank waren.

War nicht die Welt krank? Ihre Wirtschaft, ihre Ordnung? War nicht die Menschheit von Fieberschauern geschüttelt, seit zwanzig Jahren oder länger? Waren nicht ihre Nervenstränge schmerzhaft entzündet, überreizt? Hat nicht ein krankes Gehirn alle Hemmungen ausgeschaltet, so daß gefährliche Tollheiten verübt wurden sonder Zahl, vor denen kein Gitterbett Schutz gewährte? Es gab Doktoren, die, wie es auch in der Medizin vorzukommen pflegt, selbst an den Krankheiten litten, die sie heilen wollten. Es gab andere, die die Zahl der weißen Tafeln mit den Vorschriften für die erste und zweite und für die dritte

Klasse vervielfachen wollten und die die Tafeln als Heilmittel priesen.

Es gab Scharlatane, die sich, mit bunten Mänteln angetan, auf Marktplätze stellten und ihre Kunst ausriefen und vorgaben, daß sie, wie die Quacksalber in alten und neuen Zeiten, nur ein Fläschchen mit einer gewissen Flüssigkeit anzusehen brauchten, um die Krankheit zu erkennen und sie heilen zu können; diese hatten den größten Zulauf Und es gab ernste Doktoren, die die Krankheitszeichen sahen und sie eifrig bekämpfen wollten, aber ihre Ursachen nicht fanden oder nicht finden wollten, weil sie Angst hatten vor der Diagnose und den Folgerungen, die sie aus ihr hätten ziehen müssen.

Heinrich Reinegg war versucht, die Frau, die weiße Frau, die da vor ihm saß, zu fragen, ob auch die medizinische Wissenschaft glaube, daß man, indem man Krankheitszeichen vorübergehend mildere, die Krankheit beseitigen könne. Er tat es nicht. Vielleicht hätte sie auch das als ein Krankheitszeichen gewertet. Er sollte endlich von seiner eigenen Erkrankung sprechen.

Heinrich Reinegg sah an der Frau vorbei. Bilder kamen in das kleine, ärztliche Zimmer und gingen. Bilder aus der kranken Welt, die vor der kleinen Pforte der Anstalt, durch die er gebückt gegangen war, begann. Eine Zelle kam. Zwei Eisenbetten standen mit Strohsäcken, die schwarz waren, mit Decken, die starrten. Ein Ofen stand, der kalt war. Ein Tisch wackelte. Ein Kübel stank. Eine hölzerne Wand, die um den Kübel war, krachte zu Boden. Heinrich Reinegg stellte die Wand auf und las die Inschriften, die eingekritzelt waren. Sie fluchten, beteuerten Unschuld, klagten an. Sie lobten die Freiheit. Und die Liebe. Das Lob auf die Liebe war durch Zeichnungen ergänzt. Auf die Art haben die Menschen schon in ihren Höhlen in eisgrauen Vorzeiten die Liebe gepriesen.

Ein Mann lag auf einem Strohsack und wehklagte: »Ich werde ein Verbrecher. Da werde ich ein Verbrecher.«

Ein Schloß polterte. Ein eiserner Riegel rasselte. Eine Tür knarrte. Eine Uniform kam und schrie den Mann auf dem Strohsack an: »Ziehen Sie die Schuhe aus!«

Heinrich Reinegg grinste. Heinrich Reinegg humpelte durch das Gemach. Der rechte Fuß versagte, schmerzte, quälte. Ein Arzt kam, schüttelte das Haupt und ging rasch.

Ein Schloß polterte. Ein eiserner Riegel rasselte.

Ein Lautsprecher spielte. Ein Mann stand auf dem Strohsack und lauschte. Eine Frauenstimme kam leise und zaghaft aus der Ferne. Eine Frauenstimme.

Zwei Männer lagen auf schwarzen Strohsäcken. Sprachen. Schwiegen. Fragten: Wie lange? Hofften. Zerschlugen die Hoffnung. Rauchten. Rauchten ohne Unterlaß. Teilten Zigaretten. Waren Freunde und Kameraden. In der Zelle.

»Es gibt Menschen, die es immer mit den stärkeren Bataillonen halten«, höhnte Heinrich Reinegg, »sie liegen nie in Zellen.«

»Ja«, stöhnte sein Freund auf dem Strohsack, »ja, und ich – ich werde morgen dem Kerkermeister sagen, er soll mir irgendeine Arbeit geben. Ich ersticke. Da werde ich ein Verbrecher.«

»Du wirst keiner. – Aber genügt es dir nicht, den Kübel auszutragen?« Man denkt noch lange an jedes Wort, das man in der Zelle spricht und das zu einem geredet wird, dachte Heinrich Reinegg, als er im kleinen, hellen Raum vor der Frau im weißen Mantel saß.

Bilder kamen. Und gingen.

Ein Schloß polterte. Eine Tür knarrte. Ein Auto stand fahrbereit. Heinrich Reinegg humpelte. Bewaffnete begleiteten ihn. Ein Auto fuhr. Auf Straßen, die herrlich verschneit waren, durch Dörfer, die er kannte, durch Wälder, die er liebte.

Eine Zelle kam, ein Richter kam, ein Arzt kam. Und

Stunden gingen hin und Nächte, langsam, als wären es Ewigkeiten gewesen.

Und einmal, einmal kam ein Tag. Heinrich Reinegg stand in der lauten Straße einer Stadt, hart auf seinen Stock gestützt. Wagen fuhren. Menschen gingen. Frauen lächelten. Männer arbeiteten. Für sie war es ein Tag wie gestern.

Frei! Frei?

Die Frau am Schreibtisch sah vor sich hin und hörte zu, und öfters schrieb sie rasch ein paar Sätze auf den gelben Papierbogen.

»Was schreiben Sie da?« fragte Heinrich Reinegg unwirsch.

Sie lächelte. »Nichts Besonderes. Nur ein paar Bemerkungen über die Krankheit des rechten Beines. Das ist jetzt besser, nicht wahr? Aber was ist mit dem Kopf?«

Kopf? Eine heikle Angelegenheit. Je schiefer ein Kopf sitzt, desto fester ist sein Träger überzeugt, daß alle anderen Köpfe schief sind und er seinen eigenen hoch und gerade trägt.

Bilder kamen.

Es stand ein Mensch im Nebel einer kranken Welt. Fühlte Abgründe. Konnte nicht nach vorne und nicht nach rückwärts gehen. War getreten und gedemütigt. War hungernd. Dachte an sein Leben und lächelte in den Nebel hinein voll Ingrimm und Hohn. Denn da war immer eines, war immer dasselbe, Unentrinnbare: Niederung, Klettern an der Wand und Rückfall. Da war eine Kindheit ohne Lachen, eine Mutter, die er liebte und die starb, weil Mütter, die hungern und leiden, frühzeitig an Tuberkulose sterben müssen. Da war ein mühsamer Aufstieg. Er nahm andere bei der Hand und half ihnen klettern. Helfen! Helfen! In jeder Frau, die ein Kopftuch trug und voll Mühsal ging, sah er die Mutter. Und half! War froh. Für Augenblicke. Kletterte. Rutschte. Kletterte.

Rutschte!

Stand im Nebel. Rief. Viele standen im Nebel und riefen. Er hörte sie nicht, er sah sie nicht. Aber er litt mit
ihnen, und sie litten mit ihm. So kam zu seinem kleinen
Schicksal das Leid vieler, die im Nebel irrten, und drückte
ihn, so daß er auf die nasse Erde fiel im Nebel des Tales.

Bilder kamen.

Ein Mann lag im Bett. Gegenstände wogten: der Tisch,
Bilder. Eine Pflanze stand auf dem Kasten. Zwei Pflanzen,
die eine waren. Eine Pflanze, die doppelt war. Wenn der
Mann ein Auge schloß, sah er eine Pflanze sich erheben.
Wenn er beide öffnete, waren es zwei, die im scharfen
Abstand voneinander standen. Ein Mann kam. Er hatte
zwei Köpfe und zwei Krawatten. Ein Arzt hielt einen
Daumen in die Höhe. »Sind es zwei, oder ist es einer?« Es
waren zwei. Der kranke Mensch im Bett aber dachte
schwer und sagte: »Es ist einer.« Seine Hand griff nach
einem Glas, einem Löffel und fand das Ziel nicht.

Der Mensch Heinrich Reinegg erbrach. Er freute sich
ein wenig; das hielt er für natürlich und vernünftig.

Ein Arzt rief voll Sorge: »Nicht rauchen! Er darf nicht
rauchen! Es kann die Katastrophe sein.« Heinrich Reinegg hörte es undeutlich; es gefiel ihm sehr, daß jener
»Katastrophe« sagte.

Ein anderer Arzt aber kam und sagte: »Geben Sie ihm,
was er will!« Er ärgerte sich, weil die Taschenlampe, mit
der er dem Kranken in die Augen leuchten wollte, streikte.
Er befahl: »Sagen Sie: Gletscherrelief!«

Heinrich Reinegg war entschlossen, es zu sagen. Ein
neuer Befehl: »Strecken Sie die Zunge heraus!« Heinrich
Reinegg tat es gefügig; warum sollte er nicht die Zunge in
die Welt strecken? Sie wich aber nach rechts.

Ein Priester kam, war freundlich und fürsorglich und
sagte: »Die Kirche trifft keine Schuld.«

Und Stunden kamen, wo nichts war als Nebel und das
dumpfe Verwundern in Heinrich Reinegg über die Zähig-
keit seines flackernden Lebens.

Menschen kamen und beteten. Bauern ließen Messen lesen. Frauen wehklagten, die alt waren und arm. Männer gingen Stunden und Stunden über Straßen und Steige um eines Grußes willen. Und es gab andere, wenige, die Freude äußerten über die nahende »Katastrophe«.

Heinrich Reinegg aber straffte den zagenden Leib und erhob sich von der nassen Erde. Stand wieder im Nebel des Tales. Und versuchte, tastend und schwankend und langsam, zu gehen.

Die Frau am Schreibtisch sprach und verscheuchte die Bilder.

»Bitte gehen Sie jetzt ins Nebenzimmer, und ziehen Sie sich aus bis auf die Unterwäsche! Dann kommen Sie wieder!«

Es war ihm nicht klar, ob das nun natürlich war oder nicht. Aber der weiße Mantel entschied in diesem Raum. Er ging und kam in Unterhose und Hemd zurück. Legte sich auf das Ruhebett, das nicht der Ruhe diente. Die Frau stach mit einer feinen Nadel in den Kopf, links und rechts, wie wenn sie das Schicksal darstellen wollte, und fragte nach dem Unterschied der Empfindung. Sie ließ ihn die Augen schließen und die Hände ausstrecken. Sie bat ihn, ihre Hand zu drücken. Er fragte spöttisch, wieviel Hände sie täglich drücken müsse. Auf ihr Geheiß ging er im Zimmer auf und ab. In Unterhose und Hemd. Den rechten Fuß schleppte er ein bißchen nach. Das ist lieblich, dachte Heinrich Reinegg, ein Mann in Unterhose spaziert vor einer Frau. Aber sie trug ja einen weißen Mantel, der die Frau verbarg. Für sie war der Mann in Unterhose offenbar weder eine liebliche noch eine unliebliche Erscheinung, sondern er gehörte in den Raum wie die ihres Gehäuses entkleidete Uhr in die Uhrmacherwerkstätte. Aber nein. Es gab doch Unterschiede. Zum Beispiel den: Der Uhrmacher entkleidet die Uhr in der Werkstätte, der Mann ging ins Nebenzimmer aus- und anziehen. Heinrich Reineggs Gesicht war versunken und finster wie immer, aber in ihm war der leichte Spott, mit dem er sich selbst oft bedachte, den er hegte in bösen und scheinbar freundlichen Stunden wie einen Schutz; vielleicht war es nur ein Trug an sich selbst.

Als der Mann wieder in ordentlichen Mannskleidern stak, fragte die Frau: »Wie steht es mit der Lunge?«

Er zeigte einen Zettel, auf dem ein ärztlicher Bericht verzeichnet war. Der junge Arzt mit der großen Glatze kam in diesem Augenblick, besah den Zettel und meinte kühl: »Wir sind ja keine Lungenheilstätte, das ist wohl ein Irrtum.«

»Nein, nein«, sagte die Ärztin, »es ist kein Irrtum, er gehört schon zu uns.«

Es ist schön, dachte Heinrich Reinegg, nun bin ich wohl endlich dort, wohin ich gehöre.

Immer seltener werden in dieser Welt ...
|undatiert|

Immer seltener werden in dieser Welt der selbstverständlichen Tatsachen und der errechenbaren Konsequenzen die merkwürdigen Schicksale, denen man, wenn man den überlieferten Erzählungen glauben will, vor Jahr und Tag auf Schritt und Tritt hat begegnen können. Immerhin offenbaren sich auch heutzutage dem sorgfältigen Sucher besonderer Menschen und Fügungen von Zeit zu Zeit gewisse Ereignisse, die nicht von einer blinden Willkür geformt zu sein scheinen, sondern von irgendeiner literarischen Gewalt, die das Schicksal der Welt manchmal zu lenken scheint.

Unter den Menschen, die in meiner unmittelbaren Nähe gelebt haben, hatte wohl keiner ein so merkwürdiges, so heiter-tragisches, so gewollt-ungewolltes Schicksal gehabt wie der Mann, von dem ich in den folgenden Blättern zu erzählen gedenke und dessen Familiennamen ich sorgfältig verschweigen will, nicht nur weil sein Träger noch heute zu meinen Bekannten gehört, sondern auch weil ich überzeugt bin, daß ihm noch ein besonderes, ein unerwartetes, ein seltsames Geschick bevorsteht, dessen Gang ich durch die grobe Nennung einer groben Realität zu stören fürchte.

Am 3. November des Jahres 1918 faßte Heinrich P. den Entschluß, sein tägliches Brot mit der Schriftstellerei zu verdienen.

Es war einer jener ersten Tage der Revolution, in denen man zu wissen glaubte, daß der einzelne zwar auf den großartigen Lauf der öffentlichen Dinge keineswegs einen Einfluß zu nehmen imstande sei, wohl aber in irgendeiner Weise zu ihnen in eine bestimmte Stellung zu treten habe. Heinrich P. war wie die vielen Millionen in den Krieg

gegangen und wie nur wenige heil und gesund aus dem
Krieg zurückgekommen. Aus einem Offizier der österreichischen Armee war er durch den Zusammenbruch der
Monarchie plötzlich ein ziviler Staatsbürger des neuen
tschechischen Staates geworden.

Am 1. November 1918 war er in seine Heimatstadt
Brünn zurückgekehrt. Alles, was er da sah, die Revolution
in der kleinen Hauptstadt des ehemaligen Kronlandes,
den Umherzug der Militärkapelle, die in den alten kaiserlichen Uniformen jetzt ein neues nationales Revolutions-
lied spielte, die tschechischen Mannschaften, die von den
Mützen der Offiziere die alten Kokarden herunterrissen,
die törichte Freude der befreiten Nation, schien Heinrich
P. einer akuten literarischen Formulierung zu bedürfen
und eines literarischen Formers. Passiv, wie er von Natur
war, erlebte Heinrich P. diese Revolution bereits aus einer
Art historischen Perspektive. Er bildete sich ein, »Studien
zu machen«, und die rasche Buntheit der Ereignisse ließ
ihm keine Zeit, sich über sein privates Schicksal und seine
nächste Zukunft Sorgen hinzugeben. Nur weil es die anderen in die Stadt heimgekehrten Offiziere ebenfalls taten,
ging er eines Morgens zur Kommandantur, in der man
schon Tschechisch sprach, jene zweite Landessprache, die
ihnen beinahe so geläufig war wie ihre deutsche Muttersprache. Man sagte ihm, daß die neue Regierung es ihm
freiließe, in die neue Armee einzutreten, in der man Offiziere brauchte. Er erklärte, es sich noch überlegen zu
wollen, bekam sein letztes Monatsgehalt ausbezahlt und
verlangte eine Marschroute nach Prag. Dann ging er auf
den Bahnhof, bestieg den Zug, suchte in mechanischer
Gewohnheit nach einem Platz in der zweiten Klasse,
mußte feststellen, daß der Zug aus lauter Wagen dritter
Klasse bestand und nahm schließlich auf einer der vielen
gelben und harten Bänke Platz, die von sogenannten
Mannschaftspersonen zum größten Teil besetzt waren.

Unterwegs erlebte er noch eine jener fliegenden und plötzlichen Untersuchungskommissionen, die im ersten revolutionären Eifer nach Gleichgültigem, ja sogar Überflüssigem, Beschäftigung suchend, die gleichgültigen Züge zu kontrollieren pflegten, in denen nichts zu kontrollieren war. Und als hätte es erst der tschechischen Sokol-Uniform und der Untersuchungskommission bedurft, Heinrich P. in die neue Wirklichkeit zurückzurufen, und als hätte ihn erst eine ganz deutliche unzweideutige Änderung einer Äußerlichkeit auf die Veränderung seiner privaten Situation aufmerksam gemacht, begann Heinrich P. erst jetzt, an seine nächste Zukunft zu denken und sich mit den materiellen Sorgen zu beschäftigen, die zweifellos bald seine Existenz zu bedrohen anfangen sollten.

Noch hatte er Geld. Ein paar tausend Mark hatte er von dem Offiziersgehalt sparen können, nun begann er, sich Vorwürfe zu machen, daß er das Angebot, in die neue Armee einzutreten, nicht angenommen hatte. Was konnte ein Mensch von seiner Passivität in dieser offenbar sehr aktiven Zeit beginnen? Er trieb sich, das fühlte er, an der Peripherie, nicht im Zentrum der Ereignisse herum, und er war ebensoweit davon entfernt, sie zu bestimmen, wie von ihnen bestimmt zu werden. Vorausgesetzt, daß er das Talent besaß, sie zu beschreiben, wollte er versuchen, sich mit ihnen von jener Perspektive aus auseinanderzusetzen, die allein dem Schriftsteller angemessen ist, aber – – – – wußte er, daß er die Fähigkeit besaß zu schreiben? Der Rektor seines Gymnasiums fiel ihm ein, der für das Stadtblatt Theaterkritiken zu schreiben pflegte. Lebte der alte Ritter von Hauer noch? Heinrich P. kam auf dem Bahnhof in Prag an, wurde von einem Soldatenrat empfangen, ließ seine Papiere prüfen und erlebte die ehrliche Freude, in dem Kommandanten des Soldatenrates den alten Pedell seines Gymnasiums zu erkennen. Er fuhr in die Wohnung seiner Tante.

Sie gehörte zu jener Art von Verwandten, die das Wiedersehen mit männlichen Mitgliedern der Familie ebenso zu einer freudigen Begeisterung anregt wie zu Wehklagen über die miserablen Zeiten. Heinrich P. schenkte ihr das Geld, was sie im Augenblick zu brauchen vorgab, und ging in die Stadt. Er begab sich zum alten Rektor Hauer, feierte mit diesem ein ebenso sentimentales wie durch die Fülle und die Plötzlichkeit der politischen Ereignisse gestörtes Wiedersehen und bekam eine Empfehlung an die Redaktion des Tagblattes. Dort lieferte Heinrich seine niedergeschriebenen Revolutionserlebnisse ab. Am nächsten Tag erschien der Artikel, und es war Heinrich, als er ihn las, als hätte er die Revolution, die Heimfahrt, die Erlebnisse auf den Bahnhöfen erfunden. Er mißtraute sich selbst. Es schien ihm, daß er die Begeisterung sowohl als auch die Verwirrung übertrieben dargestellt hätte und daß zwischen der Wirklichkeit dieser Revolution und seiner Darstellung der Unterschied mindestens so groß geblieben war wie zwischen dem Krieg und ihr. Er hatte von Betrunkenen und Taumelnden geschrieben und in Wirklichkeit doch nicht mehr Betrunkene und Taumelnde gesehen als etwa an einem Sonntagnachmittag zu Friedenszeiten.

Während er noch also über seinen Artikel nachdachte, meldete sich ein Mann bei ihm, der sich als Detektiv legitimierte und ihn zu einem Herrn Dr. Slama in die Polizeidirektion führen zu müssen behauptete. Dr. Slama war der Zensor der neuen Regierung. Es erwies sich, daß er nur die Bekanntschaft Heinrich P.s hatte machen wollen und vielleicht auch den Versuch, den von ihm offenbar für begabt erachteten Verfasser für die tschechische Regierung ebenso gewinnen zu wollen, wie er selbst, ein alter Beamter der Monarchie, gewonnen worden war.

Dieser Versuch, Heinrich P. für das neue, sogenannte Staatsvolk zu erobern, blieb ohne Ergebnis; nicht etwa deshalb, weil Heinrich P. ein überzeugter Angehöriger der deutschen Nation gewesen wäre, sondern weil er, den Gesetzen seiner Natur gehorchend, jede Handlung zu vermeiden entschlossen war, die ihm irgendeine Verpflichtung zur Aktivität auferlegt hätte. Hätte er, im Gegenteil, überhaupt über die momentane Situation des deutschen Teiles der Bevölkerung nachzudenken vermocht, so wäre er zu dem Resultat gekommen, daß sein persönliches Bekenntnis zur deutschen Nationalität seiner natürlichen Neigung zur Passivität am ehesten entgegengekommen wäre. Aber Heinrich P. dachte zu jener Zeit nicht übermäßig viel. Seine eigene Situation wie die der Gesamtheit erschien ihm für seine Bedürfnisse viel zu kompliziert. Und, bequem wie er war, beschloß er, in eines jener friedlichen Länder zu gehen, in dem die politischen Konflikte seit Jahrhunderten beigelegt erschienen und der Friede den in ihnen wohnhaften Individuen für alle Zeiten gesichert.

Er fuhr also mit dem Rest seines Geldes in die Schweiz, setzte sich vorläufig in Zürich fest und begann, lediglich aus einer sittlichen Verpflichtung, irgend etwas zu tun, Artikel für deutsche Zeitungen zu schreiben. Seine Einnahmen blieben gering, seine Ausgaben verringerten seinen Besitz, bis er eines Tages, es war etwa Juni 1919, in die Lage geriet, seine Miete nicht bezahlen zu können.

Offenbar aber wacht irgendein gnädig-ungnädiges Schicksal über gewissen jungen Männern, und, so banale Auswege es auch weisen mag, es führt seine Günstlinge dennoch ein Stück weiter und bewahrt sie vor den viel zu frühen Katastrophen, die es uns unmöglich machen würden, bestimmte Geschichten weiterzuerzählen. Banal, wie derlei Schicksale schon zu sein pflegen, ist auch die Fügung, die in das Haus der Vermieterin Heinrich P.s eine ihrer jungen Nichten führt und in der ältlichen Frau den selbstverständlichen Wunsch nährt, das Mädchen in eine Beziehung zu ihrem einzigen Mieter zu bringen. Wie

leicht aus einer so banalen Situation eine fatale für den
betroffenen Mann wird, weiß der Leser, und also bleibt es
uns erspart, Heinrich P. darzustellen, wie er von einem
trügerischen Affekt gezwungen wird zu lieben und von
einem echten Instinkt, einer bürgerlichen Existenz zu entfliehen. Vielmehr begnügen wir uns mit der Mitteilung
von der plötzlichen Ankunft eines Briefes an die Adresse
Heinrichs, eines Briefes, dessen Wortlaut wir im folgenden wiedergeben:

Lieber Freund,

unlängst hatte ich das Glück, Deinen Namen in einer
Zeitung zu lesen, und ich erinnerte mich bei dieser Gelegenheit an die Wochen und Monate, die wir zusammen im
Feld zugebracht haben. Ich bin nach dem Zusammenbruch der Monarchie nach Deutschland übergesiedelt,
lebe in Berlin als Rechtsanwalt, habe geheiratet (und reich
geheiratet), bin Syndikus im Konzern meines Schwieger-
vaters und höre nicht ohne Staunen, daß Du in Zürich
lebst. Eine Wehmut, die Du vielleicht lächerlich finden
wirst, veranlaßt mich, Dir zu schreiben. Meine Frau und
ich, wir fahren in der nächsten Woche nach Marseille und
möchten Dich mitnehmen. Telegraphiere uns, ob Du am
Dienstag, den 28. Juli, uns in Basel am Bahnhof um 2 Uhr
nachmittags erwarten kannst.

Dein Freund
Otto Reichhardt

Das Kartell
|1923|

Am 12. November brachte die Bostoner »Aurora« auf der ersten Seite ihrer acht Blatt starken Nummer in fetten Lettern das folgende Telegramm: »Seit gestern ist die bekannte Suffragettenführerin Miß Sylvia Punkerfield verschwunden. Heute hätten bekanntlich die Massendemonstrationen der Suffragetts vor dem Regierungsgebäude stattfinden sollen, zu der hervorragende Führerinnen aus Chicago und New York gekommen waren. Die Polizei hatte sogar, wie wir vorgestern berichteten, Kenntnis von den Vorbereitungen zu einem Bombenattentat vor dem Regierungsgebäude erhalten und Maßnahmen zu deren Vereitelung getroffen. Miß Sylvia Punkerfield galt als die Arrangeurin dieser Versammlung wie überhaupt als die Seele der hiesigen Frauenbewegung. Um so verwunderlicher ist ihr plötzliches Verschwinden knapp vor der Demonstration. Man munkelt von einem Verbrechen – Miß Punkerfield hatte natürlich zahlreiche Rivalinnen. Der Polizei ist es trotz angestrengtesten Nachforschungen bis jetzt nicht gelungen, der verschwundenen Suffragettenführerin auf die Spur zu kommen.«

Ganz Massachusetts kannte natürlich Miß Punkerfield. Sylvia Punkerfield, die libellenschlanke Suffragette mit dem kurzgeschorenen Haar und dem schwarzen, glatten Tuchkleid, das geradezu wie ein Programm aussah und dessen unerhört einfache Holzknöpfe, die mit schwarzem geripptem Stoff überzogen waren, sich wie Punkte in diesem Parteiprogramm ausnahmen. Und dennoch, es war ein gewisses Raffinement in dieser Einfachheit. Oder glaubte jemand wirklich daran, daß Miß Sylvia kurzes Haar trug, weil es praktisch und männlich war? Miß Sylvias Kinderkopf mit den knabenhaft jungen Zügen konnte, konnte keine passendere Haartracht tragen. Miß Sylvia hatte blaue Augen. Blau, das sagt man so und denkt dabei an den Himmel oder ähnliche Institutionen von blauem Kolorit. Aber die Bläue dieser Mädchenaugen hatte etwas von der kühl violetten Färbung spätherbstlicher Abendwolken und nichts von einem Frühlingshimmel. Es war die Kälte blankgeschliffener, violettblau schimmernder Stahlklingen in diesen Augen, wenn Miß Sylvia in der Versammlung sprach. Sie hatte die scharfe, aber nicht unangenehme Stimme einer Dompteuse oder einer Zirkusreiterin. Wenn Miß Sylvia ein Schlagwort in die Menge rief, so reckte sich ihr Körper schlank auf dem Podium, und ihre Hand mit den langen muskelranken Fingern ballte sich wie um einen unsichtbaren Peitschenstiel. Der knabenhaft sehnige Arm zeichnete einen Bogen in die Luft, und es sah aus, als hätte Sylvia das Wort wie einen elastischen Gummiball in den Saal geschleudert. Dabei bekam ihre Stimme einen blankmetallenen Klang, wie wenn ein Säbel auf Messing schlüge. So war Miß Punkerfield.

Kein Wunder, daß ganz Massachusetts sie kannte. Die ältliche Miß Lawrence, die flach war wie ein Dielenbrett, konnte logisch sein, konsequent und unerbittlich wie ein algebraisches Lehrbuch. Niemand wagte mit ihr zu diskutieren. Mit ihrer haarscharfen Logik spaltete sie jeden Gegner in zwei Hälften von wunderbarer Ebenmäßigkeit. – Die noch junge, aber lederne Miß Esther Smith kannte alle Denker dreier Jahrhunderte auswendig und goß Bottiche von zwingenden Zitaten über die Köpfe ihrer Feinde, daß sie in die Knie sanken und um Gnade flehten. – Miß Ethel Fisher, die Tochter des Wursthändlers Fisher, war gefürchtet wegen ihrer geradezu übermännlichen Grobheit. Ihre Worte waren wuchtig und klotzig wie die Hämmer, mit denen die Arbeiter ihres Vaters die Pferdehäute zu Wurst faschierten. Aber was waren sie alle gegen die übernatürlichen Eigenschaften der Miß Sylvia! Miß

Sylvia war von einer siegverheißenden Glorie umstrahlt. Von ihrem Wesen ging Sieg aus. Sie atmete Sieg. Weil sie so intelligent ist, sagten die Frauen von Massachusetts. Weil sie so schön ist, sagten die Männer von Massachusetts. Und wäre Miß Sylvia nicht so plötzlich verschwunden, es hätte sich der merkwürdige Fall ereignet, daß die Frauen samt und sonders das Amazonentum links liegen gelassen hätten und die Männer samt und sonders Suffragetten geworden wären. Denn schon hatten einige Professoren von Boston ihre Gefolgschaft zugesagt, die drei jüngsten von den vierzig Senatoren von Massachusetts hatten offen ihre Sympathie für die Suffragetten kundgegeben, und der weltberühmte Stierkämpfer, der vor drei Monaten aus seiner portugiesischen Heimat herübergekommen war, der junge Pedro dal Costo-Caval, war in sämtlichen Versammlungen, in denen Miß Sylvia Punkerfield sprach, zu sehen und klatschte mit dem Aufwand seiner gesamten Stierkämpferkräfte Beifall, wenn Miß Sylvia ihre Rede beendet oder einen Gegner niedergesprochen hatte.

Und nun war Miß Sylvia verschwunden! Nichts anderes verlautete über sie, als was in der Depesche der »Aurora« gestanden hatte.

Was war mit Miß Punkerfield geschehen?

Im Café Chesterton, in der Ecke links beim Fenster, saßen die drei Herren, die ganz Boston und Massachusetts kannte: die Herren Washer, Pumper und Klingson.

Mister Washer war Reporter von der »Little Times«. Er trug einen großen braunen Hut und Röhrenstiefel, die bis zu den Hüften reichten. Was zwischen Hut und Röhrenstiefeln sich befand, war der eigentliche Mister Washer. Und das war sehr wenig. Denn Mister Washer war unansehnlich und gering an Umfang. Sein Kopf war ein kleines ovales Etwas. Sein Gesicht war zerknittert wie ein Papierknäuel. Seine Nase lag eingeklemmt zwischen zwei wul-

stigen Falten im Antlitz, wie in einem Polster vergraben.
Es war eine jener Nasen, auf deren Rücken sich kein
Klemmer halten kann. Deshalb trug Mister Washer eine
Brille vor den grünen scharfgeschliffenen Äuglein. Die
Brille war das einzig Imponierende in diesem Gesicht. Sie
war blank und blitzend und stach seltsam ab von der
braungelben Gesichtsfarbe. Wenn Mister Washer Brille
und Hut abnahm, sah sein Kopf mit den zahllosen ver-
härteten Runzeln aus wie eine kleine Nuß. Wer einmal den
Mister Washer gesehen hatte, dem blieben nur drei Dinge
im Gedächtnis haften: der braune Schlapphut, die dun-
kelnde Brille und die Riesenröhrenstiefel. Alle drei bildeten den Mister Washer. Was der *eigentliche* Mister
Washer war, verschwand vollkommen. Aber eben der eigentliche Mister Washer war interessant. Er war Polizei-
reporter von Ruf und Rang. Sein Blatt, die »Little Times«,
hatte die genauesten Nachrichten über Abstammung, Le-
benslauf und Familienangelegenheiten sämtlicher Personen, die mit der Polizei in irgendwelche Berührung kamen. Wurde irgendwo eine Fabrikarbeiterin aus dem
Wasser gezogen, so wußte Mister Washer, daß sie mit dem
und jenem Taglöhner von der Baumwollspinnerei ein Verhältnis gehabt hatte. Mister Washer interviewte den
Taglöhner, zog Erkundigungen ein über seinen Verdienst,
wußte, daß er ein uneheliches Kind war, daß seine Ur-
großmutter Negerin gewesen, und baute dann ein kunst-
volles Gebilde aus allen seinen Nachrichten. Er hantierte
liebevoll mit seinem Wissen und spielte mit den Berichten
wie ein Kind mit Bausteinen. Da und dort fehlte an dem
fertigen Gebäude noch ein Giebelchen, ein Türmchen, ein
Zipfelchen. Mister Washer setzte noch ein winziges Interview drauf, ein zart-behutsames Interview voll graziöser
Delikatesse mit dem zweiten Verhältnis des Taglöhners.
Mister Washer kam sich vor wie ein Konditor, der auf die
fertiggebackene Torte noch eine Rosine, eine Mandel-

schnitte, ein bißchen Schaum streut. Alles war säuberlich, adrett und unfehlbar und entbehrte doch nicht einer gewissen Pikanterie. Diese Polizeigeschichten hatten Mister Washer berühmt gemacht.

Mister Pumper war das gerade Gegenteil. Groß, plump und stark. In den letzten Jahren neigte er sogar ein bißchen zur Fettigkeit und Atemnot. Er trug einen Anzug von deutlich grober Eleganz. Seine Hände waren behaart, zwischen den zwei Brillantringen auf seinem rechten Zeigefinger starrten drei naseweise Härchen widerspenstig zwecklos in die Höhe. Über der sanften Wölbung seiner Weste klirrten die Glieder einer goldenen Uhrkette, wenn sich sein Atem hob und senkte. Seine Beine waren etwas kurz und nach innen gekrümmt. Sein Schnurrbärtchen war schwarz und glänzte von Pomade. Manchmal steckte noch ein Stäubchen grüner Brillantine zwischen den Härchen. Der Schädel war kahl wie eine Billardkugel. Über den Rand seines Rockkragens wälzte sich eine schwere Nackenmasse. So war Mister Pumper.

Er ziselierte nicht, feilte nicht, ließ sich nicht auf Delikatessen und Sentiments ein wie sein Kollege Mister Washer. Er förderte Raubmorde und Überfälle auf Schnellzüge zutage, spezialisierte sich auf Leichenzerstückelungen und schwelgte in Gräßlichkeiten. Nachtschenken kannte er wie seine Westentaschen. Er war mit Raubmördern per du und trank mit Polizeispitzeln. Er wußte von zukünftigen Raubmorden und verriet nichts, bis der große Tag kam und er mit Genauigkeit den Vorfall schilderte, als wäre er selbst dabeigewesen. Alles staunte über die Berichte des Mister Pumper, und der »Boston Kiker« zahlte ihm eine Gage von 1000 Dollar monatlich.

Der dritte war Mister Klingson. Groß und dünn wie eine seiner schlechten Zigarren, die er stets im Munde hatte. Sein blondes Haar war glatt gescheitelt, fiel in schweren Wellen über die linke Gesichtshälfte und verhüllte ein

Gebrechen: Mister Klingson fehlte nämlich das linke Ohr.
Auf einem Ritt, den er im Auftrage seines Blattes, des
»Bloody Tomahawk«, weit nach dem Westen hinein unternommen hatte, war es ihm einmal weggeschossen worden. Mister Klingson hatte eine unschätzbare Fähigkeit.
Er war schweigsam wie ein Dock. Wenn man ihn fragte,
was los sei, antwortete er ganz einfach: Nichts. Und dabei
hatte er die neuesten Raubüberfälle in der linken Brusttasche druckbereit und säuberlich ausgeführt. Er war ein
Behälter für Sensationen, aus dem nichts durchsickerte.
Man goß in ihn die schwersten Nachrichten hinein, und es
war nichts sichtbar. Er war wie eine gut verkorkte, ganz
undurchsichtige dunkelgrüne Flasche.

Diese drei Reporter bildeten das »*Kartell*« von Massachusetts. Sie hatten stets etwas Neues zu berichten. Die
»Aurora« war sonst gut informiert. Mit den Raubüber-
fällen mußte sie immer nachhinken. Der Chefredakteur
der »Aurora« war wütend. Die Reporter der »Aurora«
rannten durch ganz Massachusetts wie gehetztes Wild.
Ihre Zungen hingen bis zum Boden heraus. Sie erfuhren
nichts. Im Café Chesterton wurden Ereignisse und Neu-
igkeiten fabriziert und in die Welt geblasen. Im Café Chesterton saß das Kartell wie in einer Festung. Wer herankam und einen Angriff versuchte, mußte vor dem
schrecklichen, tödlichen »Nichts!« Mister Klingsons weichen. Dem Kartell konnte man nichts anhaben.

Weiß der Teufel, woher die drei ihre stets frischen
Nachrichten hatten. Und wenn sie keine hatten, so hatten
sie immer noch welche. Wenn schon just gar kein Raub-
überfall zustande gekommen war, so setzte sich das Kartell zusammen und beriet über die Möglichkeit eines
Raubüberfalls. Oder Mister Washer rückte mit seinen ungemein zarten, delikaten Interviews heraus und brachte
eine Geschichte von der Vergangenheit des großen Lust-
mörders Tommy. Oder aber Mister Klingson schrieb:

»Wie wir erfahren, hat die Untersuchung der Affäre: Brandlegung in der Prärie des Erdquellenbesitzers Tompson nichts Neues zutage gebracht. Unsere Leser erinnern sich noch des ›langen Jimmy‹, der dem Mister Tompson Rache geschworen hatte. Dieser Jimmy soll nun vor zwei Jahren als Heizer nach Australien gefahren und dort das Haupt einer Räuberbande geworden sein. Vor ungefähr vier Monaten – heißt es in seinem Bekanntenkreis – ist er nach Massachusetts gekommen.« Und nun folgte ein zartes, ungemein delikates Interview des Mister Washer mit dem letzten Verhältnis des »langen Jimmy«.

Eines Tages tauchte plötzlich ein neuer Reporter auf: Mister John Baker aus Chicago. Er war lang und mager wie ein Windhund. Seine Nase hatte sich aus seinem Gesicht gewissermaßen herausgeschoben, gleichsam selbständig gemacht. Sie bewegte sich rechts und links, hinauf, hinunter, ohne daß sich ein Muskel in Mr. Bakers Gesicht sonst gerührt hätte. Diese Nase war ein selbsttätiges unabhängiges Lebewesen von flatterhafter Rührigkeit. Sie befand sich nie im Ruhestand. Sie witterte Ereignisse. Sie zog Sensationen an wie ein Magnet Eisensplitter. Sie roch Menschenfleisch, Skalpierungen, Lustmorde, Raubüberfälle. Es war eine ganz merkwürdige Nase.

Mr. Baker kam direkt von der Bahn in die Redaktion der »Aurora«.

»Was können Sie?« fragte ihn der Chef. »Alles«, sagte Mr. Baker.

Er bekam achthundert Dollar und ward Reporter der »Aurora«.

Mr. Baker interessierte sich sehr für Suffragetten. Er schloß dicke Freundschaft mit dem portugiesischen Stierkämpfer Pedro dal Costo-Caval. Er besuchte sämtliche Versammlungen und klatschte laut Beifall. Er gewann das Vertrauen der ledernen Miß Esther Smith durch einen

Artikel in der »Aurora«, in der er für die Suffragetten ein-
getreten war.

Die Nachricht von dem plötzlichen Verschwinden der
berühmten Miß Punkerfield hatte Mr. Baker zuerst in der
»Aurora« gebracht. Es war fürchterlich.

Mr. Pumper, Mr. Washer, Mr. Klingson berieten. Heute
konnte man nicht der Welt wieder mit dem Präriebrand
kommen und mit dem langen Jimmy oder mit Jenkins,
dem Zopfabschneider, oder mit Tommy, dem Lustmör-
der. Was war das alles gegen das Verschwinden der Miß
Sylvia Punkerfield? Man mußte schreiben, wie, warum,
wieso. Mister Washer ging zu Miß Lawrence, um sie um
ein Interview zu bitten, aber die Suffragettenführerin hatte den Kopf verloren. Sie gab keine Auskunft.

Die Polizei hatte die dressiertesten Spürhunde losgelas-
sen. Mister Washer lief mit einem der Hunde um die Wette
nach der verschwundenen Miß Sylvia. Er fand nichts.

Das Kartell ging zum Polizeileiter Mr. Shelly. »Mr.
Shelly«, hub Pumper an, »ich habe einen Verdacht!«
»Nun, was für einen?«

»Ich verdächtige unseren Kollegen Baker von der ›Aurora‹ der gewaltsamen Entführung der Suffragette. Diesem Mann ist alles zuzutrauen! Nur um eine Sensation zu
haben, ist er imstande, einen Mord zu begehen.«

Mr. Washer nickte fromm und zustimmend. Er war so
ermüdet von dem Wettlauf mit dem Polizeihund, daß er
kein Wort finden konnte. Mr. Klingson war steif und
stumm und sog an seinem kalten Zigarrenstummel gierig,
als könnte er eine Wendung in der dunklen Affäre heraus-
saugen.

Der Polizeileiter beschloß, den Reporter von der »Aurora« zu vernehmen.

Als man aber in die »Aurora« kam, hörte man, Mr. Baker sei schon mit dem Frühzuge weg, um Miß Sylvia zu
suchen.

Unterdessen war Mister Baker in seinem Zimmer und las lächelnd und mit Behagen einen Brief. Zum erstenmal in seinem Leben ruhte seine Nase still. Sie bewegte sich nicht. Der war vom 2. November datiert und trug die Aufschrift: An Bord der »Atlantis«. Er war von dem portugiesischen Stierkämpfer Pedro dal Costo-Caval und lautete:

Lieber Freund!

Nun weiß ich erst, was ich Dir und Deinem Reporterehrgeiz zu verdanken habe. Dein Einfall, mich in Miß Sylvia verliebt zu machen, war vortrefflich. Dein Rat, sie zu entführen, noch trefflicher. Im übrigen war sie mit allem einverstanden. Sie wollte einfach nicht mehr Bomben werfen. Jedes Weib wartet schließlich doch nur auf ihren Stierkämpfer. Alles andere – Politik und Bomben – ist Verlegenheit und Ersatz. Ich entführe sie mit ihrer Einwilligung. Wir werden sehr glücklich sein.

Wenn ich einen Sohn habe, wirst Du Pate. Ich telegraphiere Dir.

Gruß!

Dein Pedro

Mister Baker griff nach seinem Notizblock und schrieb ein Telegramm an die »Aurora«, von New York, den 12. November datiert.

Am nächsten Morgen brachte die Bostoner »Aurora« auf der ersten Seite ihrer acht Seiten starken Nummer in fetten Lettern das folgende Telegramm:

»New York, den 12. November.

(Von unserem Sonderberichterstatter)

Die mysteriöse Angelegenheit der Miß Sylvia Punkerfield ist geklärt. Miß Sylvia ließ sich von dem portugiesischen Stierkämpfer Pedro dal Costo-Caval entführen.

Zwischen beiden bestand seit längerer Zeit ein Liebesver-
hältnis. Das Paar ist auf der Reise nach Portugal begriffen
und befindet sich an Bord der ›Atlantis‹.«

Im Café Chesterton gab es große Aufregung. Mister
Pumper sank, als er das Telegramm las, vom Schlag getroffen zu Boden. Mister Washer erkrankte plötzlich an
hohem Fieber, delirierte Interviews und starb eine Woche
später an den Folgen einer Lungenentzündung, die er sich
beim Wettlauf mit dem Polizeihund zugezogen hatte. Mister Klingson wurde telephonisch entlassen. Ihr könnt ihn
heute noch sehen, er wartet im Café Chesterton auf ein
Dementi der Entführungsgeschichte, damit er es als erster
ins Blatt bringe.

April
Die Geschichte einer Liebe
|1925|

Die Aprilnacht, in der ich ankam, war wolkenschwer und regenschwanger. Die silbernen Schattenrisse der Stadt strebten aus losem Nebel zart, kühn, fast singend gegen den Himmel. Fein und dünngelenkig kletterte ein gotisches Türmchen in die Wolken. Die dottergelbe Scheibe der erleuchteten Rathausuhr hing wie an einem unsichtbaren Seil in der Luft. Um den Bahnhof roch es süß und trocken nach Steinkohle, Jasmin und atmenden Wiesen.

Die einzige Droschke der Stadt wartete, gleichgültig und bestaubt, vor dem Bahnhof. Die Stadt mußte klein sein. Sie besaß gewiß eine Kirche, ein Rathaus, einen Brunnen, einen Bürgermeister, eine Droschke. Das Pferd war braun, breithufig, trug rötliche Zottelmanschetten über den Fußgelenken und hatte keine Scheuklappen. Seine Augen glotzten groß und wohlwollend auf den Platz. Wenn es wieherte, neigte es den Kopf seitwärts, wie ein Mensch, der sich zum Niesen anschickt.

Ich stieg in die Droschke und überholte auf der Landstraße alle wackelnden Hutschachteln und schwankenden Koffer mit den daran hängenden Menschen. Ich hörte, was die Leute einander sagten, und fühlte die Armut ihrer Schicksale, die Kleinheit ihres Erlebens, die Enge und Gewichtlosigkeit ihrer Schmerzen. Über die Felder zu beiden Seiten der Straße ergoß sich Nebel wie geschmolzenes Blei und täuschte Meer und Grenzenlosigkeit vor. Deshalb waren die Hutschachteln, die Menschen, die Reden, die Droschke so gering und lächerlich. Ich glaubte wirklich an das Meer zu beiden Seiten und wunderte mich über seine Stille. Es ist vielleicht gestorben, dachte ich. Der Schornstein einer Fabrik, der plötzlich neben einem wei-

ßen Häuserwinkel aufstieg, beängstigend trotz seiner
Schlankheit, sah aus wie ein erloschener Leuchtturm.

Zufällige Menschen lagerten am Wegrand: Vorhuten der
Stadt. Sie waren zutraulich und aufrichtig, ich konnte sehen, was in ihnen vorging: Eine Mutter wusch ihr Kind in
einem Faßeimer. Das Gefäß trug einen blanken und grausamen Blechgürtel, und das Kind schrie. – Ein Mann saß in
seinem Bett und ließ sich von einem Jungen einen Stiefel
ausziehn. Der Junge hatte ein rotes, angestrengt-aufge-
dunsenes Gesicht, und der Stiefel war schmutzig. – Eine
alte Frau kehrte mit einem Besen auf den Dielen der Stube
herum, und ich ahnte ihre nächste Tätigkeit; sie würde
jetzt das blau-rote Tischtuch zusammenraffen, zum Fenster oder zur Tür gehen und die Speisereste in den kleinen
Garten schütten. Ich hatte Mitleid mit dem Kind im Faßeimer, dem stiefelziehenden Jungen, den Speiseresten.
Alte Frauen, die in der Nacht aufräumen, müssen schlecht
sein. Meine Großmutter, die wie ein Hund aussah, kehrte
immer in der Nacht mit dem Besen auf den Dielen umher.
Ich war sehr klein, haßte die Großmutter und den Besen
und liebte Papierschnitzel, Zigarrenstummel und allerlei
Abfälle. Ich rettete alles, was auf dem Fußboden lag, vor
dem Besen der Großmutter in meine Taschen. Ich liebte
besonders Strohhalme. Von allen Dingen waren sie am
meisten lebendig. Manchmal, wenn es regnete, sah ich
zum Fenster hinaus. Auf den Wellen einer der unzähligen
Regenbächlein schwamm, tänzelte, drehte sich kokett und
unbekümmert ein Strohhälmchen und ahnte nichts von
dem Kanalschacht, dem es zutrieb, in dem es verschwinden würde. Ich rannte auf die Straße, der Regen war
schwer und wütend, er peitschte mich, aber ich lief den
Strohhalm retten und erreichte ihn knapp vor dem Kanalgitter.

Viele Leute sah ich in der Nacht. In dieser Stadt gingen
die Menschen vielleicht so spät schlafen, oder war es der

April und die Erwartung, die in der Luft lag, daß alles
Lebende wach bleiben mußte? Alle, die mir entgegenka-
men, hatten irgendeine Bedeutung. Sie trugen Schicksale,
waren selbst Schicksale; sie waren glücklich oder unglücklich, keineswegs gleichgültig und zufällig; oder sie waren
zumindest betrunken. In kleinen Städten sind nachts keine zufälligen Menschen auf der Straße. Nur Liebhaber
oder Straßenmädchen oder Nachtwächter oder Wahnsin-
nige oder Dichter. Die Zufälligen und Gleichgültigen sind
sicher zu Hause.

In der Mitte des Marktplatzes stand der Gründer der
Stadt, ein steinerner Bischof, als gäbe er acht. So mittendrin ist er und so wichtig. Ich glaube, die Leute hielten ihn
für tot und erledigt. Sie gingen an ihm vorbei und grüßten
nicht; sie hätten sich nicht gescheut, Geheimstes in seiner
Nähe zu sagen oder auch ein Verbrechen zu begehen.
Wozu hielten sie ihn überhaupt noch?

Mir tat der Bischof leid, der sich gewiß so geplagt hatte,
als er die Stadt gründete. Er trug einen verkniffenen Zug
um den Mund und sah ganz so aus wie jemand, der die
Undankbarkeit der Welt kennengelernt hat. Ich versprach
ihm in jener Nacht, fleißig in der Geschichte über ihn
nachzulesen. Aber ich kam nie dazu. Denn auch in dieser
kleinen Stadt hatten die lebenden Menschen Geschichten,
die mir in den Weg liefen, mich umstellten und einspann-
ten. Und übrigens war es Frühling, und ich mag in solcher
Jahreszeit keine Bischöfe und keine Gründer.

Ich wußte schon am nächsten Morgen ein paar Geschichten.

Ich wußte, daß der Briefträger erst seit einigen Tagen
hinke und keineswegs von Geburt lahm sei. Er trank selten, zweimal im Jahr: an seinem Geburtstag, das war der
15. April, und am Todestag seines Sohnes, der in der großen Stadt durch Selbstmord geendet hatte. Der Rausch

war nachhaltig, und der Briefträger taumelte drei Tage zwischen den Mauern des Städtchens herum, ehe er nüchtern wurde. An diesen drei Tagen bekamen die Leute dieser Stadt keinen Brief. Der Verkehr mit der Außenwelt stockte.

Vor einer Woche, am 15. April, war der Briefträger in seinem Rausch gestürzt und hatte sich ein Bein verrenkt. Davon kam sein Hinken. Das war nicht die einzige Geschichte.

In dem Hotel, in dem ich schlief, roch es nach Naphthalin, Moschus und alten Kränzen. Der große Speisesaal hinter dem Schankladen war niedrig, die Decke gewölbt, und die Wände trugen viereckige, braunhölzerne Pflästerchen mit Sprüchen. Anna, das Mädchen, stützte den rechten Arm auf das Fensterbrett und gab acht, daß die Krüge nicht leer wurden. Sie wurden nie leer. Denn die Leute tranken hier nicht sehr viel Wein und klapperten mit den Krugdeckeln, wenn Anna nicht aufpaßte.

Anna war damals siebenundzwanzig Jahre alt und blond und glatt gekämmt. Sie sah immer so aus, als wäre sie vor einer Weile aus dem Wasser gestiegen. So straff und blank war ihr Gesicht, und so frisch und streng und feuchtblond zogen sich ihre gestrählten Haarsträhnen aus der Stirne.

Sie hatte schlanke, kräftige, aber schüchterne Hände, von denen ich immer glaubte, daß sie sich schämen.

Anna stammte aus Böhmen und liebte den Ingenieur. Der Ingenieur war der Betriebsleiter jener Fabrik, in der Annas Vater arbeitete. Anna hatte ein Kind von dem Ingenieur.

Der Ingenieur hatte geheiratet und Anna Geld gegeben fürs Kind und für die Reise. So war Anna Kellnerin in dem kleinen Städtchen. Ich trat einmal zufällig in Annas Zimmer und sah die Photographie ihres Kindes. Es war ein schönes Kind, es griff mit runden Fäusten in die Luft und trank die Welt mit großen Augen. Anna war schweigsam und erzählte ihre Geschichte sehr kurz.

Ich mag Ingenieure dieser Art nicht und liebte Anna.

»Sie lieben ihn immer noch?« fragte ich Anna.

»Ja!« sagte sie. Sie sagte es so selbstverständlich und trocken wie irgendeine geschäftliche Auskunft.

In dem Städtchen gab es ein Kinotheater. Der Besitzer war ein jüdischer Tuchwarenhändler. Er hatte ein Kino gegründet, weil er tüchtig und betriebsam war und es ihn schmerzte, daß er einen ganzen Sonntag nichts zu tun haben sollte. Er verkaufte daher an Wochentagen Tuchwaren und ließ Sonntag im Kino spielen.

Ins Kino ging ich mit Anna.

Im Städtchen gab es eine Bibliothek. Der junge Mann, der Besucher zu bedienen und, wenn niemand da war, Staub aufzuwischen hatte, war blaß, romantisch blaß und dünn wie ein auferstandener Dichter und hatte eine blond-gelbe Schopflohe, die von seinem Kopf gegen den Suffit flackerte. Er stand immer auf einer Doppelleiter, er spazierte mit der Doppelleiter hinter dem Ladentisch herum, er konnte es vortrefflich, besser als jeder Zimmermaler. Als hätte er überhaupt nur auf Doppelleitern gehen gelernt. Die Leihbibliothek hatte auch alte, gute Bücher, und ich ging mit Anna in die Leihbibliothek.

Anna freute sich sehr.

Manchmal wußte ich, daß Anna zärtlich sein könnte. Ich liebte die Frauen, deren Güte wie ein verschütteter Quell, unsichtbar fruchtlos, aber unermüdlich, jedesmal gegen die Oberfläche anströmt und, weil ein Ausweg nicht möglich, nach der Tiefe gedrängt, verborgene Schächte gräbt und gräbt bis zum Versiegen. Ich liebte Anna. Ich konnte ihren Reichtum nicht lassen. Sie wußte nicht, wieviel ihr verlorenging, wenn sie so daherschritt, rückwärts lebend, jede andere Sehnsucht ausschaltete und nur die nach Vergangenem trug und pflegte.

Ich habe noch nicht vom Park erzählt, in dem die Liebe
dieser Stadt blühte. Der Goldregen wucherte leichtsinnig
und liederlich zwischen Linden und Kastanien. Die Bänke
standen nicht in den Alleen, sondern mitten auf den Bee-
ten. Ich dachte, diese Bänke hätte der Bischof, als sie noch
ganz jung waren, in die Erde gepflanzt, und sie wuchsen
immer jedes Jahr um ein Stückchen in die Breite. Die Füße
hatten sicherlich schon Wurzel gefaßt im lockeren Boden.

Am Sonntag, nach dem Kino, ging ich mit Anna in den
Park.

Einmal sahen wir, wie zwei sich küßten, und Anna lachte.

»Es ist nicht gut, Anna«, sagte ich, »über die Liebe zu
lachen. Ich mag Menschen nicht, die so lügen können.«

Da hörte Anna zu lachen auf.

Als wir nach Hause kamen, erwies es sich, daß der Wirt
Anna gesucht hatte, denn es war ein Gast gekommen. Er
hatte einen knarrenden, neuen Lederkoffer mit vielen grünen und roten Heftpflästerchen. Er war schwarz gelockt
und glutäugig, und er konnte gewiß Mandoline spielen
und Mädchen verführen. Hätte ich in seine Brieftasche
einen Blick tun können, so hätte ich eine ganze Sammlung
bunter Schleifen und blonder Haare und rosa Liebesbriefe
gesehn. Aber ich kam nicht dazu und wußte es auch so.

Er trank Bier in der Wirtsstube. Das Bier paßte nicht zu
seinem Gesicht, er hätte Wein trinken müssen. Er ließ sich
von Anna bedienen und war sehr höflich. Er sprach lauter
Schnörkel. Seine Worte sehen aus wie seine Unterschrift
wahrscheinlich, dachte ich.

In dieser Nacht bemerkte ich, daß mein Licht fehlte. Ich
machte die Tür auf und ging zu Anna in die Stube. Anna
war im Hemd und weinte. Sie blieb auf ihrem Bett sitzen
und erschrak nicht, als ich kam, sondern weinte ruhig und
mit Ausdauer weiter.

Dann sagte sie: »Er sieht genauso aus!«

Der neue Gast sah genauso aus wie Annas Ingenieur.
»Es ist schrecklich!« sagte Anna.

Seit damals liebten wir uns und verbargen es nicht vorein-
ander. Anna konnte sehr zärtlich sein und eifersüchtig
auch. Aber ich kümmerte mich nicht um die Frauen. Die
Frauen dieser Stadt gefielen mir gar nicht.

Nur wenn ich sah, wie sie an goldumrahmten Früh-
lingsabenden über die Felder wanderten, ein Paar ums andere, rührten sie mich. Sie waren dazu da, die Welt zu
erneuern. Sie wuchsen, liebten und gebaren. Im Frühling
begannen sie ihr mütterliches Werk und vollendeten es im
Laufe der Jahre. Ich sah, wie sie, berauscht und mit Appetit auf Rausch, harmlos und beflissen, Gottes Gebot zu
erfüllen, wie Maikäfer in die Wälder ausschwärmten.

Spät in der Nacht noch standen sie in den dunklen
Hausfluren, klebten sie an den Lippen und Schnurrbärten
der Männer, kicherten und waren dankbar bis zur Demut
für jedes gute Wort, das man ihnen in den Schoß warf.
Schön waren die Nächte, in denen die Grillen und die
Mädchen unermüdlich zirpten.

Und die Regentage auch.

Die Mädchen standen in den Fenstern und lasen in Büchern aus der Leihbücherei und aßen Butterbrot. Ein Regenschirm schwankte durch die Gasse und überdachte
den zierlichen, dünnen Notariatsschreiber. Er sah aus wie
eine aufrecht gehende Heuschrecke.

Strohhalme tänzelten, wirbelten, drehten sich kokett
und schwammen ahnungslos dem Verderben der Kanalgitter zu. Ich lief nicht mehr, sie aufzuhalten. Immer dachte ich, daß ich es doch tun müßte. Der Regen, die Harm-
losigkeit des Strohhalms, das Kanalgitter und ich gehörten
zusammen. Vielleicht war auch noch der Notariatsschreiber dabei. Der Regentag war grau schraffiert, der Stroh-

halm ertrank, das Kanalgitter verschluckte ihn, der Notariatsschreiber stocherte schirmüberdacht durch die
Gasse. Und ich hätte eigentlich laufen müssen, den Strohhalm retten. Jedes in der Welt hat seine Aufgabe.

Sehr früh am Morgen stand ich täglich auf. Anna schlief
noch, und der Wirt und der zweite Gast. Die Stiefel der
Hausbewohner standen, noch nicht gereinigt, ein Stück
Gestern, vor den Türen. Im Hof pendelte der Pudel, gähn-
te und suchte nach vergessenen Knochen unter der Ho-
teldroschke, die, unbespannt, mit einer zwecklosen
Deichsel, vor dem Schuppen wartete wie ein ausgegrabe-
nes Gefährt. Jakob, der Kutscher, schnarchte im Schup-
penbau, brünstig und stark; er schnarchte einen Hymnus
auf Natur und Gesundheit. Es war gar nicht lächerlich,
sein Schnarchen. Es klang selbstverständlich und macht-
voll; ein Naturlaut, ein verhülltes Donnerrollen, ein
Hirschröhren. Um fünf Uhr erhob sich ferne und wie aus
übersinnlichen Welten heranschwellend das klagende Tuten der Dampfmühle und weckte Jakob, den Kutscher. Er
mußte in den Kleidern geschlafen haben, denn er kam,
gleichzeitig mit dem letzten, verzitterten Oberton der
Mühlensirene, in seiner großkarierten Ärmelweste, in
Hosen und bestiefelt, barhaupt, mit einem zerknitterten
Pergamentgesicht, sprudelte aus trichtergeformtem Munde Wasser auf seine gekrümmten Handflächen und rieb
sich Stirn und Augen. Dann ging er quer über den Hof ins
Haus, schwer und mühevoll, als müßte er jedes Bein wie
einen Baum mit Wurzeln aus der Erde ziehn.

An der ersten Straßenbiegung klinkte Käthe ihr Fenster
auf und sah hinunter in die Stadt. Ich grüßte Käthe immer.
Ich hatte noch nie mit ihr gesprochen, ich hatte gar nichts
mit ihr zu sprechen, ich grüßte sie nur, weil sie aus dem
Fenster sah und weil die Welt so früh am Morgen noch
nicht konventionell war, sondern einfach wie in den er-

sten Tagen ihrer Kindheit, ein paar Jahre nach der Er-
schaffung, als noch im ganzen zwanzig Menschen sie be-
lebten und alle zwanzig freundlich und gut miteinander
waren. Später, wenn ich heimkehrte, war's Mittag bereits,
die Welt um alle Jahrtausende älter, und ich grüßte nicht
mehr, weil es sich nicht schickte, in einer so fortgeschrit-
tenen Welt ein Mädchen zu grüßen, mit dem man noch nie
gesprochen.

Durch den Park knirschte ein rundbäuchiger Spritz-
wagen, Rasen und Beete berieselnd. Eine Amsel sprang
mit Gassenbubengebärden neben dem Wagen her und
schlug mit dem linken Flügel gegen die zerstäubenden
Wassertropfen. Unsichtbar lärmte irgendwo oben ein
ganzes, in die Ferien geschicktes Lerchenpensionat. Rund
um die Bänke, die in der Mitte der Beete standen, war das
Gras ein wenig müde und hergenommen von der nächtlichen Liebe der Menschen. Und mir entgegen schritt der
lange Eisenbahnassistent durch den Park in den Dienst.

Den Eisenbahnassistenten haßte ich. Er war sommer-
sprossig, unglaublich lang und gerade. Ich dachte, sooft
ich ihn sah, an einen Brief an den Eisenbahnminister. Ich
wollte vorschlagen, den häßlichen Eisenbahnassistenten
als Telegraphenstange unterwegs irgendwo zwischen zwei
kleinen Stationen zu verwenden. Nie hätte mir der Eisenbahnminister diesen Dienst erwiesen.

Ich wußte nicht, warum ich den Beamten so haßte. Er
war außergewöhnlich groß gewachsen, aber ich hasse ja
nicht grundsätzlich das Außergewöhnliche. Mir schien,
daß der Eisenbahnassistent mit Absicht so hoch hinauf-
geschossen sei, und das reizte mich auf. Mir schien, als
hätte er seit seiner Jugend nichts anderes getan als wachsen
und Sommersprossen sammeln. Und außerdem hatte er
rötliche Haare.

Auch trug er immer seine Uniform und eine rote Kappe. Er machte langsame und kleine Schritte, obwohl er mit

seinen langen Beinen ganz gut rasch hätte gehen können. Aber er ging langsam und wuchs, wuchs, wuchs.

Ich weiß noch heute sehr wenig über den Eisenbahnbeamten. Aber ich hätte damals schon schwören können, daß er viele versteckte Gemeinheiten begangen habe.

Solch ein Eisenbahnassistent konnte zum Beispiel einen Zug, in dem sein persönlicher Feind saß, zu einem Zusammenstoß bringen und die Schuld geschickt auf den Zugführer schieben. Es war eigentlich gefährlich, mit der Eisenbahn zu fahren.

Solch ein Eisenbahnassistent, dachte ich, ist niemals imstande, einer Frau wegen auf seine rote Kappe zu verzichten. Wenn er liebte, so legte er bestimmt die Kappe mit der Öffnung nach oben sorgsam auf einen Stuhl. Er vergaß nicht, die Hose im Bug zusammenzufalten, und verstand gewiß nicht die Lust, einer Frau dankbar zu sein. Er konnte auch Frauen durch eine List überrumpeln. Und eifersüchtig war er auch.

Sooft ich ihn sah, dachte ich über einen Brief an alle Frauen der Welt: Frauen! Hütet Euch vor dem Eisenbahnassistenten!

Anna mochte den Eisenbahnassistenten auch nicht. Anna fragte: »Warum hasse ich ihn?«

Ich wußte nicht, wie ich Anna antworten sollte, und erzählte ihr die Geschichte von Abel, meinem Freund, und der Frau seines Lebens.

Abel, mein Freund, sehnte sich nach New York.

Abel war Maler, Karikaturist. Er hatte bereits karikiert, als er noch nicht einen Bleistift halten konnte. Er achtete die Schönheit gering und liebte Krüppelei und Verzerrtheit. Er konnte keinen geraden Strich zustande bringen.

Abel achtete die Frauen gering. Männer lieben in einer Frau die Vollkommenheit, die sie zu sehen sich einbilden. Abel aber leugnete die Vollkommenheit.

Er selbst war häßlich, so daß ihn die Frauen liebhatten. Frauen vermuten Vollkommenheit oder Größe hinter männlicher Häßlichkeit.

Einmal gelang es ihm, nach New York zu fahren. Auf dem Schiff sah er zum erstenmal in seinem Leben eine schöne Frau.

Als er im Hafen landete, verschwand ihm die schöne Frau aus den Augen. Da kehrte er mit dem nächsten Schiff nach Europa zurück.

Anna konnte den Zusammenhang zwischen Abel, meinem Freund, und dem langen Eisenbahnassistenten nicht begreifen.

»Warum erzählst du mir von Abel?« fragte sie.

»Anna«, sagte ich, »alle Geschichten hängen zusammen. Weil sie einander ähnlich sind oder weil jede das Entgegengesetzte beweist. Zwischen dem langen Eisenbahnassistenten und meinem Freund Abel ist ein Unterschied. Ein sehr banaler Unterschied: Abel, mein Freund, geht zugrunde, aber der Eisenbahnassistent wird leben und Stationsvorstand werden. Abel, mein Freund, hat eine Sehnsucht. Nie wird der Eisenbahnassistent eine andere Sehnsucht haben als die, Stationsvorsteher zu werden. Abel, mein Freund, lief aus New York fort, weil er die Frau seines Lebens aus den Augen verloren hatte. Nie wird der Eisenbahnassistent einer Frau wegen aus New York fortlaufen.«

Ich war überzeugt, daß Anna nun den Zusammenhang verstehe. Anna aber umarmte mich und fragte: »Würdest du meinetwegen aus New York weglaufen?«

In dieser Nacht liebte ich Anna sehr, weil ich wußte, daß ich ihretwegen nie aus New York weglaufen würde. Ich fürchtete, es ihr zu sagen, und liebte sie dafür. Ich war feige und führte mich sehr männlich auf. Anna verstand mich aber und weinte. Jetzt sehe ich aus wie der Ingenieur, dachte ich.

Am Morgen schlief Anna, als ich fortging. Sie fühlte, daß ich aufgestanden war, und suchte, schlafend noch, mit schwachen Armen in der Leere herum.

Es regnete, deshalb ging ich ins Kaffeehaus.

Der Kellner trug einen zerknitterten Frack und eine schwere Juchtenledertasche an der rechten Hüfte. Er hieß Ignatz, und jeder nannte ihn so. Er hatte keinen anderen Namen. Nur ich sagte: Herr Ober!

Ignatz hatte Tag und Nacht Dienst. Er schlief auf zwei Stühlen im Kaffeehaus, und davon kam der zerknitterte Frack. Die Geldtasche schnallte er niemals ab. Er war an beiden Seiten etwas plattgedrückt, wie ein Fisch. Seine Arme hingen, wie bekleidete Rückenflossen, schlaff hinunter. Und außerdem hatte er große graugrüne Fischaugen und kalte, feuchte Hände. Er wischte sie immer an der Ledertasche ab. Ich mochte Ignatz nicht, denn er wollte kein Kellner sein. Er las alle Zeitungen und sprach mit den Gästen von Politik. Er wollte lieber Politiker sein.

Aber er blieb doch Kellner und war unzufrieden.

Er sah immer so aus, als gäbe er den Gästen die Schuld an seiner verpfuschten Karriere.

Er nahm Trinkgelder und dankte sehr kühl.

Einmal kam ich mit Anna ins Kaffeehaus, und Ignatz sagte: »Wie geht es, Fräulein Anna?« und wischte sich die rechte Hand an der Ledertasche ab, um Anna mit einer trockenen Hand zu begrüßen. »Wie geht's Ihnen, Ignatz?« fragte Anna und gab ihm die Hand.

Weil Ignatz die Hand zu lange behielt, sagte ich: »Herr Ober!« Da grüßte Ignatz und ging.

Im Kaffeehaus hing ein großer Wandkalender.

Jeden Morgen um acht Uhr kam der Postdirektor, ein alter Herr mit weißem Backenbart. Der Postdirektor ging sehr aufrecht und hatte überlange Hosen an und Sporen an den Stiefelabsätzen, vielleicht, um den Hosenrand zu schonen. Er hatte gewiß bei der Artillerie gedient.

Der Postdirektor hatte so unwahrscheinlich tiefblaue, gute Augen, daß ich glaubte, er hätte sie bei einem Optiker eigens für sich machen lassen. Auch sein Backenbart war so märchenhaft weiß. Der Postdirektor puderte seinen Backenbart vielleicht, jeden Morgen oder vor dem Schlafengehen.

Jeden Morgen riß der Herr Postdirektor einen Zettel vom Wandkalender im Kaffeehaus ab. Ignatz hätte das ganze Jahr den 1. Januar sein lassen. Aber der Postdirektor achtete darauf, daß jeder Tag seinen Namen und seine Nummer habe.

Ich liebte den Postdirektor.

Der Park, in dem die Liebe blühte, lag nicht in der Mitte, sondern am Ende der Stadt. Er lief hinaus in die Wiesenwege. Am Ausgang war ein Gasthaus, in dem ich Nachtmahl aß. Gegenüber war die Postdirektion. Die Post war ein neues Gebäude, in einem schneeweißen Kalkgewande; es trug ein Wappen an der Stirn und am doppelflügeligen, grünen Haustor ein rundes Posthorn. Die Post war das einzige Haus mit zwei Stockwerken in dem Städtchen.

Im zweiten Stockwerk wohnte der Herr Postdirektor.

Immer stand ein Fensterflügel offen im zweiten Stockwerk. Ich dachte: Dort, wo das Fenster offensteht, wohnt der Herr Postdirektor.

Er muß jedesmal in den Himmel sehn, damit seine Augen blau bleiben. Der Herr Postdirektor, dachte ich, ist ein kinderloser Herr, und er hat eine alte Frau mit weißem, gescheiteltem Haar. Sie sprechen nur am Abend miteinander, der Postdirektor und die Frau.

Immer saß ich im Gasthaus so, daß ich das offene Fenster sehen konnte. Vielleicht kommt einmal der Herr Postdirektor in den Himmel schaun – hoffte ich. Aber er kam selten. Eines Tages setzte sich ein wunderschönes Mädchen ans Fenster und sah in den Himmel.

Ich erschrak über die Schönheit und sah so plötzlich zum Fenster des Gasthauses hinaus und zu dem Mädchen empor, daß sie es fühlte und mich ansah. Weil ich verlegen wurde, grüßte ich. Sie grüßte auch. Nun kam sie täglich ans Fenster.

Ich pflanze meine Erlebnisse wie wildes Weinlaub und sehe zu, wie sie wachsen. Ich bin faul, und das Nichts ist meine Leidenschaft. Dennoch lebte ich seit der Stunde, in der ich das Mädchen am Fenster gesehen hatte, in einer steten Spannung, die ich nur noch aus meiner Knabenzeit kannte. Damals war ich noch Teil der Welt, Strohhalm im Strom des Geschehens, schwimmend und fortgerissen. Ich weinte über den Verlust einer Papiertüte, einer Nutzlosigkeit. Seitdem ich alt bin, weine ich nicht mehr und lache nicht. Niemand kann mir ein unmittelbares Leid zufügen. Über Schmerz und Freude bin ich hinausgewachsen.

Nun aber lebte ich Schmerz und Freude und sank tief in die Kleinigkeiten.

Das Mädchen sah jeden Tag zum Fenster hinaus, wenn ich vorbeiging. Jeden Tag grüßte ich. Am dritten Tag lächelte sie.

An ihrem Lächeln lernte ich, daß es nichts Geringfügiges gibt unter der Sonne. Ihr Lächeln am dritten Tag war ein großes Ereignis.

Ihr Gesicht war blaß und klein. Ihre schwarzen Augen blank, wie geputzt. Ihr Haar glatt und rückwärts gekämmt. Ihre Schultern schmal und furchtsam.

Auch wenn es regnete, sah sie zum Fenster hinaus, und das Fenster war offen. Ich saß im Wirtshaus, und die Fensterscheibe war von der Regenkälte angelaufen. Ich mußte das Glas jedesmal blank wischen. Jedesmal lächelte das Mädchen.

Einmal saßen zwei Männer an dem Tisch in der Fen-

sterecke des Wirtshauses, und ich aß nicht, sondern ging
hinaus und wanderte vor dem Wirtshaus auf und ab und
war lächerlich wie ein Nachtwächter. Ich hatte den Man-
telkragen hochgeschlagen und ging langsam, mit großen
Schritten. Von meinen Kleidern tropfte es. Die Leute standen im Haustor des Postgebäudes oder in der Einfahrt des
Wirtshauses und warteten, bis der Regen aufhören würde.
Wenn es blitzte, fuhren sie ein bißchen zusammen und
hörten auf zu reden. Manchmal sahen sie mich an. Ein
junges Weib vom Lande, in Holzpantoffeln und mit auf-
reizend prallen Brüsten, die hinter der regenfeuchten Bluse fortwährend zitterten vor Kälte und Erregung, rückte
einmal auf der Schwelle zur Seite, zupfte mich am Ärmel
und wies auf den freien Platz. Ich aber ging weiter, und
oben lächelte das Mädchen.

Die Menschen sahen zum Fenster hinauf und lachten.
Das junge Weib lachte auch. Ich sah mich um, da waren sie
alle verlegen, vielleicht hielten sie mich für verrückt.

Von diesem Vorfall lebte ich eine ganze Woche lang. Ich
erzählte Anna von dem Mädchen, und Anna lachte mich
aus. »Warum lachst du?« sagte ich. »Ich liebe das Mädchen
am Fenster.«

»Warum gehst du nicht zu ihr hinauf?«

»Ich will's tun!«

»Nein, tu's nicht!« bat Anna. »Vielleicht liebst du sie
wirklich.«

Ich werde niemals vergessen, wie eines Tages der Postdirektor neben dem Mädchen am Fenster stand. Ich grüßte, und der Postdirektor grüßte wieder. So selbstverständlich, als wäre ich sein guter Freund.

Das Mädchen war seine Nichte, sagte mir Anna.

Ich beschloß, zum Postdirektor zu gehn.

Aber es dauerte zwei Wochen, und ich ging noch immer
nicht. Ich wollte sagen: Verehrter Herr Postdirektor, Ihre
Augen und Ihre Sporen und selbst Ihre überlange Hose

habe ich gern. Dieses Mädchen liebe ich aber. Ich glaube, sie ist die Frau meines Lebens. Ich will sie nicht verlieren wie Abel, mein Freund.

Und dann würde ich die Geschichte von meinem Freund Abel erzählen.

Der Postdirektor würde lächeln und aufstehn, und seine Sporen würden leise klirren, so wie kaum erwachsene silberne Tschinellen, die erst ordentlich klingen lernen müssen.

Das Mädchen würde meine Geschichte verstehen und nicht fragen wie Anna.

Das Mädchen ist überhaupt ganz anders.

Ich wüßte auch, was ich dem Mädchen zu sagen hätte.

Ich fuhr in die große Stadt, um mir selbst Geld zu schikken, und schrieb meinen Namen verkehrt und nur den Anfangsbuchstaben meines Vornamens. Dann kam ich zurück und wartete auf das Geld.

Der Briefträger kam und war sehr aufgeregt, weil er das letzte Mal vor zwei Jahren Geld gebracht hatte. Das war schon lange her, und er wiederholte rasch die Vorschriften und verlangte meine Papiere. Er behielt die Kappe auf dem Kopf, während er im Zimmer stand, denn er war im Dienst.

Er wollte mir das Geld geben, aber ich sagte:

»Mein Name ist verkehrt geschrieben.«

»Das tut nichts«, sagte der Briefträger.

»Oh, doch!« sagte ich. »Tragen Sie das Geld zum Herrn Postdirektor, und fragen Sie ihn, ob Sie mir das Geld geben dürfen.«

Später saß ich zehn oder fünfzehn Minuten lang beim Herrn Postdirektor. Aber wir sprachen nur von meinem Geld, und er sagte, daß er gar nicht zweifle; ich wäre der rechtmäßige Empfänger. In dieser Stadt hat noch nie jemand so oder ähnlich geheißen.

»Ja, es ist eine sehr ruhige kleine Stadt«, sagte der Herr

Postdirektor, und er wollte mir eigentlich damit ein Kompliment machen. Es war, als sagte er: Wo denken Sie hin! Einen so schönen, lauten Namen wie Sie trägt keiner hier.

Seine Sporen klangen leise, wie kaum erwachsene Tschinellen, und alles war eigentlich so, wie ich es mir vorgestellt hatte. Nur von dem Mädchen am Fenster war nicht die Rede.

Als ich draußen stand, sah ich zum Fenster hinauf. Am Fenster stand der Herr Postdirektor. Ich grüßte ihn noch einmal, und er nickte. Ich glaubte, damals wäre der geeignete Augenblick gewesen, noch einmal hinaufzugehen und von dem Mädchen zu sprechen. Aber gerade die geeigneten Augenblicke auszunützen, bin ich niemals imstande.

Alles im Leben wird alt und abgenutzt: Worte und Situationen. Alle geeigneten Augenblicke sind schon dagewesen. Alle Worte sind schon gesprochen worden. Ich kann nicht Worte und Situationen wiederholen. Es ist, als trüge ich immerfort abgelegte Kleider.

Am Abend jenes Tages stand das Mädchen nicht am Fenster. Ich beschloß abzureisen.

Ich ging ins Hotel und packte meinen Koffer. Anna kam und fragte:

»Wie lange wirst du fortbleiben?«

Nie wäre es ihr eingefallen, daß ich für immer verreisen könnte.

»Zwei Tage!« sagte ich und fühlte nicht die Spur von Reue über diese Lüge. Was war eine Lüge Anna gegenüber? Das Mädchen am Fenster war nicht mehr da, und bei dem Postdirektor hatte ich den geeigneten Augenblick nicht ausgenützt.

»Warst du beim Postdirektor?« fragte Anna.

»Ja!« sagte ich. »Aber das Mädchen vom Fenster sah ich heut nicht mehr.«

»Sie wird krank sein!« sagte Anna.

»Krank? – Warum sagst du das?«

»Sie ist krank! Weißt du das nicht? Sie ist überhaupt krank! Schwindsüchtig und lahm. Deshalb geht sie auch niemals auf die Straße. Sie wird bald sterben!«

Anna sprach das alles sehr schnell. Ihre Worte schlugen Purzelbäume.

Dennoch hörte ich jede Silbe, scharf und trocken. Diese Silben gruben sich in mein Hirn wie harte Münzen in eine schmelzende Wachsplatte. Ich sah Anna, wie sie dastand, mit straff zurückgekämmtem Haar, blank, als wäre sie eben aus dem Wasser gestiegen. Anna wird nicht sterben! dachte ich.

Das Mädchen am Fenster wird sterben! wird sterben! wird sterben!

Nie werde ich mit ihr sprechen. Deshalb also hatte ich den geeigneten Augenblick nicht ausgenutzt. Nicht, weil ich geeignete Augenblicke nicht leide, sondern weil das Mädchen krank ist.

»Anna!« sagte ich: »Nun geh' ich für immer fort.«

»Weil sie krank ist?« lachte Anna.

»Ja!«

»Aber ich bin gesund!« sagte Anna.

In diesem Augenblick hatte sie das Gesicht einer Triumphierenden. Es war blaß und kalt.

»Ich gehe mit dir zur Bahn!« sagte Anna.

Anna ging mit mir zur Bahn.

Ein Zug kam an, und ich wollte gerade zum Fahrkartenschalter. Da kam der Reisende wieder und grüßte. Er hatte einen knarrenden Lederkoffer und roch nach Pomade.

Anna griff krampfhaft nach meinem Arm, und ich blieb stehen.

»Du, fahr nicht!« sagte Anna.

Sie glich nicht mehr einer Triumphierenden. Sie sah aus wic ein armes, verstörtes Tier, wie ein in die Enge getriebenes, umstelltes Eichhörnchen auf einem grausamen, baumlosen Acker.

Der Reisende trat auf mich zu, sagte: »Ergebenster!« und »Guten Abend!« und: »Sind wohl auch angekommen? Oder verreisen jetzt?«

»Nein!« sagte ich. »Soeben angekommen!« – und ging mit Anna in die Stadt zurück.

Ich schlief die ganze Nacht nicht, denn ich dachte an das sterbende Mädchen. Seitdem ich wußte, daß sie bald tot sein würde, fühlte ich mich sicher in meiner Macht über sie. Ich hielt sie fest, ich konnte ihre Hände greifen. Sie war in meinen Besitz übergegangen.

Ich dachte gar nicht daran, daß sie auch früher schon krank gewesen. Für mich war sie es eben erst geworden. Sie wird sterben, dachte ich, und es war mir wie einem, der weiß, daß man in einer Stunde kommen wird, um ihm einen Gegenstand zu pfänden, den er liebt.

Den ganzen nächsten Morgen schritt ich auf und ab vor dem Postgebäude. Der Herr Postdirektor kam jede Stunde einmal ans Fenster, sah mich und wunderte sich gewiß. Er ging um die Mittagszeit aus dem Hause, ich grüßte ihn, und er erwiderte und wunderte sich. Dann, um drei Uhr nachmittags, kam er zurück, und ich ging immer noch auf und ab vor dem Hause. Ich ging hin und zurück, bewußtlos wie ein Uhrpendel und getrieben von einem unbekannten Räderwerk.

Am Abend setzte ich mich ins Wirtshaus und sah hinaus: Das Fenster im Postgebäude ging auf, und sie kam.

Sie grüßte zuerst und etwas hastig, schien mir. Sie hatte wahrscheinlich geglaubt, ich würde heute nicht mehr warten, weil sie gestern krank gewesen war. Ich sah nur kurz hinauf, und in meinen Augen lag eine lange Rede.

Wenn ich drei Tage ununterbrochen gesprochen hätte, ich hätte ihr gar nicht so viel sagen können.

Ich war ganz dumm und knabenhaft aufgeregt. Sie ver-

stand, schien mir, was ich gesagt hatte. Dann klinkte sie
das Fenster zu, als es stärker dunkelte, im Zimmer floß
plötzlich helles Licht, und die Gardinen schlossen sich.
An der weichen, hellen Gardinenfläche zeichnete sich der
Schatten eines großen Mannes ab. Es war nicht der Herr
Postdirektor, denn der Schatten des Postdirektors hätte
einen Backenbart gehabt. Es war ein bartloser Mann. Vielleicht der Bruder.

Ich ging noch eine Stunde durch den Park. Die Menschen liebten sich immer noch auf den Bänken und Bee-
ten. Ich begegnete mehreren Frauen, die mit losen Haaren
und mit einer fremdartigen Ausgelassenheit verlorener
und berauschter Menschen auf den Kieswegen, ziellos
scheinbar, wanderten. Ihr Gang war so taumelnd und
dennoch erregt-lebendig. Sie nahmen sich aus wie Kreisel,
die früher einmal von irgendeiner fremden Kraft in rast-
loses Rotieren versetzt worden waren und nun, da die
Wirkung dieser unbekannten Macht erschöpft ist, immer
noch im nachhaltenden Zauber des rotierenden Schwun-
ges befangen, aber müde, ihre letzten flatternden Runden
vollziehen und nach einem äußeren Stützpunkt oder dem
eigenen Gleichgewicht vergeblich suchen.

Alle diese, dachte ich, sind gesund und werden nicht
sterben.

Ich traf Anna in ihrem Zimmer, wie sie im Hemd am Bettrand saß und weinte. Sie hielt die Hände nicht nach der
Art weinender Menschen vor das Angesicht. Es schien,
daß ihr unermüdliches, mit Landregengleichmaß und ste-
tig rinnendes Weinen nicht aus ihrer Seele kam, sondern
wie von außen her; etwas Fremdes, Plötzliches, Überfal-
lendes, gegen welches sich zu wehren nutzlos, das zu ver-
hüllen ohne Zweck war.

In dieser Nacht liebte ich Anna wie zum ersten Male,
mit der Zärtlichkeit und der Freude, mit der man einen
ganz neuen Besitz umhüllt.

Am nächsten Morgen erlebte ich die letzte Geschichte dieses Städtchens.

Sehr früh saß der Reisende schon im Kaffeehaus und aß Kuchen. Er aß nicht mit der Hand, sondern umständlich mit Messer und Teelöffel, denn der Reisende war ein feiner Mann und wußte sich zu benehmen. Er aß sehr lange an seinem Kuchen. Dann stand er auf, ging zum Wandkalender und riß das Datum von gestern herunter, entschieden und so, als schüfe er das Heute, den neuen Tag, stolz und machterfüllt wie ein Gott. Mir bangte vor der Ankunft des Postdirektors.

Der Herr Postdirektor riß seit Jahrzehnten die alten Tage ab und entschleierte die neuen, behutsam und demütig, nicht wie ein Gott, sondern wie ein Diener Gottes. Heute würde er entsetzt nach dem Wandkalender sehen, irre werden in den Wochentagen und Daten und die Welt nicht mehr verstehen.

Deshalb hob ich den zerknitterten Zettel auf, glättete ihn und brachte ihn, so gut es ging, wieder am Wandkalender an.

Der Reisende sah mir zu und sagte: »Mein Herr, heute ist der 28. Mai!« Ich erschrak fast, so laut sagte er das Datum dieses Tages, und obwohl es eine sehr einfache Sache war und alle Welt es wissen mußte, schien mir, als hätte der Reisende ein scheues Geheimnis mit unverschämter Roheit ausgebrüllt.

Der 28. Mai!

In diesem Augenblick schlug die Turmuhr halb acht, der Herr Postdirektor trat ein, seine Sporen klirrten leise und übermütig, sie kicherten, und der Herr Postdirektor ging feierlich an den Wandkalender und enthüllte den neuen Tag. Erst jetzt war's der 28. Mai geworden!

Dieser 28. Mai wurde einer der wichtigsten Tage meines Lebens. Ich beschloß nämlich abzureisen.

Was hätte ich auch länger tun sollen in diesem Städtchen? Das Mädchen am Fenster mußte sterben, Anna tat mir weh, ihr Anblick schmerzte mich, und ich konnte ihr nicht helfen. Den Briefträger kannte ich schon auswendig, und das silberne Sporenklimpern des Herrn Postdirektor auch. Käthe, dachte ich, wird jeden Morgen um die gleiche Stunde ihr Fenster aufklinken, und es wird nichts dabei sein, wenn ich nicht mehr vorübergehend guten Morgen sage. Und es war schon der 28. Mai.

Am 28. Mai konnte ich unmöglich länger bleiben. Fast ohne daß ich es gesehen hätte, waren die Ähren auf den Feldern mannshoch und noch darüber gewachsen. Wenn ein halbes Dutzend aufeinanderstehender Hasen durch die Felder geschossen wäre, man hätte nicht einmal eine Ohrenspitze des letzten und obersten gesehen. Es war ein gesegnetes Jahr, und in den Obstgärten lag der Blütenschnee so dicht und hoch, daß man mit nackten Füßen hätte gehen können und die Gartenerde nur wie eine ferne Wirklichkeit fühlen.

Auch sah man es den Wolken bereits an, daß sie sich nicht mehr, von Jugend und Sorglosigkeit getrieben, auf dem Himmel herumlümmelten, sondern mit bedächtiger Beschwer dastanden oder ihre fruchtbaren, schwellenden Leiber wälzten, um einer Pflicht zu genügen. Am 28. Mai weiß man bereits, was man will.

Es ist, dachte ich, so lächerlich, daß ich hier Abend für Abend vor dem Fenster eines Mädchens wandere, das sterben wird und das ich niemals küssen kann. Ich bin nicht mehr jung, dachte ich. Jeder Tag ist eine Aufgabe, und jede meiner Stunden war eine Sünde am Leben.

Einmal träumte ich von einem großen Hafen. Ich hörte ein machtvolles Klirren von zwanzigtausend Schiffsketten und das Brüllen beschäftigter Matrosen. Ich sah, wie schwere Kräne sich hoben und senkten, glatt und selbstverständlich und ohne Mühe, als würden sie nicht von Menschen in Bewegung gesetzt, sondern als arbeiteten sie aus eigenem und nach göttlichem Willen. Es war nicht der Krampf des Eisens, sondern die leichte Gelenkigkeit natürlicher Kräfte.

Manchmal träumte ich von einer großen Stadt, es war vielleicht New York. Ich atmete das Rasseltempo ihres Lebens, ihre Straßen rannten groß, breit, unaufhaltsam, mit Menschen, Fahrzeugen, Pflastersteinen, Laternenpfählen, Litfaßsäulen, ich weiß nicht, wohin und wozu. Die Stadt stand nicht, sondern lief. Nichts stand. Große Fabriken qualmten aus riesigen Schornsteinen den Himmel an. In sekundenkurzen Pausen hielt ich die Augen geschlossen, um die Melodien dieses Lebens zu hören. Es war eine greuliche Musik; sie klang so wie die Melodie eines verrückt gewordenen, ungeheuren Leierkastens, dessen Walzen durcheinandergeraten waren. Diese Musik aber reizte auf. Es war nur häßlicher, nicht falscher Rhythmus. Eine Weile schrie ich im Rhythmus mit, dann erwachte ich.

Als ich wach war, wunderte ich mich, daß ich eigentlich nicht mehr Teil der Stadt war, sondern gänzlich losgelöst von ihr und lächerlicher Bewohner eines lächerlichen Städtchens. Was war ich denn eigentlich? Der Mann unterm Fenster. Freund, sagte ich zu mir, begrabe dieses Mädchen, das ohnehin nicht mehr lebt, und gib dich mit dem Leben ab. Wichtig ist das Leben. Es hätte vielleicht mehr Sinn (nach den gültigen Regeln menschlicher Vernunft hätte es mehr Sinn), zu dem Mädchen hinaufzugehen und tagsüber an ihrem Bett zu sitzen und des Abends mit ihr am Fenster und ihr ein bißchen von dem ungeheuren Chaosrasseln mitzubringen und dem vielen roten Blut, das durch die Adern der Welt floß.

Aber wichtiger ist das Leben.

Indem ich so grausam zu mir sprach, versuchte ich, den Schmerz zu begraben. Ich begrub ihn unter einem Wall von Grausamkeit.

Ich fuhr in der einzigen Droschke der Stadt, in der ich gekommen war, zurück. Anna hatte ich nichts gesagt.

Es war später Nachmittag. Die Sonne rann in goldenen, breiten Strömen. Der Bahnhof kauerte wie eine große, gelbe Katze in der Sonne. Die Schienenstränge liefen weit in die Welt, eisern umspannten sie die Erde.

Als ich im Zug saß und zum Fenster hinaussah, war ich bereits von der Stadt und von den letzten Wochen durch Grausamkeit, Freude, Kraft getrennt.

Mochte der Briefträger sich einen Rausch antrinken, der Postmeister mit seinen Tschinellen klirren, der Reisende nach Pomade duften. Der Kellner Ignatz feuchte Hände haben. Anna seine Geliebte werden.

Und das Mädchen am Fenster?…

Es kann sterben! sagte ich und schäme mich nicht zu gestehen, daß ich mich bei dieser Gelegenheit über meine Gesundheit freute.

Was war das für eine Krankheit, in der ich die letzten Wochen zugebracht hatte? Was war doch mein Freund Abel für ein sentimentaler Kerl? Nie, nie, nie würde ich aus New York wegfahren einer Frau wegen.

Ja, ich will gerade jetzt nach New York fahren. Amerika ist ein herrliches Land. Kein steinerner Bischof hat es gegründet.

Während ich so dachte, pfiff der Zug und tat einen Ruck. In diesem Augenblick trat der lange Eisenbahnassistent mit der roten Kappe aus der Tür seiner Amtsstube auf den Perron. Die Tür war noch eine Weile offen.

Und hinter dem Eisenbahnassistenten kam ein wunderschönes Mädchen. Es war, es war das Mädchen vom Fenster.

»Bleib noch!« hörte ich den Eisenbahnassistenten zu ihr sagen. »Ich bin gleich fertig!«

Das Mädchen aber hörte ihn nicht. Es sah mich an. Wir sahen uns an. Sie stand aufrecht, im weißen Kleid, gesund

und gar nicht lahm und auch gar nicht schwindsüchtig. Offenbar war sie die Braut des Eisenbahnbeamten oder seine Frau.

Während der Zug noch einmal anzog und leise zu rollen anfing, winkte ich und sah dem Mädchen in die Augen. Nur dieses Blickes wegen habe ich diese Geschichte geschrieben.

Im Kupee war mir, als hätte ich die Pflicht zu weinen. Ich aber lachte, sah, wie auf dem Felde ein Hirt seinen Hund schlug, ein Streckenwächter mit dem Signal strammstand, seine Frau Wäsche trocknete und ein kleiner Landwagen auf einem Feldweg torkelte.

»Das Leben ist sehr wichtig!« lachte ich. »Sehr wichtig!« und fuhr nach New York.

Der blinde Spiegel
|1925|

I

Die kleine Fini saß auf einer Bank im Prater und hüllte sich in die gute, bergende Wärme des Apriltages. Einer süßen, niegekannten, fremden Ohnmacht gab sie sich willig hin wie einer Melodie. Das Blut hämmerte schwer und schnell gegen die dünne Haut der Pulse und Schläfen. Das blasse Grün der Bäume und Wiesen breitete sich aus über Kinderwagen, Steinen und Bänken. Alles Sichtbare floß ineinander, als blickte man aus einem sehr schnellen Zug in eine sehr grünende Welt. Es dauerte einen ewigen Augenblick. Dann gewannen Menschen und Gegenstände der Umgebung ihre Konturen wieder, eigene Gestalt und eigenes Leben, Gang und Haltung, besonderes Merkmal und vertrautes Gesicht. Aber die Ohnmacht schwang noch nach, singend im Blut, mit ihm kreisend, füllte sie die Adern, den ganzen Körper wie ein Choral eine Kirche. Die Leere sang, schwer waren die Glieder, aber leicht und schwebend das Leben, Flügel bekam das Herz wie in der Stunde besiegten Sterbens. Fernab flatterten schwarze Ängste nieder, kein Dunkel drohte mehr, es wartete keine Gewalt, keine Furcht zuckte auf am weiten, glücklichen Horizont eines wunderbaren Tags. Fini konnte das langsame Pochen ihres Herzens hören, tröstend war diese unmittelbare Nähe des eigenen warmen Lebens, zum erstenmal und überraschend waren sie und ihr Herz merkbar allein, und sein Pochen wie eine langsam tropfende, tröstliche Antwort auf angstvoll verschwiegene Fragen. Die Brust war leicht wie kurz nach einer ausgeschütteten Qual, und sorglich gebettet in eine beglückende Wehmut – als würde man weinen, als löste sich eine schmerzlich gekrampfte Fessel nach langen Jahren – endlich, endlich.

Fini, die Kleine, erhob sich und streckte die Arme, jung, wie ein junger Vogel zu fliegen versucht, und als sie den ersten Schritt machte, kamen die Gedanken wieder. In rätselhafter Nähe hatten sie gelauert, wie Fliegenschwärme kamen sie; die kleinen Ängste, die flinken, schwarzen Sorgen, die häßlich huschenden Nöte, die Drohungen des Morgen und Übermorgen, die grausamen Bilder grausamer Tage, und die Furcht wölbte sich wie ein niederes Joch über zitterndem Nacken.

Verrauscht war die süße Musik der Ohnmacht, der gute, schläfrige Sang des Vergessens, verblaßt alle leuchtende Weite des sorglosen Nichts und ausgekühlt die bergende Wärme des lauen Tags. Fini fror im Aprilabend, als sie aufstand, um die Briefe auszutragen an die Firma Mendel & Co., an das Landesgericht I und II, an den Nebenkläger Wolff & Söhne, die fremden Briefe in dem grüngefaßten Buch, die fremden Briefe in die fremden Vorzimmer, die leichte, die schmerzende Last, die man austrug, um das Porto zu verdienen, von vier Uhr nachmittags bis sieben Uhr abends.

Durch die großen Straßen ging sie, verloren und gering, und merkte erst in einem Hausflur, daß der Brief an das Landesgericht I nicht mehr da war, der wichtige Brief, in der lockeren Reihe flüchtiger Unterschriften fehlte eine, war eine Zeile leer und rundete sich, sah man lange darauf, zu einem furchtbar glotzenden Loch, einem hohlen, weißen Auge. Ein großes Zittern befiel das kleine, frierende Mädchen, und die Kälte wuchs, die man kaum mehr ertrug, mitten im lauen Aprilabend – man fühlte ihn, und er wärmte nicht. Fini wollte die Wärme herabziehn und sie um die dünnen Schultern legen. Wie der Abend die Stadt einhüllte, so sollte er sie auch schützen, die verloren war in der unermeßlichen Straße.

Ach! wenn man so dünn und gering ist, tut es gut, sich irgendwo bergen zu können, in der lärmenden Wüste der

Stadt. Drohend wölbt sich das eiserne Leben über unsern kleinen Köpfen, und wir sind machtlos und verloren, preisgegeben dem bellenden Hund und dem blinkenden Polizisten, dem gierigen Auge des Mannes und dem keifenden Ruf des kriegsbereiten Weibes, dem wir besinnungslos in den Weg treten, jeder Macht, die auf den Plätzen lebt und an den Ecken lauert. Jetzt müßte man ein Haus wissen, in das man gehn dürfte, ein schützendes Haus mit reichem Portal, das uns mütterlich empfängt und speist und tröstet und die große Furcht aus unsern Herzen treibt wie der mächtige Portier die unbefugten Eindringlinge; jetzt, da man die Unbarmherzigkeit des Draußen gefühlt hatte, täte ein großes, bergendes Haus so wohl. Keine Sorge wäre drin um den verlorenen Brief und das bange erwartete Morgen.

Als der weißgekittelte Mann kam und eine Laterne mit langer Stange entzündete, huschte eine kleine Wärme durch das frierende Mädchen und ein armer, aber guter Trost, daß zwischen dem Heute und dem Morgen noch eine lange Nacht lag. Zwischen dem Unglück und seinen schrecklichen Folgen waren zwölf oder zehn Stunden und ein Schlaf und ein rettender Traum vielleicht und Zeit genug für ein Wunder, das einmal ja kommen muß in unserem Leben. Vielleicht, wenn kein Traum kam und das Wunder enttäuschte, ließ sich in der Früh noch mit Doktor Blum, dem Sozius, reden, der besser war, weil er jünger war, und eine Stirnlocke trug wie ein Student.

Wäre der Hausflur nicht, in den wir jeden Abend gehn müssen, der Hausflur, der schlimmer war als die Straße, in dem der Kot junger Katzen roch und die Pförtnerin lauerte, und die Treppe nicht mit dem schadhaften Geländer wie einem lückenreichen Gebiß und die vergrämte Mutter nicht mit der ewigen Neugier und dem ungläubig geschärften Ohr – wäre das alles nicht, so könnte man das Morgen Gott, dem lieben Gott, überlassen und heute noch feiern, im weichen Bett, ein Buch und Ansichtskarten auf der Decke.

II

Noch war die Mutter nicht zu Hause. – Es ist gut, wenn unsere Mütter nicht da sind, die Mütter mit den ungläubig forschenden Augen, die traurig sind und weinen müssen, strenge und fürchterlich und dennoch traurig, unsere armen Mütter, die nichts verstehen und schelten und vor denen wir lügen müssen. Wir brauchen niemandem Bericht zu erstatten, und keine Furcht ist in uns vor der Wirkung des Berichts, keine Furcht vor dem Zwang zur Lüge und keine um ihre Entdeckung. Fini entkleidete sich langsam; sie fühlte es warm und feucht an ihren Schenkeln rinnen, Blut mußte es sein, groß war ihre Sorge. Irgend etwas war mit ihr geschehen, und sie forschte in ihrem vergeßlichen Gehirn nach einer Sünde, einer vor grauen Tagen begangenen.

Es ist schön, sich allein im Zimmer vor dem Spiegel entkleiden zu können – allein, die Tür ist versperrt, als hätte man sein eigenes Zimmer wie Tilly, die Große – und festzustellen, wie die Brüste wachsen, weiß und fest und von rosigen Kuppen gekrönt, obwohl sie noch nicht so groß und durch die Kleider deutlich sichtbar sind wie bei Tilly, die einen Freund hat und küssen darf.

Gerührt, als streichelte sie ein kleines, fremdes Tier, so tastete Fini an ihrem Körper, erfühlte den beginnenden Schwung der Hüfte und das kühl gerundete Knie und sah, wie das Blut eine schmale rote Furche zog, das nackte Bein entlang.

Die kleinen Mädchen fürchten sich, wenn sie das rote Blut sehen und wenn sie nicht wissen, woher es kommt, und ganz allein und nackt sind, ohne die schützende Hülle des Kleides, mit einem lebendigen Spiegel eingeschlossen in einem Zimmer, rotes Blut, unbekanntes, aus unbekannten Gründen fließendes sehen, ist ihre Furcht dreimal so groß. Die Wunder haben in ihnen selbst ihre Ursache und ihr Leben, und wir erschrecken vor dieser Nähe des Rätsels, von dem wir geglaubt haben, daß es in der Weite wächst und ferne unsern Körpern. Fini hielt den Atem an und hörte plötzlich die große Leere im Zimmer, fühlte das Totsein der toten Gegenstände, sah die Lampe in einem Nebel brennen, in einem weißen Nebel, der die Form eines Angesichts annahm und behielt, eines gespenstischen Angesichts mit leuchtendem Kern. Fini hörte aus unermeßlicher Ferne wie aus einem geahnten Jenseits Stimmen der Straße und das Kreischen einer Bahn, die Melodie einer ewigen Geige und ein tröstliches Rauschen der Stille wie aus einer großen Muschel. Kühl und weich flutete die unendliche Stille, ein Ozean, der von den Füßen aufstieg und stieg – schon stand sie mit den Knien darin, und die blaue Stille deckte die Hüften ein und wuchs um das Herz beklemmend.

Ein gutes Dunkel kam und deckte sie zu. Sie sank in die Ohnmacht, in den weichen, ausgebreiteten, gastlichen Mantel aus zärtlichem Samt.

III

So fand sie die Mutter, die allzeit geschäftige, in Sorgen ergrauende, die Mutter, die von der Tour kam, aus Purkersdorf mit der Westbahn.

Den Hut, den schiefen, auf der Fahrt beschädigten, zum Einkassieren unerläßlichen, warf sie auf das Sofa. Eier zerbrachen mit kläglichem Laut in der Tasche. Schön öffnete sie den zitternden Mund zum Fluch, ein häßliches Wort krümmte die Lippe, da erschrak sie, dachte an Selbstmord

und grausigen Bericht in der Zeitung und beugte sich über
Fini.

Das Mädchen erwachte und sah über sich das breite
Gesicht der Mutter, sah in die schmerzlichen Augen und
eine unbekannte Güte darin, einen Trost und ein fremdes
Erschrecken. Rasch hob sie die Mutter auf starken Armen
ins weiße, breite, weiche Bett, kalte Milch brachte sie und
küßte Stirn, Mund und Augen wie lange nicht mehr. Vertraut war die Berührung der mütterlichen Lippen, lang
entbehrt und wie eine Wiederkehr der halbvergessenen
Kindheit. »Mein gutes Kind«, sagte die Mutter und wiederholte die Worte, und ihre Stimme war verwandelt, die
Stimme einer alten, einer gewesenen, verlorenen, zurück-
gekehrten Mutter. »Jetzt bist du unwohl«, sagte die Mutter und: »Nun bist du eine Frau.« Und Fini verstand, was
Tilly, die Erwachsene, immer gefragt hatte: ob sie auch
schon unwohl sei. Eine stille Feier entzündete sich im Innern, ein heimliches Fest, als trüge man ein weißes Kleid
und würde konfirmiert.

»Bleib morgen zu Hause, geh nicht ins Büro«, sagte die
Mutter. Weich und warm wie ein kleiner, lieber Wind ging
ihre Stimme über Finis Gesicht. So merkwürdig verwandelt war alles; der Bruder schwieg, der sonst immer tobte,
die Mutter summte leise in der Küche, und der Nachtwind
spielte mit einer zart klirrenden Fensterangel im Nebenzimmer. Ruhe, weiße, war im Bett und in der Welt, die
behagliche Wärme eines neugefundenen Heims, Heimat
ohne Ende, Güte ohne Grenze und mit der Mutter die
Gemeinsamkeit des Erwachsenseins und des Frauseins.
Nicht mehr strafende Mutter war sie, sondern schwester-
liche Frau.

Spät am Abend klingelte die Nachbarin noch, auf einen
Plausch kam sie; leise rasselte ihr Schlüsselbund, und man
hörte sie reden. Fini lauschte; die Mutter sprach mit der
Frau vom Krieg; sie lasen im Abendblatt den Sieg von

Sadowa und sprachen von den Männern, die lange nichts mehr schrieben. Der Duft bratender Erdäpfel wandelte durch die Zimmer; die Frauen aßen und kicherten; jetzt erzählte die Mutter von Fini, und das Kichern der alten Frau wurde unangenehm, und ihr Flüstern kam wie ein Zischen unverständlich und beunruhigend aus der Küche.

Zu schön war die Behaglichkeit des weißen, heimatlichen Bettes und zu aufregend ein mißtrauisches Lauschen. Es war besser, man legte sich gerade hin und dachte an gar nichts mehr.

Aber plötzlich überfiel Fini der Gedanke an den schrecklichen verlorenen Brief, und sie rief die Mutter herbei und erzählte es ihr, die nicht erschrak und nicht fluchte, sondern gütiger wurde und weicher, Trost und Vermittlung versprach und mit beiden Händen die Decke glättete. So verwandelt hat sich die Welt, eine Dankbarkeit strömt aus tausend aufgebrochenen Quellen, und aus den Tiefen verschütteter Kindheit holen wir unsere alten, kleinen, frommen Gebete hervor und weinen ein bißchen zu dem auferstandenen Gott und schlafen ein.

IV

Um acht Uhr früh schon weckte eine schrille Klingel, eine Feldpostkarte des Vaters kündigte sie an oder eine Todesnachricht; eines von beiden nur konnte es sein. Tag für Tag, Stunde um Stunde wartete man auf die Karte, auf die Todeskarte vom Regiment, und man zitterte vor dem kurzen Geschrill der Glocke, das man ersehnte, wenn es ausblieb. Fini hörte der Mutter gewöhnliches Ächzen beim Aufstehen, das Schlurfen ihrer Pantinen bis zur Tür und zurück, den Gruß des Postboten und das Rattern der emporgezogenen, hölzernen Jalousien. Es dauerte ein paar Minuten, es waren Minuten süßer, banger Ungewißheit,

die wir liebhaben, die gespannten Minuten mit dem ange-
haltenen Atem vor den großen Überraschungen, die man
immer ersehnt, und wären sie auch fürchterlich.

Aus der Küche scholl der Mutter freudiger Ausruf, herbei eilte sie ans Bett und setzte sich und meldete die Ankunft des Vaters, der schon unterwegs war, entronnen
dem Tode, verletzt, und vielleicht für immer dem Hause
wiedergegeben.

Mit zärtlich zittrigen Fingern zerknitterte sie die rote
Karte, schon sah sie aus wie am Busen zerdrückt, und der
arme Kopf vergaß das Butterbrot für Josef und die Obliegenheiten der morgendlichen Stunden. Am Bettrand saß
sie mit dünn gewickeltem Zopf und spann Träume, wollte
Touren aufgeben, die vergeblichen wenigstens, und von
Arnold, dem Onkel, die erträglichen und ertragssicheren
abkaufen, in den Gegenden der Munitionsarbeiter, die si-
chere Gehälter bezogen und verläßliche Ratenzahler waren.

Eine merkwürdige Güte offenbarte das Leben, Gnaden
schüttete Gott aus, er verwandelte die Mutter, die fluchende, die Rächerin und die Richterin, in die gütige, freu-
dige Frau, fast konnte man's nicht glauben. Oft schon
waren Zweifel in Fini des Morgens gewesen, ob sie in die
Wirklichkeit des Tages erwacht oder entschlummert war
in die Fortsetzung des Traumes. Diesmal war alles unwahrscheinlich, die Sonne und der plinkende Sperling am
blechernen Fensterbrett, die goldige Staubsäule in der
Ecke beim Ofen, die Wiederkehr des Vaters und die Ruhe
im Herzen.

Die Mutter strömte den schwülen Duft ihrer Körper-
und Bettwärme aus, sie roch vertraut wie warme Milch
und weckte in Fini das Verlangen, die Arme um den Hals
der Frau zu legen, die nachgiebige Weichheit der mütterlichen Brüste zu fühlen und glücklich zu weinen. Wäre
nicht der Gedanke an den verlorenen Brief noch lebendig

in seiner ganzen Furchtbarkeit – wie wäre der Morgen sorgenfrei und wunderbar –, wäre die nächste, die kommende Stunde nicht in der Kanzlei vor dem Doktor Finkelstein.

»Ich will hingehen und ihm erzählen«, sagte die Mutter. Und Fini entsann sich der Schuljahre und der mütterlichen Vermittlungen und ungeschickten Ausreden und des blamierenden Diskurses zwischen Mutter und Lehrer und entschloß sich, selbst zu gehen. Wenn Gott, der wiedergekehrte, neuerbetete, helfen wollte, so half er in allen schwierigen Dingen den kleinen Mädchen, und wie immer, wenn wir fast keinen Ausweg mehr wissen, dämmert in unsern Köpfen langsam eine Ausrede und formt sich zum wahrscheinlichen Bericht, an den wir selbst am Ende glauben. Konnte man nicht mit der Feldpostkarte hingehn und den verlorenen Brief mit Aufregung entschuldigen, die man wohl glaubte, während man eine Ohnmacht, eine gewöhnliche, belächelte? Vieles Wunderbare war seit gestern geschehn, viel mehr Wunder brachte das Heute. – Und Fini, die Kleine, ging über die Straßen, vor denen sie sich gestern so gefürchtet hatte, und war nicht mehr gering und verloren, sondern stolz und gehoben, gewachsen und reif geworden in der schwülen, regenschwangeren Luft des trüben Tags. Die Wolken hingen fallbereit. Kleiner schien die Unermeßlichkeit der Atmosphäre und näher der Welt; verlangend lag der Himmel über der Erde, bereit, sie zu umarmen und zu befruchten.

V

Die Wunder hörten nicht auf, die Güte Gottes gebar sich immer neu. Ein Mann kam, eine Viertelstunde vor dem Doktor Finkelstein, und brachte den Brief, den verlorenen, in die Kanzlei. Fini gab ihm ihr letztes Straßenbahngeld. Sie sah den Mann genau an und behielt sein Gesicht, seine Kleidung, seinen Schnurrbart treu im Gedächtnis. Jahrelang später wußte sie, daß ihm Haarbüschel, graue, aus den Ohren wuchsen. Allerdings kam der Sozius Blum in dem Augenblick herein, als der Mann fortging, groß, stark, duftend und strahlend, ein Gott der Frauen. Behutsam und väterlich faßte er Finis Arm, Milde und Verzeihung schwangen in seiner Stimme, als er zur Vorsicht für alle künftigen Fälle mahnte. Dabei spürte sie den sanften Druck seiner Finger am Oberarm, sie blickte zu ihm auf und sah seine sorgfältig verworrene Locke über dem linken Auge und seinen lächelnden Mund.

Später floß das Wunderbare über in die gewöhnliche Lauheit ärgerlichen Tages. Fini saß vor dem braunen Telephonapparat mit den verwirrenden Stöpseln und verworrenen Bändern, den grüngetupften, den rotgestreiften, den blauen und den unbesetzten Löchern, vor denen die rätselhaften Klappen aus rätselhaften Gründen plötzlich abfielen mit leisem Schlag wie verwelkte, harte Augenlider. Das Telephon schrillte, die helle Fanfarenstimme einer Frau verlangte den Doktor Blum; ein Stöpsel flog in ein beliebiges Loch, und Fini wartete auf den Erfolg. Schon ahnte sie gleichzeitig, daß es eine falsche Verbindung war, und sie wartete furchtsam wie in der Schule, wenn sie auf der Tafel eine Rechnung falsch gelöst hatte und hinter dem Rücken das peinliche Schweigen der Klasse fühlte und den triumphierenden Atem der Lehrerin auf der Schulter. Wie konnte man auch an diesem stöpselreichen Apparat den richtigen finden, wenn ein Wunder nicht zu Hilfe kam?

Ach, es kam nicht, sondern der Doktor Finkelstein. Gefräßig, mit einer Aktenmappe stürzte er, der ewig gefräßige, immer sturzbereite, streitbare, mit starken Brillengläsern funkelnde, herein; denn bei ihm hatte es geläutet und nicht beim Sozius, bei ihm hatte die Exzellenz

Helena nichts zu suchen – »nichts zu suchen, sage ich« –, die Schlange, die sie beide noch ruinieren würde. »Ich mache keine Strafprozesse, das müßten Sie wissen, zehn Jahre sitzen Sie hier!« Lärm kündigte ihn an, den Doktor Finkelstein, in einer Wolke von Lärm lebte er, und er begann zu diktieren. »Lassen Sie den Apparat, den Sie doch nie verstehen werden, und setzen Sie sich an die Maschine!« – Und leise vor sich hin wiederholte er: »Zehn Jahre sitzt sie schon hier« – bis plötzlich ein Blick zu Fini hinüberflog und ihr Gesicht streifte und eine dunkle Erinnerung an die Erzählung des Doktor Blum von einer neuen, jungen Hilfskraft weckte.

Wie flatterte das Herz, wenn er diktierte, die großen, fremden, nie gehörten Worte sprudelten, Sturzbäche erstaunlicher Satzgefüge, prachtvoll exotische Klänge, lateinische Namen, Sätze, labyrinthisch gebaute, mit kunstvoll verborgenen Prädikaten, die manchmal unerklärlich verlorengingen. Während Fini stenographierte, überhörte sie ein Wort, mißverstand sie einen Namen, und der Bleistift, mühsam unter den Druck des Zeigefingers gezwungen, begann zu flattern, wild auf raschelndem Papier, der Klang eines gehörten Wortes zeugte ein ähnliches im Bewußtsein, drohend erhob sich am Ende des Diktats die unerläßliche Vorlesung des Stenogramms, und daran mußte Fini denken, während sie schrieb. An die nächste halbe Stunde, in der es sich erweisen sollte, wie kläglich das Diktat ausgefallen war, an die mißlungenen Sätze mit den verstümmelten Namen, die weggelassenen Paragraphen und verschobenen Prädikate. Es war, als hätte man ein verrücktes, wirbelndes Rad zu stenographieren; große, bunte Räder kreisten, wuchsen violett und rot gerändert aus dem Papier.

Dann erfolgte die Kündigung, notgedrungen, Entlassung auf der Stelle sogar. Rückkehr mit hängendem Kopf und Suchen in den kleinen Anzeigen des Morgenblattes.

Warten in den Vorzimmern und sorgsames Kalligraphieren der gleichlautenden Offerten. »Punktum, Schluß!« schrie Doktor Finkelstein, »lesen Sie, schnell!« Aber an diesem wunderbaren Tage strömte Rettung, plötzlich und dankbar empfangen, aus allen Türen. Nun klingelte jemand, und Exzellenz Helena trat ein, ihre Stimme klang hell, eine Siegesfanfare, in hellem Kleid rauschte sie mit dem kühngeschwungenen Hut voll jugendlicher Kornblumen. Aus einer merkwürdigen, großen Welt kam sie, aus der Welt der noblen Klientel; Leere war um sie, kein stenographierendes Mädchen und kein Bürodiener, durch Kleider und Körper drangen ihre Blicke, aus Glas war man selbst, ein durchsichtiger Gegenstand. Die tobende Wildheit Doktor Finkelsteins war dahin, Höflichkeiten stotterte er und empfahl sich bestens, den Sozius versprechend.

Einen Akt galt es zu suchen, einen verlorenen Akt. Exzellenz Helena contra Ehegatten, und man suchte ihn unter H, verzweifelt, schnell, fünfmal durchblätterte Fini den Buchstaben H, bis Doktor Blum ungeduldig Tuschak rief, Exzellenz Tuschak. Unter T fand sich der Akt. Währenddessen saß Tilly eifrig gebeugt über raschelnden Papieren, Bleistifte spitzend, Radiergummis ordnend, Löschblätter schneidend, Briefmarken zählend; vergebens suchte Fini ihren Blick, den freundschaftlichen Blick, den Hilfe versprechenden – ein böses Ding war Tilly, sie stellte sich fleißig und ließ den Kameraden im Unglück. Es verdroß und tat weh, das Blut schoß in die Wangen, Fini fühlte, wie ein Strumpfband sich lockerte, aber ein rettender Griff nach dem Knie war verboten und hätte ein Jukken vorgetäuscht, das lockere Band und der rutschende Strumpf nahmen den letzten Rest von Haltung, Papiere stoben flatternd auseinander.

Dann folgte eine heilende Stille, keine Klingel weckte. Fini sah durchs Fenster, sah die langsame Turmuhr, das rote Kloster mit dem Wandelgang für die Nonnen im Park, die hin und her schritten, schwarz und weiß, fremde Geschöpfe im Jenseits hinter den roten Mauern, im Garten, im Vorhof der ewigen Seligkeit. Die Scheu vor den Bräuten Christi verschwand, und Fini schien es wunderbar im Garten des Klosters. Langsam rückten die goldenen Zeiger vor, Exzellenz Helena verrauschte, einen Augenblick stand Doktor Finkelstein noch da mit funkelnden Brillengläsern, dann ratterte er los mit der schwarzen Mappe und der flatternden Hutkrempe.

In den Straßen war der Frühling, es hatte geregnet, und die großen Kieselquadersteine leuchteten rot und bläulich, als spiegelte sich in ihnen ein Regenbogen. Frisch gewaschen war das Gras auf den Rasenbeeten, die Amseln standen schwarz in der Straßenmitte, Fini schlenderte langsam mit Tilly, heute schon erwachsen, unwohl und Frau. »Ich sehe schlecht aus«, sagte Fini, »siehst du nicht? Ich bin unwohl«, sagte Fini wie etwas Selbstverständliches und maß die Brüste Tillys, die unter der dünnen Bluse zitterten. Die Männer lächelten sie an, die jungen Männer, die beutegierig durch die Straßen gingen.

Bei Trillby lockte gelbes Eis, von zarten Waffeln überdeckt, in rundgeschliffenen Eiergläsern, die halben und ganzen Portionen auf marmornen Tischchen draußen, und die tiefen Korbsessel. Das Porto, das bitter verdiente, ging zur Hälfte drauf, ein Trinkgeld bekam die Kellnerin, und knapp, ehe ein Einjähriger sich anschickte, aus der hinteren Ecke an den Tisch der Mädchen zu treten, standen sie auf und schritten, neu gestärkt und den Glanz der untergehenden Sonne vor sich auf den Gesichtern, um die Ecke.

Es duftet zu Hause nach süßen Dingen, die man für den heimkehrenden Vater bereitet, der Bruder Josef tobt – und als wären Jahrzehnte seit gestern vergangen, so füllt wieder die graue Unerbittlichkeit das Haus, die Treppe und die Mutter. Dahin ist die warme Bettheimlichkeit von gestern, die Mutter kommt forschend aus der Küche, Einzelheiten des Tagesablaufes will sie wissen, unablässig. Tief schneiden die Seufzer ihrer Unzufriedenheit ins Herz, die Nacht kommt und die geizige Petroleumlampe mit dem graublau angehauchten Glaszylinder, aus dem die Nachbarin Regen für morgen prophezeit.

VI

Es regnete wirklich, und der Vater kam, mit ergrauten Schläfen, rätselhaft klein geworden und behaftet mit dem Duft von Jodoform, Hygiene, Rotem Kreuz und Eisenbahn.

Eine Granate hatte ihn Gott sei Dank verschüttet; nun war er da, für immer vielleicht, aber ratlos inmitten seiner gesunden Familie, betäubt von der Ankunft in seinem eigenen Haus, heimatlos in der Heimat und außergewöhnlich zwischen dem Gewöhnlichen, mit suchenden Blikken, die immer abglitten und zurückzukehren schienen in eine Ferne, in die verlassene Ferne, deren Schattenriß wir kaum ahnen konnten, deren Wirklichkeit uns niemals erkennbar war.

In Fini lebte er als der große, starke Mann, der sie in die Arme nahm, als er schied, jetzt war er klein und gedrückt, und ihn umarmte Fini. »Lauter sprechen«, bat er und erzählte, daß er schwerhörig geworden. Man sprach lauter, man schrie, und er hatte doch nicht verstanden, er war stocktaub, und nach zwei Tagen kam er mit einem schwarzen Hörrohr, das seltsam und erschrecklich aus der oberen Tasche seines Uniformrocks einen langen Hals mit breitem Trichter reckte. Verwandelt war er ohne Instrument, und noch mehr, wenn er es ans Ohr legte. Jeden Tag humpelte er an seinem Stock ins Spital und brachte den

Geruch der Medikamente nach Hause und manchmal einen großen, länglichen Brotlaib, den man beim Bäcker nicht bekam. Die Verwandten kamen, ihn zu begrüßen, sie schrien mit Lust und weideten sich an seinen Mißverständnissen und lachten verstohlen. Arnold, der Onkel, wollte seine guten Touren partout nicht verkaufen, und man sprach von einer Neugründung der Existenz.

Dann waren die lauten Besuchstage verrauscht, und einmal entstand ein Streit wegen einer Zündholzschachtel, die der Vater im Spital vergessen hatte oder im Wirtshaus – wer konnte es wissen? Ein wenig trank er, dann war er stiller als gewöhnlich, und manchmal stahl er kleine Dinge aus dem Hause. Die Mutter schrie, nur sie allein verstand er gut, und er blieb die Antwort nicht schuldig. Aber sprach die Mutter leise, verstand er dennoch nichts, und sie durfte fluchen – und Worte, die sie tief zurückgedrängt hätte, wäre er nicht taub gewesen, tanzten jetzt frech über ihren Mund und trafen ihn nicht, so daß er lächeln konnte, wenn sie »Schubiack« sagte.

In der Nacht aber hörte man sie zärtlich flüstern im Bett, wenn Fini zufällig erwachte; spät nach Mitternacht drang das Wispern schwül aus dem Schlafzimmer. Da belebte sich wahrscheinlich sein Gehör, denn es ging um Liebesdinge. Merkwürdig war, daß sie ihren Streit vergessen konnten, wenn sie Körper an Körper lagen; der warme Milchduft, der von der Mutter kam, versöhnt ihn, dachte Fini.

Warm war die Nacht, und das Bett strömte Wärme aus; Fini stand auf und ging ans offene Fenster, während Vater und Mutter im Schlafzimmer eine Kerze anzündeten mit heiserem Kichern.

Rührung überfällt uns in der klaren Nachtluft, wenn die Sehnsucht aus den blauen Gründen zu uns kommt und am Fenster der Pfiff einer weitrollenden Lokomotive hängenbleibt, auf dem Bürgersteig gegenüber liebesdurstig eine

Katze schleicht, in einem Kellerfenster verschwindet, hinter dem der Kater lauert. Groß und sternenreich ist der Himmel über uns, zu hoch, um gütig zu sein, zu schön, um nicht einen Gott zu erhalten. Die nahen Kleinigkeiten und die ferne Ewigkeit haben einen Zusammenhang, und wir wissen nicht, welchen. Vielleicht wüßten wir ihn, wenn die Liebe zu uns käme; sie ist mit den Sternen verwandt und mit dem Schleichen der Katze, mit dem Pfiff der Sehnsucht und mit der Größe des Himmels.

Zwei Menschen entkleideten sich drüben, hinter den Jalousien sah man ihre Schatten, eine Hand löschte mit wehendem Schwung die Kerze aus, und Mann und Frau gingen schlafen – jetzt flüsterten sie, wie die Eltern flüstern. Fini fühlte die Nachtluft nicht mehr, rote Kreise vor den Augen sah sie, ein jäher Blutstrom rann in die Schenkel, und die Spitzen ihrer Brüste wuchsen, streckten sich dem Draußen, den Lokomotiven, den Pfiffen, den Sternen entgegen.

Der neue Tag graute; hinter den Häusern erhob sich ein weißes Leuchten. Sonntag war es. Der Morgen breitete sich aus, schnell hellte das Zimmer auf, am Nachmittag gehen wir mit Tilly ins Atelier; wir werden neue, wunderbare Dinge erleben in einer unbekannten Welt, neue, große Dinge, kleine, kleine Fini.

VII

Dieser Nachmittag im Atelier behielt seine leuchtende Seltsamkeit noch lange Jahre später, als Fini schon in einer anderen Welt lebte und die süße Dummheit ihrer jungen Tage vergessen und vergraben hatte. Mitten zwischen den großen und klugen Menschen war sie noch einsamer als daheim, geringer als in den weiten, großen Straßen der großen Stadt, wenn sich das Leben eisern über ihrem kleinen Kopfe wölbte. Aus allen Bereichen der wunderbaren, ungekannten und kaum erahnten Welt strömten die Gedanken der Menschen, die schönen, die zarten, die unverständlichen, die weichen Gedanken, die Musik aus unzähligen, verstreuten und verborgenen Instrumenten. Die Hälfte verstand sie nicht und wußte nicht, wen zu fragen; denn unerreichbar war Tilly, die Erwachsene, Gewandte, die kühn zu Hause war, wo man sie hinstellte, und aus der glanzvollen Mitte, die sie einnahm und die ihr gebührte, in den stillen Winkel Finis kühles Lächeln schickte und kalt strahlenden Blick. Fini fühlte, daß keine Hilfe kam, und es war ihr, als müßte sie, ungelernt, wie sie war, in der nächsten Stunde zur Prüfung treten. Stolz und mutig waren die Menschen, gewiß kamen sie aus den großen, kühlen, bewachten Häusern und aus den reichen Zimmern, in denen Spiegel an jeder Wand die Haltung ihrer Besitzer unter steter Aufsicht halten und bis zur Vollkommenheit verbessern. Wer aber, wie wir, aus den engen Häusern kommt und in den Zimmern mit den blinden Spiegeln heranwächst, bleibt zage und gering sein ganzes Leben lang.

Schon sprachen die Männer, sie hatten braune Gesichter und mutige Augen, und sie waren auch im Kriege gewesen, wie der Vater; aber sie kamen nicht klein und gedrückt und nicht taub nach Hause, und selbst aus ihrer Verstümmelung noch strahlte Glanz. Die Männer sind aus einer ganz anderen Welt als wir kleinen Mädchen, sie sind klug, stark und stolz, sie lernen viel und wissen viel, sie suchen die Gefahren, und durch die Straßen gehen sie herrschend, und ihrer ist, was sie sich wünschen, die Häuser, die Bahnen, die Frauen und die ganze Stadt.

Ein Maler, Ernst hieß er, zeigte Fini Skizzenblätter, einen Hund, ein nacktes Mädchen und Schwalben im Flug, und man sah es ihm an, daß er schenken wollte, weil Fini ihm leid tat. »Sagen Sie doch etwas«, bat er sie, aber nichts hatte sie zu sagen, und alles wäre so dumm gewesen, was sie einem Maler hätte sagen können, der Schwalben im Flug, einen Hund und nackte Mädchen malen konnte und der so, was er erblickte und was ihm gefiel, auf ein Papier brachte. Er sprach, Fini hörte nicht jedes Wort; denn sie dachte, daß sie selbst etwas sagen müßte. Einige Male öffnete sie den Mund, aber ein halbgedachtes Wort blieb auf der Zunge, furchtsam über einen blamierenden Laut wachte das angestrengte Gehirn. Es wurde ihr heiß in der Ecke, sie wagte nicht aufzustehn, sie hätte ein paarmal auf- und abgehen mögen, und sie durfte es nicht, und hilflos wie ein Vogel mit geputztem Gefieder kauerte sie auf einem runden, kleinen Stuhl und die getünchte Wand im Rücken, an die sie sich nicht lehnen durfte wegen des dunkelblauen Kleides. Sie hörte aus einer großen Weite die Stimme des Hausherrn, der ein Musiker war und Ludwig hieß und eine geblümte Weste mit Perlmutterknöpfen trug, seine Stimme klang wie ein dunkles Cello, und Tilly durfte ihm du sagen, so nahe war sie den Menschen und glücklich.

Eine Skizze Ernsts stellte eine Frau dar, die auf einem dünnen Pfad zwischen weiten Wiesen und Feldern ging, und obwohl kein deutlicher Zusammenhang war zwischen dem Weg dieser einsamen Frau und Fini, behielt sie das Blatt dankbar, und es schien ihr, als wäre diese schöne, sanfte Frau sie selbst und ihr enger Pfad zwischen unendlich grünenden Wiesen, in ihrer Fruchtbarkeit dennoch traurigen, mit der ganzen Melancholie vergeblichen Blühens. In braunes Papier bettete sie das Bild, so lag es drei Tage an der Wand ihres kleinen Täschchens, bis einmal, da niemand zu Hause war, auch dieses Blatt das geheime Versteck fand, das niemandem bekannte, auf der nackten Tischplatte, unter dem mit Reißnägeln befestigten Wachstuch, wo das schöne, glatte Silberpapier sich breitete, unschätzbarer Reichtum, im verborgenen leuchtend.

VIII

Alle unsere kleinen Geheimnisse, die wir durch harte Monate geborgen haben vor dem rohen Zugriff unbekümmerter Hände, die lieben, kleinen Perlmutterknöpfe und das gepreßte Stanniolpapier, die künstlerischen Ansichtskarten und die farbenfreudigen Seidenproben, alle Dinge, die wir sorgsam gehütet haben wie warme Geschöpfe und an die wir täglich denken: im Büro, wenn der Doktor Finkelstein diktiert und wenn wir vor dem verwirrenden, braunen Telephonapparat ratlos sitzen, auf der Straße, wenn wir die Briefe austragen, die wichtigen Briefe in dem grüngefaßten Buch – unsere warmen Geschöpfe, unsere Tröstungen und unsere Geheimnisse –, eines Tages – man räumt zu Hause auf – werden sie aufgestöbert aus ihrem sicheren Gewahrsam, schamlos preisgegeben dem schamlosen Blick der Mutter und ihrer grausam vernichtenden Hand. Wie kleine Vögel, die eine herzlose Gewalt aus dem schützenden Nest schüttet, gehen unsere kostbaren Dinge verloren in der wirren Wüste der auseinandergeschobenen Möbel.

Eines Abends kehrte Fini heim und sah die Tischplatte nackt, ohne Wachstuch; Reißnägel lagen glänzend in einem kleinen Häuflein, und zerrissen waren die letzten Reste der künstlerischen Ansichtskarten und der Skizze mit der wandelnden Frau zwischen melancholisch blühenden Feldern. Es war eine Rückkehr in eine verwüstete Heimat, in der ein Feind gehaust. Zertrümmert lag die ganze, mit liebender Mühsal aufgebaute Welt. Ein Stück hing an jeder der verlorengegangenen Nichtigkeiten, und Fini weinte, obwohl sie wußte, daß sie lächerlich wurde vor dem Bruder und dem mitleidigen Hohn der Mutter. Niemand in der Welt verstand, was Fini verloren hatte: die wunderbare Skizze mit der wandelnden Frau, das Geschenk, empfangen in einer Stunde, in der die Tore eines neuen, fremden, wunderbaren Lebens aufgegangen waren. Fini weinte und schämte sich, daß sie kindischer Dinge wegen weinte, und sie weinte zugleich, weil sie die Kostbarkeit des Verlorenen verleugnen mußte.

Nur einer verstand sie vielleicht, der Vater, der taube, der mit den Augen hörte; sie waren wissend und mitleidsvoll, und mit den letzten Resten seiner aufgehobenen Herrlichkeit bemühte er sich, den Sohn zu beschwichtigen und die fluchende Frau. Plötzlich fühlte Fini seine harte Hand auf der Schulter; gute Worte sprach er und setzte sich zu Fini in die Ecke, auf die Kante des großen, eisenbeschlagenen Koffers, und beide waren sie Verbitterte und Gefesselte im Reiche der Mutter und des tobenden Bruders. Seit diesem Tag liebte Fini ihren Vater.

Die nie gestillte Sehnsucht lebte auf, die Sehnsucht nach einer kleinen, eigenen geheimen Lade, einem warmen Zuhause im kalten Heim, einer Stätte, die Zuflucht gewährte und Geheimes barg. So eine Lade versprach ihr der Vater; merkwürdig war sein Gebrechen: Seine Taubheit schwand, und die tiefsten Wünsche vernahm er mit tausend hellhörigen Ohren. Seine harthäutigen Finger zitterten ein bißchen und lagen auf denen Finis, und er bat sie: »Gehn wir spazieren!«

Und Fini ging mit dem Vater durch die lauten Straßen, die langsam dunkelten, und war mütterlich, als führe sie ein Kind, und schenkte dem Vater, dem humpelnden, die ganze Liebe, die dem Stanniolpapier gegolten hatte, den seidigen Bändern und der wandelnden Frau. Sie gingen spazieren und fühlten sich geborgen vor dem eisernen Zugriff der unermüdlich säubernden Mutter.

IX

Einmal, unterwegs, zwischen dem Landesgericht I und der Firma Marcus & Söhne, kam der Maler Ernst und grüßte tief, wie nur große Damen aus der noblen Klientel des Doktor Finkelstein gegrüßt werden. Es ließ sich nicht verbergen, daß sie das grüngefaßte Buch trug und die wichtigen Briefe darin, um das Porto zu verdienen. »Ich mache Geschäftswege«, sagte sie und ließ den Maler warten vor den Häusern, in die sie hineinging. Dann lenkte er ihre Schritte durch den dunklen Park, in dem die Pärchen saßen und die Liebe blühte, in dem die weißen Schwäne auf blauen Teichen schwammen und den zu betreten die Mutter verboten hatte, eingedenk der Sitte und der mütterlichen Pflicht.

Zum ersten Male ging Fini mit einem Mann des Abends durch den Park, den sie nur am hellen Nachmittag durchschritten, wenn auf den Bänken die Schläfer Sonne tranken; am Nachmittag nur wagte sie, die hurtigen Füße hemmend, über den Kies der Wege zu gehen und der Blumenbeete Reichtum zu bestaunen und, aufgeschreckt durch den wuchtenden Fall des Turmuhrschlages, die hämmernde Sorge wegen nachlässiger Verspätung durch zehnfach beschleunigten Schritt zu betäuben.

Der Park war anders, dichter und dunkler, wärmer und gütig. Was hinter den Bäumen war, sah Fini nicht, was in der betäubenden Helle der Lampen sich zutrug, der stehengebliebenen silbernen Blitze, die den Weg bis zum nächsten Licht in schwärzere Nacht tauchten. Melodien, von der Terrasse kommend, flossen gedämpft durch dichtbelaubte Bäume und abgelenkt durch das Rauschen abendlichen Windes, auf- und abschwellend, in seltsam geschwungenen Wellen, und der starke Rhythmus eines bekannten Marsches glättete sich in der dunklen Allee zum Walzer.

Und neben Fini ging der Mann, der siegreiche Mensch mit der tiefklingenden Stimme, und roch tierhaft und fremd, wie bitteres Kraut und Waldwurzel, und gleichgültig war, was er sagte. Wie unter einem segnenden Regen ging man unter dem gleichklingenden Strom seiner unverstandenen Reden und senkte den Kopf und spähte suchend nach einem bekannten Gesicht in der Fülle der Gesichter, das zu Hause verraten könnte.

Auf die Terrasse des Restaurants stiegen sie, marmorne, herrliche Stufen empor, wie sie zu Thronen führen und gelbgetöntem, schmelzendem Vanilleeis in sanft gerundeten Tassen. In einem zärtlichen Winkel saßen sie, enge die Knie an die marmorne Platte des niedrigen Tisches gedrückt, und der silberne Klang eines kleinen Löffels, der klirrend ans Glas schlug, betäubte für den Bruchteil einer einzigen Sekunde.

Dann sah man die schweigenden, marmornen Männer, gedrückt in das schwarze Grün der rauschenden Bäume, sah, wie die starren Gliedmaßen in der flutenden Stille der Nacht zu leben begannen. Zum erstenmal sah Fini so lebendige Denkmäler, hörte sie das Pochen des eigenen Herzens in den toten, nicht mehr toten, auferstandenen Dingen und fühlte den Kreislauf des eigenen Blutes in den Steinen, den Bänken, im Rasen und im Baum, in der nächtlich geschlossenen Wasserlilie auf der unhörbar murmelnden Oberfläche des Teiches und im düster ragenden Schilf.

Den Park verließen sie, über die weiße Brücke, die von Lichtern bekränzte, gingen sie auf den schweigenden Marktplatz, in süßer Ratlosigkeit wandelnd, zwischen verlassenen Ständen, gedrängt in den kargen Schatten der niedrigen Dächer und der pferdelosen Wagen, der Karren und der aufgestapelten Fässer. Heimatlose Kinder, wandelten sie, ein Dach suchend, ein Haus für ihre Liebe. Sie gingen endlose Straßen hinunter, und wenn sie an einem

Hotel vorüberkamen, hielten sie beide einen Augenblick inne und gingen dennoch weiter.

Plötzlich, aufgetaucht an einer stillen Ecke, steht der Vater da, rastend auf den Krückstock gestützt, unter dem Licht einer Bogenlampe, mit einem einbeinigen Kameraden – sie kamen wohl beide aus dem Spital. Der Vater hob langsam seine lauschenden Augen und winkte ihr mit der Hand, und sie ließ Ernst und gab dem Alten die Hand, und der Vater tätschelte ihre Wange und zeigte sie dem Kameraden. Er sagte nichts, er schickte sie zurück mit einem leisen Wink des Zeigefingers. Fini lief zu Ernst, dem geduldig wartenden, und begann zu reden, als spräche sie nicht mit dem Mann, dem sieghaft nach Erde und Wurzeln riechenden, sondern mit einer vertrauten Freundin. Alles schüttete sie in sein lauschendes Ohr, die Sehnsucht der Kinder und die Furcht ihrer Tage und die Bedrängnisse im Büro und die Enge daheim. Sie erzählte von dem verlorengegangenen Bild und dem sehnsüchtigen Schmerz um die wandelnde Frau auf engem Pfad, zwischen traurig und fruchtlos blühenden Feldern; vom atemberaubenden Diktat des Doktor Finkelstein, des fürchterlich mit kalten Brillengläsern funkelnden, des ewig gefräßigen, immer überfallbereiten, mit flatternder Hutkrempe und drohend geschwungener Mappe. Vom braunen Apparat mit den verwirrenden Stöpseln und den verworrenen Bändern, den grüngestreiften, den rotgestreiften, den blauen, von herrschend schrillen Frauenstimmen, die den Doktor Blum, den Sozius, verlangten. Von rätselhaften Klappen, die aus rätselhaften Gründen mit leisem, klagendem Klang niederfielen. Von der Mutter vergeblichen Touren nach Purkersdorf mit der Westbahn und von der Tilly Verrat im Büro, wenn sie, Bleistifte spitzend, Briefmarken klebend, den hilfesuchenden Blick nicht erwiderte. Von verwirrten Akten, die unter fremde Buchstaben gerieten, unauffindbar, wenn man sie brauchte. Von des Vaters plötzlich eingebrochener Taubheit und der Notwendigkeit, eine Existenz zu gründen.

Sie fuhren nicht mit der Bahn nach Hause, zu Fuß gingen sie den weiten Weg, durch die rauschenden Straßen der Stadt, in denen sich das Leben eisern und nicht mehr furchtbar über unsern Köpfen wölbt. Wir sind nicht verloren an der Seite eines schützenden Bruders, dem unsere Geheimnisse gehören; unsere Furcht vor daheim, unsere Furcht vor der Welt ist dahin, Jahre sind her, seitdem wir das letztemal allein nach Hause gegangen sind, Jahre seit gestern, vergangene Wochen liegen weit zurück, sagenhaft verschollen die Zeit unserer furchtsamen Einsamkeit. Wir sind hungrig und fühlen keinen Hunger, müde sind unsere Füße, und wir könnten meilenlang schlendern, kühl wird es in der späten Abendstunde, uns friert es nicht.

Neue Skizzen versprach Ernst und ein Wiedersehen auf dem Marktplatz, wo die Fässer standen, gehäuft neben der von Lichtern bekränzten Brücke – ein unauffälliger Ort, wo niemand sie finden sollte. Es war spät, nicht mehr lauerte boshaft hinter dem Geländer die Hausmeisterin. Aber erschreckend in seiner gutgemeinten Lautlosigkeit trat der Vater aus der Tür der benachbarten Schenke; er hatte gewartet, auf Fini gewartet, um sie und sich selbst zu retten vor den forschenden Fragen der Mutter; einen gemeinsamen späten Spaziergang wollte er vorschützen, und die Gelegenheit, sich einen guten Sechsundneunziger zu gewähren, lockte ihn.

Sie stolperten beide die dunklen Treppen empor, eng umschlungen, beide kannten sie ihre Geheimnisse, die Sünder, und mutig traten sie in die Küche, der Mutter entgegen.

X

Das Leben, gestern noch gedrängt in die Enge der Straße, der Stadt und des Hauses, in die vier tapezierten Wände des Büros – wie wuchs es über die Mauern in die Wälder. Im geizigen Schatten der nächtlich lagernden Fässer trafen sie sich jeden Tag, durch die leeren hölzernen Hütten gingen sie, rochen den Duft verkaufter Seefische und liegengebliebener Zwiebelschalen und gingen dennoch fromm vorbei an den toten Tischen und schlaffen Säcken, Hand in Hand, immer bereit, in der herrlichen Dürftigkeit einer Hütte ein Liebeslager aufzuschlagen und erschreckt durch den ferne hallenden Schritt des wandernden Polizisten, das Bellen des Hundes, das Schlurfen des Bettlers.

Hinaus kamen sie mit der Straßenbahn, die unter hängenden Zweigen dahinfuhr, geliebkost vom dunkelblauen, schattenden Flieder, vorbei am grünen Segen der Gehöfte, am grauen Fluch der Kasernen, hinaus auf die hügelansteigende Landstraße.

Im weichen Moose lagerten sie, auf steilen Pfaden hielten sie sich umklammert, oft waren ihre Körper einander nahe, und vor ihnen war die endliche Vereinigung, wie ein Feiertag nahe ist seinem Vorabend. Immer fühlte Fini den sanften Druck einer zärtlich gewölbten Hand auf ihrer kleinen Brust, huschende Fingerspitzen auf der kühlen Rundung der Schulter und des Oberarmes, immer wenn sie allein war und zu Hause, im Traum und wenn sie erwachte, im Büro, wo der Doktor Finkelstein seine Grausamkeit jäh verlor und der braune Apparat nicht mehr schreckte.

Musik hörten sie, enge aneinandergedrückt in einer engen Reihe, von Menschen umgeben und allein. Es erschütterte sie ein plötzlicher leiser Sang, einen Schauer fühlte man auf der nackten Haut und wartete auf die Wiederkehr dieses einen süßen Tones. Es berauschte eine rauschende Welle und hüllte sie ein, wie eine große Stille vor einer Ohnmacht einzuhüllen vermag. Es glitten die seidenbespannten Fiedelbogen auf- und abwärts, und in der verschwimmenden Ecke liebkoste der Trommler mit demütig liebender Neigung des Oberkörpers die Triangel, daß sie silbern lächelte. Aus dem Gleichmaß der Bewegungen schwoll das warme Rauschen, keiner Stimme der Natur vergleichbar, keinem Sang menschlicher, tierischer Kehle. Schöner als Vogelsang war der samtene Fluß der Flöte und der zierliche Sprung eines jugendlichen Tones auf den breiten Rücken des ehrwürdig rauschenden Tiefklanges. Aber stärker als Baß und dunkelviolettes Cello, herzlicher als der samtene Fluß der jungen Flöte, erschütternder als der große Wirbel der Pauke und der kleinen, schalkhaften Trommel, all diese Zauber verzaubernd, die Töne übertönend, die Farben überglühend und alle Instrumente zusammenfassend, war die große Stimme der Orgel im Hintergrund, Sang Gottes, des Herrn der Welt, des Schöpfers und Schaffers, des grausamen, guten, großen Gottes. Die Orgel gebar alle Instrumente neu, und in jedem Ton, der ihr entströmte, schlummerte der nächste und der übernächste, der eben verrauschte und der längst verhallte, das ferne Echo der laut gebärenden und wiedergebärenden Wälder. Auf den zitternden Wellen der Luft schwammen die Worte der niemals gehörten, der unverständlichen Sprache, und tief versank auf unsichtbaren Grund die Mühsal grausamer Tage. In den Geräuschen der Stadt, in die man dann trat, hörte man ewig die Melodie des Orchesters. »Die Musik«, sagte Ernst, »enthält alle Geräusche der menschlichen Welt, eingefangen in gesetzmäßige Bindung und gesteigert ins Übermenschliche.« Aber das verstand Fini nicht.

Heim kam sie, nicht mehr ängstlich geduckt durch das dunkelgähnende Tor, nicht mehr furchtsam vorbei an der keifbereiten Hausmeisterin, nicht mehr traurig empor die

knarrende Stiege mit dem schadhaften Treppengeländer
steigend, nicht mehr den Gestank junger Kater beachtend
– auch die häßliche Frage der Mutter hörte sie nicht mehr,
und leicht kam ihr die Lüge, niemals konnte sie so gut
lügen, wie wenn sie Musik gehört hatte. Straßenbahnen
durften stundenlang Aufenthalt nehmen, Zusammenstö-
ße mußten sich ereignen, Menschen von unwahrscheinli-
cher Ohnmacht befallen werden – und wie verwickeln
sich kunstvoll die Fäden der Erzählung, wenn wir wollen,
mühelos ersinnen wir einen gefallenen Gaul, dem man auf
offener Straße eine Einspritzung macht, einen Wahnsinnigen, der nackt ein Gerüst emporklettert, wir befolgen
die Einladung eines Inserats und stellen uns vor und müssen lange Stunden warten, ehe unter vielen Anwärterin-
nen an uns die Reihe kommt. Und Bescheid werden wir
mit der Post erhalten.

Den kleinen Kasten hatte sie endlich, treulich gezim-
mert hat ihn der Vater. Am Sonntag zog er ihn aus der
Ecke hervor, einen braunpolierten Kasten mit glänzen-
dem Nickelschloß. Neue Skizzen von Ernst und eine neue
wandelnde Frau auf einsamem Pfad zwischen melancholisch blühenden Feldern tat Fini hinein; mit lieblichen
Fingern glättete sie gedrucktes Stanniolpapier ungesehen
des Nachts auf der Bettkante, bunte Seidenfähnchen und
Bänder, Perlmutterknöpfe und eine gefundene Schlips-
nadel, einen japanischen Sonnenschirm aus buntem Papier und die weiche, oft gestreichelte Feder eines Hahnes,
die rostbraune und golden schimmernde. Es war eine Heimat inmitten des Heims, eine heimliche Heimat, bergend
und geborgen, liebend und geliebt, verschlossen und gütig. Unter dem Bett stand der Kasten, wartete auf die zärtliche, einsame Stunde vor dem Schlafengehen, zweimal
knackte der sicher sitzende Schlüssel aus blankem, küh-
lem Stahl im sicheren Schloß, und leicht, wie in Gelenken,
bewegte sich die Tür in den Angeln. Geborgen war alles
gut vor dem Zugriff neugierig forschender Finger.

XI

Es geschah um diese Zeit, daß Tilly krank wurde. Es fehlte wochenlang der unermüdliche Lauscher, das durstig geöffnete Ohr, unausgesprochenes Erlebnis vieler Tage staute sich in Fini.

Nichts erfuhr sie von der Krankheit der Freundin, Ausflucht und lächelndes Mißtrauen hatte man in ihrem Hause für sorgende Fragen. Zwei Wochen später ging Fini ins Sanatorium, lange zögerte sie mit dem Entschluß, sie liebte die Luft des Spitals nicht und die vergitterten Fenster.

Es lebte in ihr das Krankenhaus, nie vergessen, unvergeßlich, in dem sie gelegen war, sechsjährig und scharlachkrank, die schleichende, schwarze Krankenschwester, die bärtige Nonne, die im nächtlichen Saal vor dem aufgestellten Spiegel auf dem Nachtkästchen Haare aus dem Kinn zupfte. Die Schwester mit der Warze auf der Oberlippe, einem häßlichen Insekt. Noch schritt der weißgekittelte Arzt durch ihre Träume, die Brille auf die Stirn gerückt, der vieräugige Mann mit den tastenden Händen, den gelben, warmen, dichtbewachsenen; noch lebten in Fini die Besuchsnachmittage von drei bis fünf, wenn die Mutter kam und Kuchen liegenließ, den die Schwester sich nahm; die Korridore mit den Kranken in blaugestreiften Kleidern, mit den pergamentenen Gesichtern; und die große Badestube mit den vielen nackten Frauen, die verkrüppelte Zehen und Ballen an den Füßen hatten.

Geruch von Kampfer und Jodoform lagerte, eine böse Ahnung, über dem grünen Rasen des Sanatoriums und hemmte den Schritt. Fini roch an dem Flieder, den sie mitbrachte. Im dritten Stock lag Tilly, allein im kleinen Zimmer, blaß und verändert und mit hängendem Mund. Nicht mehr das Mädchen, das erwachsene, erwachte, sicher und bewundert; nicht mehr die Freundin, die starke, die ratende und tröstende, Tilly, die stolze und abweisende; krank war Tilly und unheilbar. Nicht mehr drohte ihr der Tod, gestorben war sie und lebte. Anders und eine Fremde.

»Kleine Fini«, sagte Tilly, »wenn du wüßtest. Ein Tier ist der Mann, wenn er zu uns kommt und wenn er uns verläßt. Wenn wir dem eisernen Druck seiner Schenkel nachgeben und wenn er aufsteht, müde und mit nachlässigen Fingern uns das Kleid zuhakt. Kein Arzt will dir das Kind abtreiben, und wenn du Seife nimmst, erkrankst du. Jetzt ist alles vorbei – er kam nicht, als ich ihm schrieb, als ich sterben sollte, und auch jetzt kommt er nicht. Er wird niemals kommen. Auf den Knien flehte er mich an, und süßen Orangenlikör mußte ich trinken. Kleine Fini, wenn du wüßtest.«

Wer war es? Ludwig war es. Fini hatte ihn vergessen, wie man einen alten Gegenstand vergißt, der auf dem Grunde des Kästchens ruhte, des sorgsam gehüteten. Ludwig mit der dunklen Cellostimme, der Geiger in der geblümten Weste. Von seiner geheimen Kraft erzählte Tilly, der die Frauen – und klügere auch – erlagen. Wenn er eine berührte, so, man kann es nicht schildern, würde sie schwach und war ihm verfallen. Ein böses, fremdes Tier ist Ludwig, der Mann.

»Allen mußte es geschehen. Du wirst es erleben!« sagte Tilly und weinte. Der Abend brach plötzlich heran, er überfiel die Sonne. Eine Amsel pfiff im Garten. Ein Ruf scholl im Korridor und der huschende Schritt einer Schwester. Eine Klingel schrillte. Aus fernen Straßen kam Geheul einer Autohupe. Der mitgebrachte Flieder begann stark zu duften wie hundert Gärten.

Allein ging Fini durch die Straßen, nicht mehr am nächtlichen Marktplatz vorbei, wo die schwarz gelagerten Fässer sparsamen Schatten gaben, wo Ernst wartete, der Mann, ein grausames Tier. Sie fühlte die sanfte Rundung seiner hohlen Hand dennoch auf der kleinen Brust, deren

Spitzen sich hart und drängend entgegenstreckten, dem Abend, der Straße und dem grausamen Mann. Sie floh nach Hause, ängstlich geduckt unter dem Druck des eisernen Lebens, oft gestreift im Gewirr der Stadt vom Arm eines männlichen Wesens. Heim huschte sie, die kleine Fini, hinein in das dunkle Haustor, die schadhafte Treppe empor; niemand war zu Hause, und ungesehen durfte sie weinen.

Spät, nach Wochen, kam Tilly zurück, verändert und alt, mit einer neuen Frisur, weil sie lockeres Haar bekommen hatte. Wie eine Frau aus fremden Bezirken war Tilly, schweigsam und gut, nicht mehr fleißig geduckt über raschelnden Papieren, wenn Doktor Finkelstein eintrat, nicht mehr Bleistifte spitzend, sondern mit schlaffer Brust und länglich gewordener Nase, mit festgeschlossenen Lippen, nicht mehr lächelnd in den Straßen, durch die sie zusammen gingen, und einmal nur gesprächig, mit tränenerfüllten Augen, in der kleinen, billigen Konditorei, während es regnete, stundenlang, den ganzen Nachmittag. Fremd und schrecklich war alles, was Tilly erzählte, von Ludwig, dem alle Mädchen verfielen, von den jungen Ärzten im Krankenhaus, von der Narkose, in die man untertauchte wie in ein Meer des Vergessens, von dem Erwachen, nachdem man sich tot geglaubt, von den düsteren Abenden daheim und dem ewigen Seufzen der Mutter.

Es regnete, und Tilly erzählte; gedrückt saßen sie in der dunkelnden Ecke der Konditorei.

XII

Eine neue Stelle für beide suchte und fand Tilly in der großen Warenzentrale, in der man Teuerungszulagen bekam und in der es lustig war. Hell und weit gestreckt lagen die Räume, reich an Fenstern, besonnt und lärmvoll und erfüllt von der Tätigkeit vieler Mädchen und Männer.

Die Mädchen saßen an den Schreibmaschinen, weiß und lächelnd, wie weiße Pflanzen blühten sie auf neben den Tischen. Viele Männer gab es, lächelnde und mürrische. Vorgesetzte, die man fürchtete und die zu gewinnen schwer war, und andere, denen man im Korridor begegnete, vor den doppelt gepolsterten Türen des Chefs.

Neue Freundschaft gewann Fini, mit Hede, der blonden, die Pralinés bekam und aus ihrer reich gefüllten Schublade verteilte.

Manchmal kam der junge Baron, vom Kriegsdienst enthoben und leutselig. Manchem weißen Mädchen griff er ans Kinn, und der und jener schenkte er Blumen.

Offiziere, heimgekehrt und in Urlaub, brachten froh gelaunt wunderbare Dinge, die man seit zwei Jahren nicht mehr gegessen hatte.

Nicht mehr ängstlich vor dem braunen Telephonapparat saß Fini, nicht mehr ratlos vor den buntgestreiften Schnüren.

Nicht mehr zitterte die Luft vor dem Schrei Doktor Finkelsteins, des fürchterlich mit Brillengläsern funkelnden.

Und am Nachmittag, spät, in die schiefen, gelben Strahlen der Sonne, liefen die Mädchen hinaus, und auf jede wartete einer.

XIII

Eines Tages wartete Ludwig draußen. Fini hatte ihn vergessen, wie man einen Gegenstand vergißt, der tief auf dem Grund des Kastens ruht, des sorgsam gehüteten.

Leise sprach er wieder, mit verschleierter Stimme, die wie ein Cello klang, barhaupt ging er, und sein weicher Hut steckte zusammengerollt in der Rocktasche.

Erschrocken war Fini und spähte nach einer Nebenstraße, durch die sie flüchten könnte. Ungeschickt war sie und dachte nach, wie sie fliehen könnte, wenn sie gewandter wäre in der großen Kunst der Lüge und der Ausflüchte.

Das war Ludwig, der Mann; weich ging seine Stimme, gern hörte sie ihren Klang. Einmal blickte sie seitwärts, um sein Angesicht zu sehen, und begegnete seinem Aug', dem dreieckig sonderbar geschnittenen, den aufwärts fliehenden, schmalen Brauen, und sie dachte an Tilly.

»Sie denken an Tilly«, sagte Ludwig, unheimlich, der Mann, ein wildes Tier, vor dem es keine Rettung gab.

»Tilly ist eine dumme Frau«, sagte Ludwig und lachte kurz und tief.

Nie hatte Fini sein Lachen gehört, es klang wie ein kleiner, samtener Donner.

»Sie lieben den Maler Ernst?« fragte Ludwig.

»Nein!«

»Ich bin in Sie verliebt«, sprach Ludwig und steuerte in eine belebte Straße, in der sie sich aneinanderdrängen mußten.

»Tilly hat Ihnen von mir Böses erzählt, und ich bin eigentlich nicht immer gut zu ihr gewesen. Aber Ihnen bin ich gut. Sie sind jung und schüchtern und ein bißchen dumm.«

Von seinem Arm ging eine große Wärme aus, Fini fühlte sie durch das dünne Kleid.

»Gehn wir in den Park«, sagte Ludwig.

Es ist zu spät, hätte sie gerne gesagt, und sie mußte nach Hause. Dennoch ging sie an Ludwigs Seite und dachte an Tilly.

Sie gingen durch den Park, und jeden Augenblick fürchtete Fini, Ernst zu begegnen.

»Fürchten Sie nichts!« sagte Ludwig. »Ernst ist heute eingeladen!«

Alles las er in ihren dummen Augen, und ihre Furcht

stieg und schwoll an, und nun zitterte sie leise im Dämmer des Parks.

Ludwigs Arm fühlte sie, und gleichzeitig fiel ihr Blick auf eine verborgene Bank. Da saß Tilly und neben ihr ein Mann.

Ludwig lachte noch einmal kurz, wie vorher.

Durch fremde, dunkle Alleen gingen sie, nicht mehr war es der vertraute Park, der gute, schattende. Weit waren die Klänge der Musik, aus einer fernen Welt kamen sie. Fremd war der Park und fremd der Teich und fremd die Wasserrosen, die auf ihm schwammen. Ludwig nahm den Arm nicht mehr weg, wie eine Fessel drückte er und schmerzte nicht.

Plötzlich standen sie vor einem Haus, gingen sie eine Treppe empor, eine zweite, eine dritte, und müde wurde Fini, und ihr schwindelte vor den Treppen, die gewunden und mit ungewöhnlich hohen steinernen Stufen unendlich auf einen Turm zu führen schienen. Sah sie durch das Geländer hinunter, erblickte sie einen kleinen Ausschnitt des Flurs, ein dunkles, unbekanntes und rufendes Loch. Neben ihr ging Ludwig auf der schmalen Treppe, gedrängt an sie und Wärme verbreitend, und – blieb sie stehn und hoffte sie, daß er vorbeigehn oder zurückbleiben würde – so geschah dieses nicht, sondern auch er blieb auf demselben Treppenabsatz, und ihre Müdigkeit erriet er und legte seinen Arm um ihren Körper. Nichts sprachen sie, niemand begegnete ihnen, keine Stimme erscholl, und kein Laut wurde lebendig hinter den Türen der Wohnungen, an denen sie vorbeikamen. Fini hörte nur ihr eigenes und Ludwigs starkes Atmen. Sie wußte nicht, wohin er sie führte, und sie fürchtete sich auch nicht mehr. Eine große Leere war in ihr, und sie rastete eine Weile. Als lägen Schleier, stillende, über sie gebreitet, hörte sie gedämpftes Knarren einer Tür, und als blickte sie in einen Spiegel, sah sie sich selbst hineinschreiten in die weiße Helle des Ateliers.

Notenblätter sah sie, verstreute, über Tischen und Stühlen, und eine wirre Welt, vor der sie Achtung bekam. Hoch wohnte Ludwig, unter einem gläsernen Dach, und es fiel Fini ein, daß es furchtbar sein mußte, so allein und so preisgegeben ein Gewitter zu erleben, Blitz und Donner und prasselnden Regen, nur durch Glas getrennt von dem Zorn des Himmels, aber nicht vor ihm geschützt. Jetzt sah man die Sonne fern hinter den Dächern rot verglühen, und die Gegenstände im Atelier bekamen eine warme, goldene Färbung. Geheimnisvolle Zeichen waren die Noten auf den großen, harten Papierbogen, halbbeschrieben nur lagen einige, und die schwarzen Notenköpfchen saßen auf den dünnen Linien wie winzige Vögel auf Telegraphendrähten.

»Was soll ich Ihnen vorspielen?« fragte Ludwig, die Geige mit dem Kinn festhaltend, und mit unglaubhaft geschickten Fingern strich er an dem schmalen, weißglänzenden Bogen, als schliffe er ein Schwert, mit dem er Fini töten sollte. In einer großen Verlegenheit schwieg sie und suchte angestrengt in ihrem armen, vergeßlichen Kopfe nach dem Bild eines Konzertprogramms, auf dem ein Lied gestanden hatte, das ihr gefiel. Wenig wußte sie von Musik, Fini, die kleine, und schließlich fiel ihr ein, daß es auch gleichgültig sei, was er spielte.

So fing er an mit tiefen, dunkelvioletten Tönen, die Helle gebaren, kühn gewölbt spannten sich Bogen aus Musik, weich geschwellt und silbern gekräuselt flossen Wellen aus Musik. In der Mitte hörte er auf und legte die Geige auf den Tisch, aufschreckend wie plötzlicher Lärm fiel die plötzliche Stille ein.

Mitten aus der wirren Unordnung des gläsernen Schranks holte er die schlanke Likörflasche und zwei dünne Gläser mit unendlich zartem Geklirr. Fini trank Likör, zum erstenmal, er schmeckte süß und nach Orangenschalen, so ähnlich waren schon einmal gefüllte Schokoladenpralinés gewesen – dieser Likör aber war nackt, nicht freundlich gebettet in lindernde Schale, und er ließ eine süße Taubheit zurück und schuf ein sanftes Schaukeln violettfarbener Lichtwellen vor den schläfrigen Augen.

Noch hörte sie den Klang der plötzlich verstummten Geige und sah den abendlichen Himmel nahe über der gläsernen Decke des Ateliers. Sie hörte Ludwigs leise Bewegungen nicht und wußte nur, daß sie hier eingeschlossen war mit dem Mann, der gefährlich war, aber sie noch ruhen ließ, und sie genoß diese Stunde, die ihr blieb, wie ein Verurteilter die letzte Spanne Zeit genießt, die ihn von seiner Strafe scheidet.

Nun stand er nahe bei ihr und sprach und sah ihr in die Augen und fiel, ehe sie begriffen hatte, in die Knie, barg seinen Kopf in ihrem Kleide und weinte. Es weinte Ludwig, der Mann, das Tier; sein Körper zuckte, seine breiten Schultern bebten. Fini, die kleine, verstand nicht, wie es gekommen war, sein Schmerz schmerzte sie.

Weil wir so klein und gering sind, wird uns doppelt weh, wenn ein großer Mann, der hoch unter dem Himmel in Gottes Nähe lebt und schmelzende Melodien spielt, kleiner und geringer als wir vor uns liegt – und wir nur können ihn erlösen. So leicht fallen uns die Kleider ab, die welke, unbrauchbare Schale, locker werden die Knöpfe und lösen sich selbst. In uns siegt das Blut, das rote, schwer ist der Kopf, im Nebel sehen wir die behaarte Brust des Mannes, riechen den Duft, den tierhaft fremden, sehen das Gesicht, das fremde, in der Nähe fremdere. Fini schloß die Augen, fühlte ihre Brust in der warmen, gehüllten Schale seiner Hand, der schmerzhaft und liebend pressenden, spürte seine zuckenden Finger drückender in der heimlichen Höhlung des Knies. Heiß überhauchte sie sein heißer Atem und deckte sie zu, scharf biß er in ihre Lippen, und wie ein großer, betäubender, schmerzhafter und erschreckender Jubel kam in sie der Mann, in ihrem

Innern fühlte sie ihn, glühend mit ihrem Körper ver-
schmelzend und fremd, ein Gast in ihr und in ihr zu
Hause.

Langsam kehrte Fini wieder in die Welt, Ludwig küßte
sie matt und leise. Ihr war, als leckte er ihr Gesicht mit
heißer, vertrocknender Zunge, Ludwig, der Mann, ein
dankbar demütiges Tier.

XIV

Heimlich, des Nachts, an der Bettkante glättete Fini neu
gesammeltes Silberpapier und kramte unter den sorglich
gehüteten Schätzen das Bild hervor, die wandelnde Frau
zwischen melancholisch blühenden Feldern.

Nicht mehr lauschte sie aufgeregt dem nächtlichen Ge-
flüster der Eltern, nicht mehr spähte sie nach den heißen
Geheimnissen der nachbarlichen Häuser. Immer noch
pfiffen die Züge durch die Nacht, wölbte sich der Himmel
über der schlafenden Straße, schlichen die Katzen, gedrückt an die Wände. Aber nichts mehr war wunderbar,
nicht mehr lockte der sehnsüchtige Schrei der Lokomotiven, unverhüllt war das Geheimnis schleichender Tiere
und nachbarlichen Tuns hinter blaßerleuchteten Gardinen. Leer lagen vor ihr die kommenden Tage, Tage ohne
Furcht, ohne Hoffnung, wie ausgeräumte Gemächer,
nichts konnten sie geben, nur den kärglichen Widerhall
zaghafter Schritte. Gleichgültig war das Getriebe der Straße, nicht mehr spannte sich eisern das Leben, nicht mehr
ging Fini ängstlich geduckt unter schmerzendem Joch.

Nicht mehr war sie die wandelnde Frau zwischen blühenden Feldern, und fern und verloren war Ernst, der vergeblich wartete im geizigen Schatten der nächtlich gelagerten Fässer.

Am Ende dieses Tages lauerte das Böse, das Tilly geschehen war, ferne noch lag es, aber sichtbar.

Inzwischen reihte sich eine abenteuerliche Stunde im Atelier an die andere, das Gespräch mit Ludwig an das Spiel seiner Geige. Er holte nicht die klirrenden Gläser aus dem Schrank und die schlankgeschliffene Likörflasche. Sie legten sich schlafen mit unerbittlichem Gleichmaß, und schal war das Aufstehen wie das Ende jeder sparsam genossenen Freude. Ein anderes Gesicht bekam Ludwig, wenn er zu Hause, entspannt und nicht mehr ringend um den eroberten Besitz, ohne Rock, in Pantoffeln herumging, nicht fremd mehr roch er, nicht tierhaft und nach bitteren Wurzeln, kein grausames Tier mehr – ein einsamer Mensch, alternd, kurzsichtig und mit spärlichem Haar, demütig und bittend, lässig und vergeßlich, von ärmlicher Sorge bedrückt und kleinen Schulden. Den warmen Celloklang verlor seine Stimme, er hörte zu spielen auf und war wie ein erloschener Krater.

Einmal erzählte er, daß er eine Brille haben müsse – und er kaufte sich eine mit schwarzem Hornrand und stark geschliffenen Gläsern. Verändert und entfremdet war er auf einmal, wie der Vater mit dem Hörrohr, und wenn er die Brille ablegte, suchte er mit verlegenen Augen nach Gegenständen, die ihm nahe waren und die er dennoch nicht greifen konnte.

Schüler, von denen er gelebt hatte, schickte er nach Hause, bestellte Arbeiten ließ er liegen. Oft hastete er, mühsam atmend, die Treppen empor und rannte wieder hinunter. Den Hut vergaß er und den Regenschirm. Flüchtige Küsse hauchte er auf den Nacken Finis, und während er mit ihr sprach, schweifte sein Auge ungeduldig über die Straße, den Platz, den Garten. Einmal brachte er einen Hund nach Hause, der sich verlaufen hatte, und am nächsten Tage kam der Besitzer, das Tier zu holen. Zwei Tage trauerte Ludwig um den Hund. Eine alte Nierenkrankheit wiederholte sich, weil er im Regen ohne Mantel ausgegangen war, und eine Woche lag er krank im

Bett. Er wusch sich nicht, hatte Fieber, und sein Bart wuchs, graue Stoppeln umgaben sein Angesicht, tief in die Höhlen sanken seine dreieckig geschnittenen Augen. Zerrissen war seine Wäsche und mühsam geflickt und gelb das Leintuch, auf dem er lag. Besuche empfing er nicht. Freunde schickte er weg, ein Konzert in der Provinz gab er auf, die alte Wirtschafterin beschuldigte er des Diebstahls, und sie kam nicht mehr. Sein Haar lichtete sich schnell, an seinen Fingern wuchsen die Nägel, die Zigaretten schmeckten ihm nicht, schwarzen Kaffee trank er, um sich wach zu erhalten, und Brom nahm er, um einzuschlafen.

»Ich will dich heiraten«, sagte er zu Fini, und sie führte ihn nach Hause. Beschlossen war ihr Schicksal, vorbei das Jungsein, Mädchensein, Kindsein. Ihm war sie anheimgefallen, treu blieb sie ihm und brauchte das Schicksal Tillys nicht abzuwarten. Ein kranker, alter Mann war er, arm und verlassen, vom Leben, von der Musik, von den Freunden. »Wir werden zusammen wieder jung«, sagte er zu Fini. Sie führte ihn nach Hause, beklemmend legte sich ein Schweigen über das Zimmer, in dem sie saßen, die Mutter mit eilig übergeworfenem Schlafrock und der Vater mit dem bereitliegenden Hörrohr vor sich auf dem Tisch. Fini in der Mitte, zwischen ihm und den Eltern, mit hängendem Kopf, und die Fremdheit wuchs um jeden einzelnen, und jeder saß wie eingeschlossen in einer gläsernen Kugel, sah den andern an und erreichte ihn nicht.

Endlich hub der Vater an, vom Krieg erzählte er, die Mutter fiel ein und wußte Gleichgültiges zu sagen. Mit behutsamen Worten lockten sie aus Ludwig Geständnisse heraus. Alter, Stand, Abkunft und Wohnung, Geburt und Eltern, und Ludwig erzählte, aufgelebt für eine Stunde, von den Tagen der Kindheit und von der lang verstorbenen Mutter, Sorgen des Berufs und Plänen für die Zukunft. Eine Musikschule wollte er errichten, in fremdes, reiches Land fahren, zweimal im Jahr, und mit dem Geld beladen wiederkommen. Noch war er nicht alt und krank, nein, verjüngt, müde nur des Junggesellenlebens, und er aß mit Appetit und breiten, mahlenden Kiefern eilig bereitete Speisen. Spät schied er, Fini küßte er auf den Mund vor der weinenden Mutter, der Vater stieg mit nächtlicher Kerze die Treppe hinunter und leuchtete. Die Mutter umarmte Fini und küßte sie wieder, nach langer Zeit. Aus dem Kästchen nahm Fini die Bilder Ernsts und verbrannte sie mit leisem Schluchzen, Stück für Stück, an der knisternden Kerze.

XV

Noch sprach man von der Heirat nicht, aber sie lag in greifbarer Nähe, und Fini galt als erwachsen, eine Stimme im Haus, ein Mensch, nicht mehr dem Schelten untertan, sondern Güte fordernd.

Und es änderte sich nichts, und vom Klappern der Maschinen erfüllt waren die Tage.

Tilly fand einen Freund und dachte Ludwigs nicht mehr und nicht des erlittenen Unglücks.

Niemanden hatte Fini mehr, zu dem sie sprechen konnte, und sie hätte gern erzählt, wie die Welt jetzt aussah, eine Welt ohne Geheimnis, ohne Furcht und ohne Erwartung.

Früher – wie war unser pochendes Herz gespannt, die Straße, die wir dahinschritten, von Geheimnissen erfüllt, wie lauerten die Abenteuer hinter jeder Ecke, um die wir biegen sollten! Nun ist unsere Erwartung ausgelöscht, auf unsern Wegen eine Stille ohne Grenze, eine Landschaft ohne Fernen verbergende Hügel, alles wissen wir, Anfang und Ende, männliche Armseligkeit und unseres eigenen Angesichts bittere Zukunft.

Verrauscht war die süße Musik des Unbekannten, der gute lockende Sang anbrechenden Lebens, verblaßt die leuchtende Weite unendlich sich dehnender Tage und ausgekühlt die bergende Wärme der Jugend. Vollendet ist unser kurzer Weg, und fremd ist uns der Mann; jeden Tag wird er fremder.

Fini sah, wie er mit anderen Menschen sprach, lässige Gebärde nahm er an und hörte keine Antwort mehr, Pfeifenköpfe schnitzte er, stundenlang hockend auf niederem Schemel, Schokolade, lange im Vorrat gekauft, barg er sorgfältig vor ihrem genäschigen Auge, hoch oben unter Pappendeckeln, auf staubübersätem Schrank, kleine und große Rippen, gelb vor Alter gewordene, und Silberpapier sammelte er in dichten Knäueln zur Verzierung der Pfeifenköpfe. Zwischen den Notenständern, den weißlackierten, im Winkel gehäuften, hielt er Tabak und Zigarren, die er niemals rauchte und niemals hergab, sorgfältig wachend mit hundescharfem Aug'. Kleiderstoffe lagerten geschichtet in wachsam raschelndem Papier, gestapelt im Schrank, unter den Hüllen gilbender Notenblätter.

Es war keine Sünde, ihm etwas zu stehlen, man stahl sich selbst etwas. Und manche Stunde, in der er hockend auf niederem Schemel einen Pfeifenkopf schnitzte, schlich Fini herum, stieg sie behend auf die Stühle, die knarrten, und auf splitternde Ständer, Schätze raffend. Schickte sie einen furchtsamen Blick dann in Ludwigs geschäftigen Winkel, sah sie, daß seine Augen zugefallen waren und daß er mit selbständig schnitzendem Messer seine Köpfe fertigmachte, dieweil seine Sinne schliefen, und sie weckte ihn.

Dann, plötzlich aufgewacht, besann er sich, strich die Weste zurecht und sammelte mit gespitzten Fingern Holzstaub und Schnitzer und begann zu erzählen von Fahrten in fremdes Land und ewig leuchtenden Sonnen. Manchmal gingen sie nebeneinander halbe Tage lang durch endlose Straßen, in den Auslagen der Konditoreien lockte schaumgefüllter Teig, braunleuchtend und süß. Hungrig war Fini, nach glattem, gelbschmelzendem Eis in sanft gerundeten Schalen sehnte sie sich. Hungrig ging sie mit Ludwig durch die Stadt. Von bösem Asthma bedrängt, mußte er sich setzen, und er setzte sich nicht auf die grünen Stühle im schattigen Park, die man bezahlen mußte, sondern draußen auf die unbarmherzig besonnte, staubige Bank. Die Beine spreizend, zeigte er offene Hosenknöpfe und an den vorgestreckten Stiefeln ein vielfach geknotetes Schnürsenkel. Fini weinte, während sie sprach, sie weinte nach innen, Tränen trockneten, unausgeschüttet, gesammelte Tränenbäche trockneten in ihr. Schmerzhaft würgte sie das gesammelte Leid im Halse. Sah sie manchmal Frauen vorbeiziehen, die verkrüppelte Männer schoben auf dreirädrigen Karren, so trug jede der Frauen Finis Gesicht.

Einmal in der Woche oder zweimal war der gemeinsame Schlaf auf dem Sofa im Atelier, eine trostlose Hingabe, still und von verborgenem Weinen begleitet, wie eines Todkranken krampfhaft gefeiertes Geburtstagsfest.

Ein Brief von Ernst fiel in diese Zeit, sehen wollte er sie wieder. Sie trafen sich, wie vor Wochen, an derselben Stelle auf dem nächtlichen Marktplatz, fremd war der Druck seiner Hand, Fini ging nicht mehr im linden Regen seiner gütigen Worte. Hinaus fuhren sie, wie einst, mit der Straßenbahn, dahin unter hängenden Zweigen, die ansteigende Landstraße schritten sie schweigsam und legten sich am Wegrand hin in den Tau des Grases, umsungen von zirpenden Grillen.

Spät wurde es, ins Wirtshaus kehrten sie ein, eine Stube und Strohlager bekamen sie. Fini wartete mit wachen Augen auf den Morgen, gedrückt an die Wand, auf das raschelnde Bündel.

XVI

Süß und heiß ging der Sommer vorbei und ein Herbst und ein Winter, die Primeln kamen in den dunstenden Wäldern, der Krieg hatte aufgehört, fremd ging Fini an den großen Ereignissen vorbei, klein und fremd. Zu gewichtig sind für uns die Sorgen der großen Welt.

An ihrem neunzehnten Geburtstag im April mußte sie weinen, obwohl Ludwig ihr eine Rose gekauft hatte, eine schwerblütige, die ihre äußersten Blätter abzuwerfen begann wie lästige Gewänder.

Aussicht bestand für den Vater, es starb der Onkel plötzlich, dahingekommen von einem verspäteten Typhus; lohnende Touren wurden frei, es besserte sich das Gehör, langsam kehrten die fernen Augen wieder in die Gegenwart, und schon erhaschte das Ohr einmal den ungedämpften Schimpf der Mutter.

In den Prater ging Fini, und ihr war wie einem spät Gesundenden nach langer, erschöpfender Krankheit, aus der es keine Wiederkehr mehr gibt in vollkommenes Leben. Bescheiden muß er sich mit einem dürftig pochenden Herzen und Schonung fordernden Gliedern. An uns vorbei schreiten die jungen Mädchen, noch nicht gezeichnet vom bitteren Geschmack, vor ihnen die kommenden Tage, leuchtend und frisch wie niemals betretene Rasen.

XVII

Einmal hörte sie Rabold sprechen, den Redner, zwischen lauschende Menschen gedrückt, auf dem weiten Platz unter blau gewölbtem Himmel. Einige sprachen vor ihm, andere später, und aller Stimmen erstarben im unbegrenzten Raum und wurden gedämpft durch zufällige Geräusche der Straße. Seine Stimme nur überwältigte kühn und singend den Platz, als hätten sich unerreichbare Himmel, die Straße zu säumen, genähert und sie abgeschlossen vor dem fremden Geräusch unbekümmerter Gefährte. Alle Redner standen auf dem Dach desselben Automobils, und Rabold auch. Aber wie er hinauftrat, wurde es Postament und Thron, einen König zu tragen.

Gedrückt zwischen lauschenden Menschen stand Fini, die kleine. Es sang in ihr die Stimme nach, klar und klingend, als läutete eine Glocke erzene Worte. Lange blieb sie unter den Menschen und blieb noch, als sie auseinandergingen, spät, vom Abendwind auseinandergeschickt. Hinauf hätte sie gehen müssen, ungezählte, enge Stiegen ins Atelier. Als schöbe sie jemand, bog sie in die Seitenstraße, in der nur ein Mensch ging, groß und in einem Kreis aus Gedanken und Stille, den Blick auf sie gerichtet: Rabold.

Es kam das Wunder in ihren Weg, spät genug, fertig war sie schon, nach der bitter vollendeten Jugend. In der Mitte blieb Rabold und wartete, bis sie herankam. Es schien ihr, als müßte sie, um zu ihm zu gelangen, den Kreis aus schweigenden Gedanken durchstoßen, ein Schritt noch trennte sie von ihm, und sie blieb stehen. Sein Wort brachte sie näher. Sie wußte nicht welches, sie glaubte, er hätte ihren Namen gerufen.

Alles erriet sie, daß er verfolgt ist und unter fremdem Namen lebt, von Stadt zu Stadt fahrend. Diener einer gestrengen Gewalt und entfernt dem Getriebe dieses Lebens.

Morgen fuhr er weiter, aber eine Stunde war genug, und sie wußte, daß jetzt alle ihre Tage und Träume von ihm erfüllt sein werden.

Immer war Zeit und Raum in ihr für den Fremden. Manchmal schrieb er ihr einen Brief postlagernd. Dreimal täglich ging sie zum Schalter. Einmal kam ein flüchtiges Wort auf einer Ansichtskarte. Des Nachts auf der Bettkante saß sie und barg die Karte auf dem Grund ihres Kästchens zwischen Seidenpapier und der Schachtel mit Perlmutterknöpfen.

XVIII

Im Dunkel des Abends schlich sie zum Bahnhof, nicht weit wohnte Rabold, in sechs Stunden erreichbar. Im Wartesaal schrieb sie Briefe, nach Hause und an Ludwig. Die vielfach gebundene Pappschachtel legte sie ängstlich unter die Füße.

In der Nacht erreichte sie ihn und sank in sein Bett. Gestillt war die wühlende Unrast, erstickt jeder Wunsch, gestorben war Fini, die unselige, und selig auferstanden in Rabolds Welt.

Durch kleine Städte fuhren sie, durch winkelige Gassen gingen sie, der Sommer kam wieder, durchsonnte Abende, Wege, vielfach verschlungene, an altem Gemäuer vorbei.

Traum waren ihre Tage, ihre Nächte, so wuchs Fini, die kleine.

Seinen Namen kannte sie nicht, fremd lebte er in fremden Städten, von Häschern verfolgt, immer auf der Flucht, immer arm, kärgliches Brot aßen sie.

Im Herbst, schon fiel der erste Schnee, fuhren sie in die große Stadt und lebten einen sicheren Winter in warmer Stube, hoch im unsicheren Viertel der Armen, der Huren und Mörder. Das ängstliche Gewirr der Dächer, der schiefen Giebel und ineinander verankerten Mauerecken drängte sich in das einzige Fenster ihres Zimmers, es kam das Geheul naher Fabriksirenen herein und der unverständliche Schrei einer nachbarlichen Welt.

Es kamen Freunde zu ihm, verwegene Menschen, Verfolgte, Flüchtige und Glückliche. Einmal erreichte Fini ein Brief, man hatte ihr Versteck gefunden, es stand etwas von Tränen der Mutter darin und sogar von Tränen des Vaters. Der Schmerz, von dem sie las, war fremder Schmerz, nichts gingen sie die Tränen der Mutter an.

In ihr lebte Rabold, den sie kannte, dessen Vornamen sie nicht wußte, für den sie selbst einen Namen erfunden hatte, Rabold, der neben ihr schlief, der zu ihr kam, glühend und fremd, immer neu in tausend Gestalten, ein Gott zum irdischen Weibe. Seinen Körper fühlte sie, ehe sie einschlief, sein müdes Knie im Schlaf, die liebe Schulter, die warme behaarte Höhlung seines umarmenden Arms, in die sie ihren Kopf legte. Den nächtlichen Kuß seiner Lippe trug sie auf ihrem Mund, den liebenden Biß seiner Zähne im schwellenden Fleisch ihrer Brust. Neben ihr, in ihr, rings um sie lebte Rabold, ihr Mann. In finsterer Nacht sah sie das Leuchten seiner Augen, und dürstend trank sie gute Worte, die er ihr schenkte. Einmal fuhr er weg, und Fini blieb zurück. Leere, unendliche, strömte jeder Winkel aus, sie heizte den kleinen, eisernen Ofen nicht und kauerte auf einem Kasten, gehüllt in den spärlich gefütterten Mantel, mit zerzaustem Haar und Augen, die sich röteten, ohne zu weinen. Kein Bild hatte sie von ihm, und es ergriff sie die Furcht, daß sie den und jenen Zug seines geliebten Gesichts vergessen könnte, den Schwung seiner Nase, die aufwärtsstrebende Braue über dem linken Aug', die leise Biegung seines Nackens und die Art, wie er einen Gegenstand griff, mit sparsamer Bewegung der Hand und vollkommener Ruhe des Arms und des Körpers. Jeden Augenblick schloß sie die schmerzenden Augen – ungeweintes Weinen lag in ihnen – und sah sein Gesicht, spät ging sie schlafen. Kalt war das Lager, und in der zaghaft beginnenden Wärme schlummerte sie ein, stieß mit vorgestrecktem Knie plötzlich ins Leere, erschrak, weil neben ihr nichts da war, und sie erwachte. Er ist gestorben! dachte sie auf einmal, stieg mit zitternden Knien hinunter,

Licht zu machen, aus dem Schrank holte sie eine Karte, die
er ihr einmal geschrieben, sie sah lange und eifrig Zug um
Zug der flüchtigen Handschrift, um wenigstens gewiß zu
sein, daß er gelebt hatte, neben ihr, mit ihr, ein bißchen für
sie. Irgendwo fand sie sein Halstuch, es war weich und
gut, von ihm kam es, noch roch es nach ihm, seinem Körper, seinem Leben – er konnte nicht gestorben sein, da das
Halstuch noch von ihm warm war, sie nahm es ins Bett
und legte ihre Wange darauf und schlief ein.

Sie horchte tagsüber auf den Schritt der Menschen draußen, den Briefträger vermutend, verhallende Schritte be-
klagte sie wie den Schall verschwindenden Glücks. Ein
Freund kam und brachte Nachricht von Rabold, kein
Brief war da, Geld nur schickte er. Fini brauchte nichts, sie
warf die Scheine in das Nähzeug und dachte nach, unermüdlich. Er war gewiß gestorben und hatte Auftrag gegeben, ihr Geld zu bringen, und er lebte nicht mehr, gewiß, sonst hätte er geschrieben. Nichts wünschte sie mehr,
als die liebe Rundung seiner Buchstaben zu sehn, in fri-
scher, überzeugender Tinte. Die Nacht kam, wie gestern,
kalt und leer, die letzten mitternächtlichen Schritte erstarben im Hause, Fini wünschte zu sterben, in dieser Nacht
zu sterben.

XIX

Aber sie erwachte, geweckt vom unermüdlichen Gezwit-
scher eines frühen Vogels und dem Sang schmelzenden
Eises auf metallenem Fensterbrett. Von Dächern gezackt,
blaute hoch der Himmel, aus geöffneten Fenstern drang
Lärm der nachbarlichen Kinder. In früher Stunde kam ein
Leierkasten in den Hof, wie ein Bote des Stadtfrühlings.
Es sah so aus, als käme heute eine Nachricht von Rabold
oder als käme er selbst. Als die Schritte des Briefträgers

enttäuschend verhallt waren, beschloß Fini, in die Straßen zu gehn, draußen auf ihren Mann zu warten, wer weiß, ihm vielleicht in den Straßen zu begegnen. Hinaus ging sie, von hastenden Menschen umgeben, von der Sonne begrüßt und der guten Luft des lächelnden Märztags. In das Zentrum der Stadt ging sie, schritt sie, mit rüstigen, jungen Füßen, durch die breiten Straßen.

Sie verließ die Stadt, sie kam an den Fluß und folgte seinem Lauf. Die Sonne stand hoch, sank tiefer, rann aus dem Himmel in den Fluß, daß beide sich röteten. Da setzte sie sich ans Ufer. Ein alter Angler stand und wartete auf seinen Fang. Der Ton einer abendlichen Flöte kam, im Ufergras zirpten die Grillen.

Fini saß, aber es war ihr, als ginge sie weit und hoch, höher hinauf in den Himmel, auf goldenen Wolken, Wolken aus Scharlach, Treppen aus Purpur. Sie führten aufwärts zu Rabold. Er stand und wartete. Ausgebreitet waren seine Arme, Fini zu empfangen.

Den Hunger fühlte sie nicht, aber er fraß sie auf, saß in ihren Eingeweiden, umklammerte ihr Herz – und sie fühlte ihn dennoch nicht. Die Müdigkeit ihrer Füße fühlte sie nicht, sie lag weich am Ufer und glaubte zu schweben. Treppen aus Wolken trugen sie, sie brauchte nicht emporzuklimmen.

Wie einen fernen Schatten sah sie den alten Angler am andern Ufer. Der Alte wuchs und stand wie ein Diener ehrfürchtig und wartend am Eingang. Hatte ihn Rabold vorausgeschickt, sie zu empfangen?

Sie nickte ihm zu, sie wollte ihn streicheln, da griff sie ins feuchte Gras, sank, glitt, glaubte, sie wäre auf einer Wolke ausgeglitten, und wollte sich hochraffen, aber sie konnte nicht mehr. Jetzt erst überfiel sie die Müdigkeit, nie mehr würde sie Rabold erreichen. Warum kam er nicht, ihr zu helfen?

Sie fiel ins Wasser, tat noch einen leisen Schrei, sank

unter, und der Strom führte sie mit, barg sie vor den Blikken der Welt. Drei Meilen weiter fand man sie, ihren auf-
geschwemmten Leib, Wasserrosen und grüne Pflanzen im
Haar, den Mund halb offen.

Sie kam in den Polizeibericht, der keine Ursachen anzugeben wußte. Ihre Leiche lag in der Totenkammer, kam
in die Anatomie; denn es fehlte an Leichen, man nahm
auch aufgeschwemmte. Niemand wußte, daß sie in den
Himmel hatte gehen wollen und ins Wasser gefallen war.
Sie zerschellte an den weichen Treppen aus purpurnen
und goldenen Wolken.

Das reiche Haus gegenüber
Novelle
|1928|

Ich war um jene Zeit, in der ich das Folgende erlebt habe, nicht reich und nicht arm. Es ging mir nicht so schlecht, daß ich etwa im Anblick reicher Häuser und Menschen dem Neid anheimgefallen wäre, den man den Trost der Armen nennen könnte. Es ging mir andererseits nicht so gut, daß ich im Anblick des Reichtums gleichgültig hätte bleiben können. Ich befand mich vielmehr gerade in jener Situation, in der man die Nähe des Reichtums freiwillig aufsucht, in einer Art geheimer und sorgfältig vor sich selbst verschwiegener Hoffnung, daß man einmal oder sogar bald selbst sich seiner wird bedienen können. Ich befand mich in einer Lage, in der ich die arme Umgebung, das Viertel der Not, die engen und schmutzigen Gassen nicht mehr ertragen zu können glaubte. Ich beschloß, in eine Gegend zu übersiedeln, deren Name allein schon so glanzerfüllt war wie die Macht ihrer Bewohner. Sooft dieser Name ausgesprochen oder gelesen wurde, schien er nicht ein einziges Stadtviertel zu kennzeichnen, sondern ein ganzes, fremdes und fernes Reich, in dem es unmöglich war, einen Notleidenden zu finden. Man vergaß, daß auch in diesem Viertel Beamte, Hausbesorger und dienendes Volk, kleine Krämer und Handwerker wohnen mußten. Der Name des Viertels überglänzte die Armut der Armen, und wenn ich damals etwa einen von ihnen getroffen hätte, ich wäre niemals auf den Gedanken gekommen, daß er dort wohnen könnte, wo die großen Herausgeber der Zeitungen, die Bankiers und die Fabrikanten ihre stolzen Häuser hatten.

Ich fand ein kleines Hotel, das sich von all den andern, die ich früher bewohnt hatte, nur dadurch unterschied, daß es in einem reichen Viertel stand. Meine Nachbarn waren herabgekommene Reiche, welche die Nähe des Geldes nicht aufgeben wollten, weil sie offenbar glaubten, sie brauchten in einem geeigneten Augenblick weniger Zeit und Umwege, es wieder zu erreichen. So ähnlich bleibt ein Hund, den man aus einem Zimmer verweist, immer noch in der Nähe der Tür, durch die er das Zimmer hatte verlassen müssen. Meinem kleinen und schmalen Fenster gegenüber stand ein großes und breites Haus. Sein braunes Tor war geschlossen und hatte in der Mitte einen goldenen Knauf, der das Licht der Sonne einfing, verstärkte und widerstrahlte, so daß es aussah, als wäre er keineswegs dazu da, eine Klinke zu ersetzen, sondern einen Scheinwerfer zu spielen, dessen Licht geradewegs zu mir ins Fenster sprühte, so daß ich gleichsam durch seine liebenswürdige Vermittlung die Sonne kennenlernte, die mein Hotel vernachlässigte und sich ganz dem reichen Haus gegenüber zugewendet hatte.

Vor den Fenstern des Hauses hingen verschwiegene Jalousien – den ganzen Tag. Manchmal verwendete ich zwei Stunden und noch mehr darauf, das große, braungelbe Tor zu überwachen in der Hoffnung, daß ich einen Ein- oder Ausgehenden bemerken könnte. Es schien mir unbedingt wichtig, meine reichen Nachbarn kennenzulernen. Denn ich konnte nicht den ganzen Tag oder gar Tag für Tag meinen Augen gegenüber ein Geheimnis wissen, das eigens, um mir Unruhe zu bereiten, aufgebaut schien. Aber das Tor ging nicht auf. Es wurde Nacht, und ich legte mich schlafen.

In der Frühe erwachte ich von einem fröhlichen und geschäftigen Lärm. Ich blickte zum Fenster hinaus. Das Haus gegenüber hatte alle seine Fenster geöffnet und das Tor auch. Livrierte und weißbeschürzte Männer und Frauen putzten Möbel und Fensterscheiben, klopften Teppiche, lüfteten Polster, rieben Messingstangen und bohnerten die Dielen. Ich sah Fenster, groß und breit wie Portale, ahnte die stille Tiefe reicher und weiter Zimmer, den stillen und vornehmen Glanz kostbarer Gegenstände, glaubte sogar den Duft des Holzes zu riechen, der von den Möbeln kam, und hörte den diensteifrigen Gesang eines Stubenmädchens, das einen alten Gassenhauer hinschmetterte wie einen harten, metallenen Gegenstand.

Eine Stunde später waren Fenster und Tor wieder geschlossen, das Haus war verlassen. Die Diener mußten durch einen rückwärts gelegenen, eigens für sie bestimmten Ausgang fortgegangen sein. Die Jalousien hingen verschwiegen und stolz vor den Fenstern.

Jeden Morgen wiederholte sich dasselbe. Zwei Monate lang. Der Winter verging. Immer strahlender und heißer brannte die Sonne im goldenen Knauf des Tores, ja in der Mittagsstunde war es, als ob er schmelzen wollte, und schon glaubte ich zu hören, wie er in klingenden Tropfen auf das Pflaster herunterfiel wie Siegellack auf einen Brief. Aber das Tor blieb geschlossen.

Ich fragte meine Wirtin. Drüben, sagte sie, wohne ein alter Herr, der jedes Jahr für zwei Monate komme. Bald würde er dasein.

Eines Tages war er da. Er glitt langsam in einem großen schwarzen Auto durch das weitgeöffnete Tor. Am Nachmittag erschien er auf dem Balkon. Er stützte sich auf einen Stock, eine Dogge begleitete ihn langsam, als erfüllte sie ein Zeremoniell, er trug eine weiße Weste und einen braunen Rock, und sein Gesicht war zart, schmal, grau, bartlos. Seine Nase war scharf und hart wie der Rand einer sonderbaren Waffe. Seine Augen waren grau, schmal und sahen geradewegs zu mir herüber, ohne es sich merken zu lassen. Es war, als hätten sie nicht die Bilder der Außenwelt dem Bewußtsein des Alten zu vermitteln, sondern als förderten sie Bilder, die sie im Innern verwahrt hatten, wieder auf ihre eigene Netzhaut. Jeden Nachmittag erschien der Alte auf dem Balkon. Ein Diener brachte ihm einen Mantel. So stand der Herr und sah zu mir herüber.

Eines Tages, es war etwa eine Woche seit seiner Ankunft vergangen, grüßte ich den alten Herrn. Er erwiderte, zögernd, aber deutlich. Wir sahen einander an. Ehe er den Balkon verließ, nickte er mir zu, aber hastig. Und jeden Tag, wieder sieben Tage lang, wiederholte sich dieselbe Szene. Etwa zehn Tage später starb der Herr. Plötzlich. In der Nacht. Meine Wirtin erzählte es mir. In der stillen Straße sprachen die kleinen Leute, ein Schuster, ein Kohlenhändler und die Hausbesorger vom Tod des alten Herren. Ich sah das Leichenbegängnis vom Fenster aus. Einen Augenblick lang überlegte ich, ob ich nicht zum Friedhof mitgehen sollte. Aber der feierliche Glanz der kühlen und stolzen Leidtragenden schreckte mich ab.

Das Haus blieb still und geschlossen. Ich dachte gerade an die Grausamkeit des Alten, der so kühl und beinahe unmenschlich heimgekehrt war, weil sein Tod schon auf ihn gewartet hatte, und der wahrscheinlich ohne Liebe gewesen war und nur ein Verwalter seines Reichtums, als sich der bekannte Notar M. bei mir anmelden ließ, dessen Namen ich wußte. Der Notar überreichte mir einen Brief und sagte mir, es sei ein Brief meines Nachbarn, dessen Testament gestern eröffnet worden wäre. Im Testament habe der alte Herr bestimmt, daß der Notar mir persönlich den Brief zu überreichen hätte. »Eine von seinen Marotten!« sagte der Notar und ging. Der Brief lautete:

Sehr geehrter Herr,

ich habe, wie Sie sehen, Ihren Namen in Erfahrung gebracht. Warum? Weil ich Sie liebgewonnen habe. Sie waren der einzige Mensch, der mein Freund hätte werden können. Denn Sie behielten, obwohl ich Ihnen sympathisch war, die Distanz und, obwohl Sie neugierig waren, die Schweigsamkeit. Ich hinterlasse nur Schulden. Sonst wären Sie mein Erbe. Behalten Sie mir ein freundliches Andenken.

Ihr
I. B.

Am nächsten Tag zog ich in eine andere Gasse.

Erdbeeren
|1929|

Die Stadt, in der ich geboren wurde, lag im Osten Europas, in einer großen Ebene, die spärlich bewohnt war. Nach Osten hin war sie endlos. Im Westen wurde sie von einer blauen, nur an klaren Sommertagen sichtbaren Hügelkette begrenzt.

In meiner Heimatstadt lebten etwa zehntausend Menschen. Dreitausend unter ihnen waren verrückt, wenn auch nicht gemeingefährlich. Ein linder Wahnsinn umgab sie wie eine goldene Wolke. Sie gingen ihren Geschäften nach und verdienten Geld. Sie heirateten und zeugten Kinder. Sie lasen Bücher und Zeitungen. Sie kümmerten sich um die Dinge der Welt. Sie unterhielten sich in allen Sprachen, in denen sich die sehr gemischte Bevölkerung unseres Landstriches verständigte.

Meine Landsleute waren begabt. Viele leben in großen Städten der alten und der neuen Welt. Alle sind bedeutend, manche berühmt. Aus meiner Heimat stammt der Pariser Chirurg, der die alten und reichen Menschen verjüngt und Greisinnen in Jungfrauen verwandelt; der Amsterdamer Astronom, der den Kometen Gallias entdeckt hat; der Kardinal P., der seit zwanzig Jahren die Politik des Vatikans bestimmt; der Erzbischof Lord L. in Schottland; der Mailänder Rabbiner K., dessen Muttersprache Koptisch ist; der große Spediteur S., dessen Firma auf allen Bahnhöfen der Welt zu lesen ist und in allen Häfen aller Kontinente. Ich will ihre Namen nicht nennen. Leser, die eine Zeitung abonnieren, wissen ohnehin, wie sie heißen. An meinem eigenen Namen ist nichts gelegen. Niemand kennt ihn, denn ich lebe unter einem falschen. Ich heiße – nebenbei gesagt – Naphtali Kroj.

Ich bin eine Art Hochstapler. So nennt man in Europa

die Menschen, die sich für etwas anderes ausgeben, als sie sind. Alle Westeuropäer tun dasselbe. Aber sie sind keine Hochstapler, weil sie Papiere haben, Pässe, Ausweise und Taufscheine. Manche haben sogar Stammbäume. Ich aber habe einen falschen Paß, keinen Taufschein, keinen Stammbaum. Man kann also sagen: Naphtali Kroj ist ein Hochstapler.

In meiner Heimat brauchte ich kein Papier. Jeder kannte mich. Dem Bürgermeister putzte ich die Stiefel, als ich sechs Jahre alt war. Als ich zwölf alt wurde, kam ich zu einem Barbier. Da seifte ich den Bürgermeister ein. Mit fünfzehn Jahren wurde ich ein Kutscher und fuhr den Bürgermeister am Sonntag spazieren. Wir hatten dreizehn Polizisten. Mit allen trank ich Schnaps. Brauchte ich da Papiere?

Außerhalb der Stadt versahen Gendarmen den Dienst. Ihr Wachtmeister schlief mit meiner Tante jeden Donnerstagnachmittag, wenn er frei war. Ich schmuggelte manchmal Schnaps in die Stadt, aus der Umgebung – was verboten war und verzollt werden mußte. Die Zollwächter aber bekamen einen Wink vom Gendarmeriewachtmeister und ließen mich passieren.

Also stand ich in meiner Jugend mit den Behörden gut. Später wurde es anders. Andere Zeiten kamen und andere Behörden.

Ich glaube, daß bei uns zu Hause niemand Papiere hatte. Es gab ein Gericht, ein Gefängnis, Advokaten, Finanzämter – aber nirgends brauchte man sich zu legitimieren. Ob man als der oder jener verhaftet wurde – was machte es aus? Ob man Steuern bezahlte oder nicht – wer ging daran zugrunde, wem half man damit? Hauptsache war, daß die Beamten zu leben hatten. Sie lebten von Bestechungen. Deshalb kam niemand ins Gefängnis. Deshalb zahlte niemand Steuern. Deshalb hatte niemand Papiere.

Schwere Verbrechen kamen vor, leichte wurden nicht entdeckt.

Brandstiftungen überging man, sie waren nur persönliche Racheakte. Landstreichen, Betteln, Hausieren war eine alte Landessitte. Waldbrände wurden von Förstern gelöscht. Raufereien und Totschläge entschuldigte der Brauch, Alkohol zu trinken. Räuber und Wegelagerer verfolgte man nicht. Man ging von der Ansicht aus, daß sie sich selbst hart genug bestraften, indem sie auf jeden gesellschaftlichen Anschluß, auf Handel und Gespräche verzichteten. Falschmünzer tauchten zuweilen auf. Man ließ sie in Ruhe, weil sie mehr die Regierung als ihre Mitbürger schädigten. Gerichte und Advokaten hatten zu tun, weil sie langsam arbeiteten. Sie befaßten sich damit, Streitigkeiten zu schlichten und Vergleiche herbeizuführen. Zahlungstermine hielt man unpünktlich ein.

Bei uns zu Hause herrschte Frieden. Nur die engsten Nachbarn hielten Feindschaft. Die Besoffenen versöhnten sich wieder. Konkurrenten taten einander nichts Böses an. Sie rächten sich an den Kunden und Käufern. Jeder lieh jedem Geld. Alle waren einander Geld schuldig. Einer hatte dem anderen nichts vorzuwerfen.

Politische Parteien wurden nicht geduldet. Die Menschen verschiedener Nationalität unterschied man nicht, weil jeder in allen Sprachen redete. Man erkannte nur die Juden an ihrer Tracht und ihrer Überlegenheit. Manchmal machte man kleine Pogrome. Im Wirbel der Ereignisse waren sie bald vergessen. Die toten Juden waren begraben, die Beraubten leugneten, Schaden erlitten zu haben.

Alle meine Landsleute liebten die Natur, nicht um ihrer selbst willen, sondern mancher Früchte wegen, die sie spendete.

Im Herbst gingen sie in die Felder, um Kartoffeln zu braten. Im Frühling wanderten sie in die Wälder, um Erdbeeren zu pflücken.

Der Herbst bestand bei uns aus flüssigem Gold und flüssigem Silber, aus Wind, Rabenschwärmen und leichten Frösten. Der Herbst war beinahe ebenso lang wie der Winter. Im August wurden die Blätter gelb, in den ersten Septembertagen lagen sie schon auf dem Boden. Niemand kehrte sie zusammen. Ich habe erst im Westen Europas gesehn, daß man den Herbst zusammenfegt zu ordentlichen Misthaufen. An unsern klaren Herbsttagen wehte kein Wind. Die Sonne war noch sehr warm, schon sehr schräg und sehr gelb. Sie ging in einem roten Westen unter und erwachte jeden Morgen in einem Bett aus Nebel und Silber. Es dauerte lange, ehe der Himmel tiefblau wurde. Dann blieb er so den ganzen kurzen Tag.

Die Felder waren gelb, stachlig, hart und taten den Sohlen weh. Sie rochen stärker als im Frühling, schärfer und etwas unbarmherzig. Die Wälder am Rand blieben tiefgrün – es waren Nadelwälder. Im Herbst hatten sie silberne Kämme auf den Häuptern. Wir brieten Kartoffeln. Es roch nach Feuer, Kohle, verbrannten Schalen, angesengter Erde. Die Sümpfe, an denen die Gegend reich war, trugen eine glänzende leichte Decke aus gläsernem Frost. Sie dufteten feucht wie Fischernetze. An vielen Stellen stieg der Rauch steil und tänzelnd in den Himmel. Aus den fernen und nahen Gehöften kam das Krähen der Hühner, die den Dunst gerochen hatten.

Im November kam der erste Schnee. Er war dünn, glasig und haltbar. Er zerging nicht mehr. Da hörten wir mit dem Kartoffelbraten auf. Wir blieben in unsern Häusern. Wir hatten schlechte Öfen, Fugen in den Türen und Ritzen in den Dielen. Unsere Fensterrahmen waren aus leichtem, feuchtem Fichtenholz gemacht, sie hatten im Sommer ihre Gestalt verändert und schlossen schlecht. Wir verstopften die Fenster mit Watte. Wir legten Zeitungspapier zwischen Türen und Schwellen. Wir hackten Holz für den Winter.

Im März, wenn die Eiszapfen von den Dächern tropf-
ten, hörten wir schon den Frühling galoppieren.
Schneeglöckchen ließen wir in den Wäldern. Wir warteten
bis zum Mai. Erdbeeren gingen wir pflücken.
Die Spechte klopften schon in den Bäumen. Es regnete
oft. Die Regen waren weich, aus einer Art samtenen Wassers. Sie dauerten gleichmäßig einen ganzen Tag, zwei Tage, eine Woche. Es wehte ein Wind, die Wolken rührten
sich nicht vom Fleck, sie standen, wie Gestirne stehen,
unverrückbar am Himmel. Es regnete gründlich und mit
Bedacht. Die Wege wurden weich. Der Sumpf drang in die
Wälder vor, die Frösche schwammen im Gehölz. Die Räder der Bauernwagen knirschten nicht mehr. Alle Wagen
fuhren wie auf Gummi. Die Hufe der Pferde wurden lautlos. Alle Menschen zogen die Stiefel aus, hängten sie über
den Rücken und wateten barfuß.
Über Nacht wurde es klar. Eines Morgens hörte der
Regen auf. Die Sonne kam, wie heimgekehrt aus einem
Urlaub.
Diesen Tag hatten wir erwartet. An diesem Tag mußten
die Erdbeeren reif sein.

Wir gingen also die Straße entlang, die aus der Stadt gerade
in den Wald führte. Unsere Stadt war sehr regelmäßig und
höchst einfach angelegt. In der Mitte kreuzten sich ihre
beiden Hauptstraßen. In diesem Mittelpunkt entstand ein
kleiner Kreis, auf dem man zweimal in der Woche den
Markt abhielt. Die eine Straße führte vom Bahnhof zum
Friedhof. Die andere vom Gefängnis in den Wald.
Der Wald lag im Westen. Man ging mit der Sonne. Der
Wald hatte am längsten Tag. Stand man an seinem äußersten westlichen Ende, so sah man die Sonne am tiefsten
Rand des Horizonts verschwinden und kostete noch den
letzten Sonnenstrahl.
Hier wuchsen die schönsten Erdbeeren. Sie verbargen

sich nicht bescheiden, wie es sonst ihr Charakter ist. Sie stellten sich den Suchenden in den Weg. Sie zitterten auf dünnen, aber starken Stengeln. Sie waren voll und wuchsen nicht aus Demut so tief am Boden, sondern aus Stolz. Man mußte sich bücken, um sie zu erreichen. Nach Äpfeln, Kirschen und Birnen muß man sich strecken und klettern.

An den Erdbeeren klebten kleine Erdklümpchen, die man mit freiem Aug' nicht sah und die man also in den Mund steckte. Es knirschte zwischen den Zähnen, aber der Saft, der aus der Frucht drang, schwemmte die Erde weg, und das weiche Fleisch streichelte den Gaumen.

Alle Menschen sammelten Erdbeeren, obwohl es verboten war. Wenn der Förster kam, nahm er den Frauen die Töpfe weg, streute die schönen roten Erdbeeren aus und zertrat sie.

Was aber konnte er uns machen, die wir Erdbeeren sofort aßen? Er sah uns böse an und pfiff seinem Hund. Er trug ein Schild aus Messing an der Brust. Er glänzte grün, stählern und war eigentlich ein metallener Gegenstand in einer Welt aus Blatt, Holz und Erde.

Niemand fürchtete den Förster. Je mehr Erdbeeren er zertrat, desto mehr wuchsen im Walde.

Die Zeitungen kamen spät zu uns. Der Zug hielt nur dreimal in der Woche in unserer Station. Er brachte einige Reisende, Hopfenhändler, die in unserer Gegend Geschäfte machten.

Vom Hopfenhandel lebten viele Menschen. Zum Beispiel die Kutscher. Sie fuhren die Fremden in die Dörfer, auf die Gutshöfe. Mein Vater war ein Kutscher.

Er hieß Manes Kroj. Wir hatten zwei Pferde, einen Wagen für Wochentage, einen Wagen für Sonntage, einen Schlitten für den Winter. Ich kannte meinen Vater sehr wenig. Er war ein Säufer. Er kam nur einmal in der Woche nach Hause, legte sich ins Bett, schnarchte und sprach aus dem Schlaf. Er fluchte uns, seinen Kindern.

Wir waren acht Söhne. Er wußte unsere Namen nicht. Unsere Mutter war tot. Unser Vater trug einen brandroten Bart, der sein Gesicht verdeckte, und eine hohe Pelzmütze – Sommer und Winter. Es war eine Mütze aus Katzenfellen. Ich kann ihren Geruch nicht vergessen. Sie roch nach Schweiß, toten Tieren, rohem Leder und Talg.

Der Bart meines Vaters wuchs nicht in geraden Haarsträhnen, wie Bärte wachsen, sondern in Knäueln aus roter Wolle. Sichtbar blieb vom ganzen Angesicht nur die schwere, knollige Nase, deren geschwollene Haut aus kleinen Erhebungen bestand, weich, saftig und uneben war, wie Orangenschalen etwa. Ich erinnere mich noch an meines Vaters schneeweiße Augenbrauen. Sie lagen über seiner Struppigkeit wie zwei weiße Mondsicheln über einem wilden Wald.

Er sprach nichts mit uns. Er schlief. Alles, was er uns sagte, war im Rausch gesprochen und ohne Bewußtsein. Es redete aus ihm, Schlimmes und Zärtliches.

Er war gut zu den Pferden. Er gab ihnen hundert Namen, schönen, frischen Hafer und Wasser aus dem Brunnen in klaren Eimern aus gelbem Holz. Er schlug seine Pferde nicht. Er benützte eine Peitsche mit ledernem Stiel und acht Knoten. Er knallte mit der Peitsche. Es klang wie ein Flintenschuß, wenn die Peitsche knallte.

Eines Morgens, im Winter, das Thermometer zeigte 35 Grad unter Null, fand man meinen Vater erfroren unterwegs. Er war in der Trunkenheit vom Schlitten gefallen.

Meine sieben Brüder verließen das Haus und die Heimat. Einer wurde Boxer in Amerika, der zweite Hafenarbeiter in Odessa, der dritte ging zu den Soldaten – er ist gefallen –, der vierte kam zu einem Schmied ins Dorf, der fünfte fuhr nach Petersburg, fabrizierte Bomben und soll bei einer Explosion umgekommen sein, der sechste wurde

1917 standrechtlich erschossen, der siebente ist Zahntechniker in Mexiko. Er heißt Gabriel, hat geheiratet und schreibt mir zweimal im Jahr.

Ich behielt ein Pferd, einen Wagen, den Schlitten und die schöne Peitsche, schlief im Bett einmal in der Woche, wie mein Vater, und trug seinen Pelz.

Mit dem Pferd wußte ich nicht umzugehn. Es lief gegen einen Zaun, wurde lahm und hinkte. Eines Tages starb es in unserm Stall, mit ausgestreckten dünnen Beinen und gebrochenen klugen Augen.

Ich war ein halbes Jahr Barbiergehilfe und verstand nicht, das Messer zu führen. Meine Hände waren schwer und immer kalt. Außerdem liebte ich die Gesichter der Menschen nicht.

Hierauf nahm mich der Schneider Petrusz in die Lehre. Er war arm. Meine Landsleute verbrauchten nicht viele Kleider. Sie waren auch nicht nach der Mode angezogen.

Mein Meister konnte nicht lesen und schreiben, nicht einmal Zahlen schrieb er. Er nahm nicht mit einem Zentimeter Maß, sondern mit einem Schnürchen, in das er Knoten band. Von jedem Stoff, den man ihm gab, behielt er ein Stück. Er versorgte die Familie seines Schwagers, der bei ihm wohnte, des Glasermeisters Schapak.

Durch diesen Glasermeister verlor ich meine Lehrstelle.

Er verachtete die Schneider. Ich verachtete die Glaser. Er hatte keinen Grund dazu. Heute habe ich kein Vorurteil gegen gewisse Handwerker. Damals aber glaubte ich, ein Glaser wäre weniger als ein Schneider.

Worin besteht denn die Kunst eines Glasermeisters? Es ist ein großer Unterschied, ob man den Fensterrahmen Maß nimmt oder den Menschen.

Schapak konnte lesen und schreiben. Er gab es uns deutlich zu verstehn. Er nahm vielleicht an, daß kein Schneider lesen und schreiben kann. Er verachtete nicht nur seinen Schwager, von dem er lebte, sondern auch die ganze Zunft.

Mein Meister hätte es wahrscheinlich vertragen, selbst Geringschätzung zu erfahren. Sein Handwerk ließ er nicht beleidigen.

Ich erinnere mich, wie der Schneider und der Glasermeister über die Vorzüge ihrer Berufe stritten. Der Streit entstand, wie alle großen Katastrophen, aus geringen Anlässen, zum Beispiel wegen der verwechselten Geschirre.

Die Kinder des Glasermeisters zerbrachen ein paar Teller. Die Frau des Glasermeisters benützte dann die Teller meines Meisters. Sie hatten einen goldenen Streifen und kleine Landschaften an den Rändern.

»Hast du noch nicht deiner Frau gesagt«, rief mein Meister, »daß man nicht stehlen darf?«

»Meine Frau stiehlt nicht«, erwiderte der Glaser, »sie ist nicht eines Schneiders Frau!«

Der Glaser spielte auf die Stoffreste an, die Petrusz behielt und die den Kunden gehörten.

»Ich behalte nicht ein Stückchen Fensterscheibe«, sagte der Glaser.

»Die Glaser sind Bettler«, erwiderte der Schneider.

»Ich rede nicht mit einem ungebildeten Mann«, sagte der Glaser. »Nicht einmal Zahlen kannst du lesen. Du weißt nicht, wie spät es ist.«

»Du hast meine silberne Uhr verkauft, du Dieb!« schrie Petrusz.

»Was kannst du mit einer silbernen Uhr anfangen, du Esel?« – fragte Schapak, der Glaser.

Der Schneider Petrusz ergriff das Bügeleisen und warf es gegen den Kasten, in dem die neuen Scheiben des Glasers steckten. Er traf sie nicht. Er hatte ein gutes Herz. Er warf das Bügeleisen absichtlich so, daß es sein Ziel verfehlte.

Hierauf wurde es still.

Der Glasermeister schickte mich um Schnaps. Ich fragte den Schneider: »Meister, soll ich gehn? Ihr Schwager schickt mich.«

Es war meine Pflicht, den Schneider zu fragen. Es kränkte den Glaser.

Er besaß, wie alle Glaser, einen Diamanten zum Schneiden der Scheiben. Der schneidet die Scheiben wie Butter, sagte er. Ich war damals überzeugt, daß ein Diamant – und sei es auch einer zum Glasschneiden – einen unschätzbaren Wert besitze. Ich verstand nicht, warum der Glaser diesen Stein nicht verkaufte, um ein reicher Mann zu werden und in einem Palast zu wohnen.

Wenn ich ihn fragte: »Warum verkaufen Sie Ihren Stein nicht?«, so sagte er: »Wovon soll ich denn leben?« Und er lebte doch von seinem Schwager.

Eines Tages ging der Diamant verloren.

»Kroj hat ihn gestohlen!« sagte der Glasermeister.

Es war ein Winterabend, ich lag auf meiner Ofenbank, die mein Bett war. Die Petroleumlampe war nahe am Erlöschen. Es stank nach Rauch und Fett und dem Urin der Kinder. Man hörte den Wind. Es klang wie das Schleifen von Stahl an Steinen. So hart fuhr er über den gefrorenen Schnee. Er wetzte die Häuser. Unser Ofen begann zu erkalten. Es war eine jener traurigen Stunden, in denen der Mensch fühlt, wie die Wärme unaufhaltsam entweicht, wie die Kälte durch den Schornstein in den Ofen gleitet, ein Eisklumpen. In solchen Stunden bildet man sich ein, daß trotz allem dieser letzte Rest der Wärme noch bleiben könnte. Die Kälte wird im Schornstein steckenbleiben. Man klammert sich an den Ofen. Man drückt ihn an sich. Man gibt ihm, um ihn zu ermuntern, von seiner Eigenwärme. Man weiß dennoch, daß nichts mehr helfen kann.

Der Glaser holte die Petroleumkanne – sie stand unter der Ofenbank-, goß neue Nahrung in die Lampe, es wurde hell, als wäre es sechs Uhr abends, und mein Meister, der Schneider, saß da und rührte sich nicht. Die Bewegungen des Glasers waren langsam und präzise, von einem einzigen Gedanken gelenkt, wie eine Truppe von einem

Feldherrn. Ich wußte, was kommen würde, und rührte mich nicht. Ich war nicht erschrocken, nicht gekränkt. Mich schmerzte nicht der Verdacht des Glasers, sondern die Feigheit des Schneiders.

Ja, ich bewunderte den Glaser. Seine Bedachtsamkeit war von einer inneren Freude erhellt. In seinem gelben weichen Angesicht, das aus dem Kitt für Fensterscheiben gemacht schien, spielte eine stille, versonnene, süße Heiterkeit. Er sah mich nicht an. Aber er dachte unaufhörlich an mich. Ich fühlte es. Seine Gedanken umklammerten mich wie böse, weiche, unerbittliche Schlingpflanzen.

Er brachte die Lampe vorsichtig an meine Ofenbank. »Steh auf!« sagte er.

Er durchsuchte meinen Ranzen, mein Leintuch mit schleichenden, stillen Fingern. Seine Hände waren wie Füße in Strümpfen.

Seine Heiterkeit löste sich auf. Das gelbe, weiche, breite Angesicht war von spärlichen blonden Haarstoppeln bewachsen. Ich zählte sie. Es waren achtundvierzig.

Er fand nichts auf meiner Ofenbank und nichts in meinen Taschen. Er kehrte sie um, ihr Inneres hing schlaff, gelb, schmutzig an meinem Rock und an meinen Hosen. Alle meine Habseligkeiten lagen auf dem Tisch. Ich schämte mich meiner rechtmäßigen Güter mehr, als wenn man den Diamanten gefunden hätte. Im hellen Schein der wiedererwachten, mit doppelter Kraft leuchtenden, bis zum Rand gefüllten Lampe lagen meine Scheren, zwei runde Kieselsteine, eine flache grüne Kreide, ein Taschenspiegel, ein schweres Messer mit stehender Klinge und einer Öse am Griff und ein braunes, gleichmäßig gerilltes Horn.

»Ein Raubmörder!« rief der Glaser und wog mein Messer in den Händen.

»Hinaus, hinaus, hinaus!« schrie er auf einmal. Er schrie dieses Wort wohl zwölfmal hintereinander. Er hatte den ganzen Wortschatz vergessen und nur dieses eine Wort behalten.

Ich sah den Schneider an. Er fing eine Fliege, eine matte graue Winterfliege, hielt sie an den Flügeln fest und zählte ihre krank zappelnden Füße.

Dann zog ich den kurzen Pelz meines Vaters an, schob alle meine Gegenstände in die Taschen und ging.

Nach einigen Minuten hörte ich meinen Namen rufen. Es war der Schneider. Er lief, gebückt und schief, seine Rockschöße wehten im Wind. Ich erwartete ihn. Er drückte mir einen kleinen Beutel in die Hand. Es war sein Geldbeutel aus runzligem, kaltem Leder mit verrostetem Schloß.

Mir scheint, daß der Schneider damals geweint hat.

Unsere Stadt war in den Winternächten grausam. Der Schnee war eine Maske über ihrer Niedrigkeit. Er erstickte die zankenden Stimmen, die aus den Häusern kamen. Jedes Haus trug braune geschlossene Fensterläden mit schmalen gelben Lichtstreifen. An manchen Straßenecken brannten tanzende rote Flämmchen in gelben Petroleumlaternen.

Der Schnee leuchtete sanft und schmerzend zugleich. Der Wind bürstete die Dächer, der weiße Staub flog auf. Der Wind lag wie eine kalte Hand vor dem Mund. Tief unter dem Schnee lagen die Holzplatten, aus denen bei uns der Bürgersteig bestand. Man trat bis zum Knie in den Schnee.

Es schneite immer noch. Ich konnte den Himmel nicht sehn. Kein Tor war offen. Zwei alte Männer gingen lautlos. Sie trugen lange Stöcke.

Ich ging die Straße entlang, die zum Friedhof führte. Ich wollte eigentlich in die umgekehrte Richtung – zum Bahnhof. Aber ich muß damals die Richtungen verwechselt haben. Vielleicht dachte ich, daß der Bahnhof erst am

Morgen geöffnet würde, indessen ein Friedhof den ganzen Tag und die ganze Nacht offen sein müßte.

Es brannte Licht in der Totenkammer. Der alte Pantalejmon schlief neben den Toten. Ich kannte ihn, er kannte mich auch. Denn es war in unserer Stadt Sitte, zum Friedhof spazierenzugehn. (Andere Städte haben Gärten und Parks. Wir hatten einen Friedhof. Die Kinder spielten zwischen den Gräbern. Die Alten saßen auf den Steinen und rochen die Erde, die aus unsern Ahnen bestand und die sehr fett war.)

Ich ging in die Totenkammer. Es lag da die Leiche eines Bettlers, der am nächsten Tag begraben werden sollte. Ich weckte Pantalejmon.

Er hatte einen tiefen Schlaf, wie alle Krankenwärter und Totengräber. Er glaubte, daß der tote Bettler ihn wecke, und er sagte im Halbschlaf:

»Sei ruhig, Peter Onucha, morgen wirst du begraben!«

Als er die Augen aufschlug – er hatte so kleine Augen zwischen dichtem Haar-, Brauen- und Wimperngestrüpp, daß man nicht wissen konnte, ob er sie schon aufgeschlagen hatte –, erkannte er mich.

»Der Schneider hat mich hinausgeworfen!« sagte ich zu Pantalejmon.

Pantalejmon setzte sich. Seine Beine umspannte ein dickes, rohes Katzenfell. Seine Pelzweste war offen.

»Du hast gestohlen!« sagte Pantalejmon.

Ich erklärte ihm die Geschichte. Ich schwor, daß ich den Diamanten nicht gestohlen hatte.

Pantalejmon aber flüsterte mir ins Ohr: »Wo hast du den Diamanten versteckt, du Schlauer! Du kluges Bürschchen! Wo hast du ihn versteckt? Mir kannst du es sagen!«

In dieser Nacht lernte ich, daß es keinen Sinn hat, die Wahrheit zu sagen, und daß es leichter ist, einem Ungläubigen Gott zu erklären als einem Ehrlichen einen Diebstahl und einem Dieb Ehrlichkeit.

Denn Pantalejmon war ein Dieb.

Ich nehme es ihm nicht übel, daß er ein Dieb war. War er denn überhaupt einer, wenn er doch gar nicht stahl? Wer würde nicht stehlen, wenn er nur könnte?

Ich nehme Pantalejmon auch seinen Verdacht nicht übel. Ich habe es ihm zu danken, daß ich nicht erfroren und verhungert bin. Ich blieb bei ihm und half ihm, Gräber graben und Steine schmücken. An Totensonntagen teilten wir das Trinkgeld und den Erlös für die Kerzen.

Ich begann, die Toten zu lieben und von allen Lebenden nur Pantalejmon. Ich schlief in seinem Haus, und mein Bett war wieder eine Ofenbank. Ich hatte viel zu tun, um zwischen Pantalejmon, seiner Frau und seinen drei Kindern Frieden zu stiften.

Pantalejmons Frau achtete ihren Mann nicht. Sie verließ ihn auch nicht, obwohl sie immer drohte, für 10 Jahre wegzugehn. Pantalejmon war keine Autorität. Seine Frau schlug ihn. Er ließ sich schlagen.

Mehrere Persönlichkeiten hatten schon versucht, die Ehe Pantalejmons zu bessern. Unter ihnen war die vornehmste der Herr Graf, unser Graf. So nannten wir den Herrn, der nahe der Stadt ein Schloß bewohnte und jeden Tag durch die Straßen der Stadt wanderte, als wäre er kein Graf.

Er war ein guter Mensch, er liebte alle Menschen und besonders Pantalejmon.

Pantalejmon ging im Schloß aus und ein, er bediente den Grafen, er putzte die Fußböden und die Anzüge und besorgte auch delikatere Aufträge.

Der Graf hatte zwar einige Diener, aber nur einen Freund: Pantalejmon.

Einmal im Jahr verließ der Graf sein Schloß. Er fuhr nach Paris, nach Nizza und Monte Carlo. Seine Abwesenheit dauerte drei Monate.

In dieser Zeit lag Pantalejmon im Schloß auf der Lauer,

er spähte die Lakaien aus, den Gutsverwalter, die Mägde, und er schrieb mit seiner kurzen, breiten Hand, die wie ein Spaten war, jede Woche Berichte an den Grafen.

Wenn Pantalejmon ein ganz gewöhnlicher Dieb gewesen wäre, so hätte er das ganze Schloß stehlen können, er war aber ein Dieb, der nicht stahl. Das war es.

Unser Graf war von sehr altem Adel und mit einigen regierenden Häusern in Europa verwandt. Sein Wappen bestand aus drei Lilien, die ihre Köpfchen aneinanderschmiegten. Flach, breit, zweiseitig geschliffen lag über ihnen ein Schwert.

Der Graf war ungefähr sechzig Jahre alt. Er trug immer blaue Anzüge und dunkelblaue Überzieher, Lackschuhe, Gamaschen, weiße Handschuhe und einen Regenschirm. Wozu brauchte er einen? Wenn es regnete, fuhr er in seinem lackierten dunkelblauen Wagen spazieren. Die wenigen Schritte, die er von der Terrasse seines Hauses bis zum Wagen zurückzulegen hatte, begleitete ihn ein Diener mit einem Schirm. Ich sah oft, wie der Lakai, der etwas kleiner gewachsen war als sein Herr, den Arm hochreckte, mit dem Schirm den ganzen Umfang des Grafen deckte und sich selbst den Wassern preisgab. Ja, auch wenn der Graf im Wagen saß und in der kurzen Zeit, in der die Pferde anzogen und der Kutscher die Peitsche aus dem Futteral zog, stand der Diener mit zugeklapptem Regenschirm, ohne Hut und triefend, einige Schritte vor dem Wagen. Ins Haus kehrte er dann ungeschützt zurück, den Regenschirm im Arm, langsam, als wäre er unempfindlich gegen Wasser, als strahlte die Sonne am Himmel. Es gab Zeiten, in denen mir der Diener noch gräflicher erschien als der Graf.

An schönen Frühlingsnachmittagen saß der Graf auf der Terrasse des einzigen Kaffeehauses, das unsere Stadt besaß, aß Kuchen und plauderte mit Kavallerieoffizieren. Er hatte Beziehungen zur Armee, seine Söhne waren Offiziere, er selbst war ein Kenner von Pferden, er besaß deren zwölf, und er ritt manchmal einen Schimmel. Den jungen Offizieren sagte der Graf: Du. Alle grüßten ihn militärisch wie einen General. Der Graf salutierte, obwohl er in Zivil war. Er legte nur zwei Finger an den Rand seines Zylinders.

Jeden Freitagmorgen versammelten sich vor seinem Schloß die Armen unserer Stadt. Der Graf trat auf den Balkon und warf Kleingeld hinunter. Er ließ etwa eine halbe Stunde Geld regnen, dann winkte er mit der Hand. Alle Bettler riefen dreimal: Hoch lebe der Herr Graf! – und zogen ab.

Eine Frau Gräfin gab es nicht. Sie war schon lange tot. Dagegen lebte im Schloß eine Dame, die beinahe eine Gräfin war, die Witwe nach einem Dragonermajor, der in einem Duell gefallen war. Man sagte, der Graf werde sie heiraten. Aber seine Söhne kamen immer zu Besuch, wenn die Heirat bevorstand, und die Majorswitwe ward keine Gräfin.

Es ist vielleicht gut, daß sie keine Gräfin geworden ist. Ich sah einmal, wie sie einen Diener schlug, weil er mit mir gesprochen und ihre Klingel nicht gehört hatte. Die Armen wären am Freitag nicht mehr vor das Schloß gekommen. Der Herr Graf hätte nicht mehr allein nach Paris, Nizza und Monte Carlo fahren können. Wer weiß, was aus Pantalejmon und mir geworden wäre. Ich selbst habe nämlich unserm Grafen viel zu verdanken. Ich werde später noch darauf zurückkommen.

Für uns alle tat der Graf sehr viel Gutes. Er achtete darauf, daß aus unserer Stadt nur die Allerstärksten zum Militär genommen wurden und nur solche, die nichts zu verlieren hatten. Jedes Jahr, wenn die Musterungskommission kam, gingen die Stellungspflichtigen zum Grafen. Er lud die Herren von der Kommission ein, sprach mit dem Major, dem Militärarzt und warnte sie. Er gab ihnen schöne und schwere Weine und eine Liste aller jungen Leute, die sie assentieren durften.

Seine Methode war nicht immer zuverlässig. Es gibt eine gewisse Art von Majoren, die sich nichts aus Grafen machen und Listen zerreißen. Deshalb schien es unsern jungen Leuten geboten, sich vor der Assentierung auch zu plagen, Gifte einzunehmen, die Herzen zu schwächen, Lungenentzündungen zu bekommen, häßliche Augenkrankheiten und mancherlei Gebrechen. Ja, bei einigen war der Widerwille gegen das Militär so groß, daß sie sich die Füße verkrüppeln und Finger abhacken ließen. Ich kannte einen rothaarigen Schlosser, der sich die Sehnen an den Füßen hatte durchschneiden lassen. Er war sein Leben lang lahm. Ich kannte einen Dachdecker, der sein linkes Auge so lange mit scharfen Flüssigkeiten behandelt hatte, bis es blind geworden war.

Die Kommission kam jedes Jahr im März, sie kam, wie in den Bergen ein Föhn kommt, um den Frühling anzukündigen. Dann begannen die jungen Männer, die sich auf den Grafen nicht verließen, schwarzen Kaffee zu trinken, mit Mädchen zu schlafen, die Nächte über zu wandern. Manche badeten im kalten Wasser, bekamen eine Lungenentzündung, die Schwindsucht, sie starben plötzlich oder langsam. Aber sie wurden keine Soldaten. Die Klügsten wanderten nach Amerika aus.

Um nach Amerika zu kommen, brauchte man nicht nur viel Geld, sondern auch falsche Papiere. Einige Männer beschäftigten sich mit der Beförderung junger Männer nach Amerika und mit der Herstellung falscher Papiere. Sie verdienten viel. Sie waren nicht zuverlässig. Im letzten Augenblick, wenn man schon in der Eisenbahn saß und ehe man noch die Grenzen des Landes verlassen hatte, schickten sie ein Telegramm an die Behörde, und man kam ins Zuchthaus und nicht nach Amerika.

Mit den Auswanderungsagenten mußte man gut leben.

Man konnte ihnen ihre Vergehen gegen das Gesetz nicht
nachweisen, aber auch, wenn man es gekonnt hätte, wäre
ihnen nichts geschehen. Denn sie lebten in unserer Stadt
und waren also gefeit gegen jede Verfolgung. Bei uns lebten die Wahnsinnigen, die Verbrecher, die Unschuldigen,
die Törichten, die Klugen, und alle in gleicher Freiheit.

Die Polizei kam zu den Eltern eines Deserteurs und
fragte sie nach Briefen des Verschollenen. Darauf sagten
die Eltern, ihr Sohn wäre ohne ihr Wissen vom Haus fort-
gereist und familiäre Beziehungen bestünden nicht mehr.
Die Polizei schrieb das in ein Protokoll und sprach nie
mehr davon.

Die Menschen in unserer Stadt hatten ein Bedürfnis nach
Schönheit und nach Werken der Kunst. Seit undenklichen
Zeiten gab es bei uns einen kleinen Park, in dem Kastanienbäume blühten, sehr alte ehrwürdige, dicke Bäume,
deren Kronen der Magistrat manchmal schneiden ließ und
in deren Schatten an heißen Sommertagen die Menschen
schlafen. Der Park war rund, ein Kreis ohne Feld, mit dem
Zirkel ausgemessen, von einem hölzernen, graugestri-
chenen Zaun umgeben, auf den man überhaupt hätte verzichten können – so wenig war es ein Zaun. Er war eher
ein hölzerner Ring, an manchen Stellen weich, zersplit-
tert, verfault, an andern zerbrochen, aber im ganzen immer noch vorhanden, ein lockerer Gürtel an den Hüften
des Parks. Er konnte weder Hunden den Eintritt wehren
noch den Gassenjungen, die niemals einen der offiziellen
Eingänge benutzten. Es war lediglich die Ordnungsliebe
unserer Leute, die ihnen geboten hatte, durch eine Linie
von mehr symbolischer Bedeutung den Park von der Straße abzugrenzen.

In der Mitte des Parks stand eine kleine hölzerne Bude
mit schrägem Giebel, an dessen Ende ein Wetterfähnchen
angebracht war. Auch diese Wetterfahne war zwecklos.

Der Wind drang niemals durch das dichte Blätterdach der
Kastanien. Die Windfahne hatte nichts zu tun. Dennoch
richteten sich manche nach ihr. Denn es kam vor, daß sie
aus rätselhafter Ursache heute nach Westen gerichtet war
und morgen nach Norden. Ich glaube, daß irgend jemand
sich die Mühe nahm, die Wetterfahne unserer Stadt nach
der jeweiligen Windrichtung zu regulieren. Es wird einer
von den vielen Verrückten gewesen sein, die bei uns öffentliche Funktionen ausübten.

Der wirkliche Zweck der hölzernen Bude war ein anderer: Sie war eigentlich ein Erfrischungspavillon, sie
spendete Eis und Sodawasser mit und ohne Sirup und
wurde von einer schönen, stattlichen, blonden Frau verwaltet, bei der ich und andere die Liebe gelernt haben. Das
Sodawasser, das sie ausschenkte, muß von einer besonderen Art gewesen sein, oder die jungen Männer meiner
Heimat waren es.

Unser Pavillon war manchmal geschlossen, an Stunden,
in denen man es gar nicht erwartet hatte. Mitten am Tage,
zu einer Zeit, in der in allen anderen Städten der Welt
Sodawasser getrunken wird, war unser Pavillon geschlossen, taub, grau, schweigsam. Die Vögel zwitscherten über
ihm in den Kronen. Er war ein verwunschener Pavillon.
Kein Geräusch drang aus seinem Innern. Man sah kein
Schloß an seiner Tür, er war von innen zugemacht worden.

Wann er geöffnet würde, wußte niemand. Aber nach
einer Stunde oder nach zwei oder nach drei mußte er wieder offen sein. Er war es wirklich. Ein Zauber öffnete und
schloß ihn. Niemals sah man, wann es geschah. Auch die
jungen Männer, derentwegen er sich schloß, wußten
nicht, wieso sie auf einmal eingesperrt waren. Sie hatten
auch keine Zeit, auf die Tür zu achten.

Der Pavillon war die einzige Zierde unseres Parks und
unserer Stadt. Eines Tages schien er unserm Bürgermeister

zu gering und der Bedeutung unserer Heimat nicht ent-
sprechend. Infolgedessen errichtete man einen Turm aus
roten und gelben Ziegelsteinen, mit einer Uhr, deren Zif-
ferblatt jeden Abend beleuchtet wurde. Nachträglich baute man einen kleinen Laden in den Turm ein, eine Frau
siedelte sich dort an und verkaufte Blumen. Es war eine
schöne, stattliche, blonde Frau, aber der Blumenladen war
immer offen.

Das Bedürfnis nach Sodawasser war größer als das nach
Blumenschmuck. Die Blumenfrau, die sich unsern Ge-
wohnheiten nicht anpassen konnte, blieb unbeachtet, sie
erkrankte bald, sie starb jung. Ihren Laden erbte der Ehe-
mann unserer Blonden, der einzige Hausierer der Stadt,
der mit alten Uhren handelte, ein hagerer Mann mit einem
Aug'. Zehn Jahre lang hatte er Geschäfte im Gehen gemacht. In seiner Linken lag immer ein Dutzend verdor-
bener Uhren. Die schweren Ketten aus Nickel und Neu-
silber hingen an der Hand wie metallene Riemen einer
Nagaika. Am Montag war Schweinemarkt. Die Bauern
kamen, verdienten Geld und brauchten Schmuck. Unser
Hausierer ging von einem Bauernwagen zum andern,
schüttelte die Uhren, damit sie tickten, und bot sie den
Bauern an.

Jetzt wurde er ein vornehmer Kaufmann, er setzte sich
in den Blumenladen, hing die Uhren an die Fensterscheibe
und ließ die Bauern zu sich kommen. Unser schöner
Turm war profaniert. Die Bauern kamen, schleppten die
Schweine hinter sich her, sie trugen schmutzige Stiefel,
und unser Bürgermeister dachte über ein neues Verschö-
nerungsmittel nach.

Alle bedeutenden Städte der Welt haben Monumente.
In unserer Stadt war keines.

In unserer ganzen Geschichte hätte man umsonst nach
einer Persönlichkeit gesucht, die eines Denkmals würdig
gewesen wäre.

Nicht daß es uns an großen Männern gefehlt hätte! Ich habe einige am Anfang meiner Erzählung erwähnt. Aber nicht einer unter ihnen, der in der Heimat gewirkt hatte und in lebendiger Erinnerung geblieben war! Nicht einer unter ihnen, der nicht bedenkliche Züge eines Empörers, eines Unzufriedenen, eines Revolutionärs getragen hat! Alle hatten die Autorität gehaßt. Die Autorität konnte sich nicht bei ihnen durch ein Denkmal bedanken. Alle hatten die Heimat verlassen. Die Heimat durfte ihnen nicht dafür dankbar sein.

Man hätte unserm Herrn Graf ein Denkmal setzen können. Dagegen wehrten sich die Abergläubischen. Sie sagten, ein Denkmal für einen Lebendigen beschwöre dessen Tod und der lebende Graf sei wertvoller als einer aus Stein.

Die Abergläubischen wären vielleicht überstimmt worden, wenn wir Geld genug gehabt hätten. Wir hatten nicht viel. Unser Bürgermeister bedurfte zur Errichtung eines Denkmals der Unterstützung, und er mußte den Grafen um ein Darlehen bitten.

Wie aber kann man den Grafen um Geld bitten, für ein Denkmal, das den Grafen selbst darstellen soll?

Unsere Stadt wußte keinen Rat. Man suchte in den Chroniken nach großen und würdigen Männern. Man fand einen berühmten Rabbiner. Leider verbietet die jüdische Religion Denkmäler, und außerdem repräsentiert ein Rabbiner nicht genügend.

In unserer Stadt lebte ein Dichter. Er schrieb in keiner der Landessprachen. Er schrieb lateinische Gedichte.

Er hieß Raphael Stoklos, beinahe wie ein Grieche. In seiner Jugend wollte er Universitätsprofessor werden. Wenn man aber in einer Stadt geboren ist, die so weit von Universitätsstädten entfernt ist, wenn man kein Geld hat und nicht genug Lebenskunde, bleibt man ein lateinischer Dichter.

Stoklos gab Unterricht in alten und neuen Sprachen.

Dafür zahlte man ihm ein Zimmer und alle Mahlzeiten. Denn er selbst konnte mit Geld nicht umgehn.

Schon war der Magistrat nahe daran, den lebenden Dichter zu verewigen. Da kam Stoklos selbst auf einen Ausweg: Ein berühmter Schriftsteller und Gelehrter des 17. Jahrhunderts war in der Nähe unserer Stadt, in einem immerhin sechs Meilen entfernten Dorf, geboren worden.

Damals war unsere Stadt auch noch ein Dorf gewesen. Da sie aber inzwischen die einzige Stadt im Umkreis von zehn Meilen geworden war – gehörte nicht jenes Dorf zu ihr, gehörte nicht jener berühmte Mann zu ihr?

Zwar hatte auch er, wie es in seiner Zeit Sitte gewesen war, lateinisch geschrieben. Aber er war schon ebensolange tot wie seine Sprache. Er stand in der Literaturgeschichte und im Lexikon. Er war berühmt.

Unser Graf lieh Geld, man gab einem Steinmetz den Auftrag. Stoklos verschaffte einen Kupferstich, das Porträt des Berühmten.

Der Steinmetz schuf einen großen Mann mit Brille, einem flatternden Mantel, einem Buch in der Hand, einer Feder hinterm Ohr. Das war unser Denkmal.

Es stand auf einem Sockel aus falschem Marmor. Um den Sockel grünte ein kleiner Rasen. Um den Rasen lief ein rotes Drahtgeflecht.

Später pflanzte man Stiefmütterchen auf den Rasen, schöne, große Stiefmütterchen mit weichen, klugen Gesichtern.

Wir hatten nun ein Denkmal. Wir standen und saßen davor und betrachteten die Züge unseres großen Landsmannes.

Er hatte immer dieselbe Seite seines Buches aufgeschlagen.

Im Herbst befürchtete man die schädliche Wirkung der Nässe und der Fröste für den teuren Stein. Man baute ein hohes hölzernes Haus und stülpte es über das Denkmal.

Den ganzen Winter lang bis zum April stand unser großer Gelehrter hinter Brettern. Er schlief einen Winter-
schlaf wie manche Tiere.

Wenn der Frühling kam, begann ein Hämmern im Park,
man entfernte das Futteral vom Denkmal. Es war auch
eines unserer Frühlingssymptome.

Das Denkmal ist schon frei! Es wird Frühling! – sagten
die Leute im April.

[..]

Pantalejmon und ich, wir vergaßen ihn nicht.

Eines Tages fand Pantalejmon auf dem Friedhof einen
Erhängten. Es war ein Landstreicher, bei uns unbekannt.
Er verursachte eine Aufregung in unserer Stadt und selbst
in der Umgebung. Denn es geschah nicht alle Tage, wie
man sich denken kann, daß einer Selbstmord beging in
einer Welt, in der es niemandem schwerfällt zu leben.

Pantalejmon schnitt den Toten nicht sofort ab. Er holte
mich zuerst. Ich schälte gerade Kartoffeln, da kam Pantalejmon und sagte: »Da hängt einer!«

»Warum hast du ihn nicht abgeschnitten?« fragte ich.

Pantalejmon antwortete nicht.

Wir gingen nun zusammen. Auf dem dünnen Ast eines
einsamen Fichtenbaums – weit und breit gab es nur Kreu-
ze und Grabsteine – hing ein dünner Mann. Seine Zun-
genspitze war blau. Sie lag im linken Mundwinkel wie bei
manchen Idioten. Die Füße des Mannes berührten fast
den Boden. Ein Brotsack, gefüllt, und eine Blechschale,
die leise klapperte, wenn ein Wind die Zweige bewegte,
hingen an den Hüften des Mannes.

Warum hat er den Brotsack nicht abgelegt? fragte ich
mich. Warum hat er die Blechschale nicht abgelegt? Da
sein Brotsack noch gefüllt war, warum ging er in den Tod?
Einen Tag hätte er noch leben können! Zwei Tage hätte er
noch gelebt!

Warum geht einer aus dem Leben wie im Winter aus einem Zimmer, in dem kein Ofen steht? Macht die Tür hinter sich zu und streckt uns trotzig und kindisch die Zunge heraus?

Ich hatte schon viele Tote gesehn, die in ihren weißen und schmutzigen Betten gestorben waren – die Toten, die in die Kammer kamen, ehe sie zur Erde gingen. Sie alle hatten nichts mehr vom Leben gehabt, sie waren schon Bestandteile des Friedhofs, es war, als wären sie schon lange Jahre vorher tot gewesen, ehe man sie zu uns gebracht hatte.

Hier hing ein Toter aufrecht, als lebte er. Sein Fuß bewegte sich, als wollte er noch wandern. Brotsack und Kleider trug die Leiche.

Ich faßte damals den Entschluß, niemals Selbstmord zu begehn.

[...]

Es war unmöglich zu sterben, auf einem Ast zu hängen und von Pantalejmon gefunden zu werden.

Übrigens war's für Pantalejmon ein Glück. Man weiß, wie sehr begehrt die Stricke sind, an denen sich jemand erhängt hat. Sie bringen Glück, es ist kein Zweifel.

Es war Pantalejmons erster Gedanke, einen Käufer für den Strick zu finden. Wer sollte ihn kaufen? Wer sollte ihn für viel Geld kaufen?

Die Reichen sind gewöhnlich nicht abergläubisch. Sie kaufen goldene Ketten und Perlenschnüre, aber keine Stricke aus Hanf. Außerdem haben sie auch ohne jede Anstrengung viel Glück.

Blieb der Graf, der ein Reicher war, aber sicherlich auch ein Abergläubischer. Allein, es war gerade jene Zeit im Jahr, in der unser Herr Graf seine Reise ins Unbekannte unternommen hatte.

»Wir könnten«, sagte ich zu Pantalejmon, »den Strick zerschneiden und die einzelnen Teile verkaufen!«

»Du bist ein kluges Bürschchen!« sagte Pantalejmon. »Du hast auch den Diamant versteckt!«

Wir zerschnitten den Strick. Die Käufer kamen. Man begrub den Selbstmörder feierlich, ohne Geistlichen, unter dem Baum, auf dem er sich erhängt hatte. Unser Dichter hielt eine Rede auf den unbekannten Fremden, der fern der Heimat, ein Einsamer, Ausgestoßener vielleicht, gestorben war, wer weiß, warum. Sein Schicksal war nicht nur tragisch, es war mehr, nämlich unbekannt.

Sofort nach dem Begräbnis kamen die Käufer. Am Abend desselben Tages hatten wir viel Geld in der Schublade und kein Stückchen Strick mehr.

Der Frau Pantalejmons erzählten wir nichts von unsern Einnahmen. Wir beschlossen, reich zu werden, der Strick hatte uns mutig gemacht, und das klingende Geld, das wir zählten, erheiterte uns wie Schnaps.

»Wenn ich morgen noch einen Erhängten finde?« sagte Pantalejmon.

»Die Leute erhängen sich so selten!« sagte er. »Der Geistliche jagt ihnen einen Schrecken ein. Sie kommen nicht in den Himmel. Woher weiß es der Pfaffe? Man ist im Leben eingesperrt und muß warten, bis Gott den Kerker aufschließt und man in die Freiheit kommt. Wenn aber jemand sich erhängt, auf einem schönen Fichtenbaum, im Sommer, wenn die Vögel zwitschern, der Himmel blau ist und die Fliegen summen, so jagen die Teufel die arme Seele in die Hölle.

Wahrscheinlich aber ist das alles gar nicht wahr! Die Leute kommen in die Hölle, ob sie auf den Tod warten oder ob sie sich ihn holen! Es ist alles ganz gleich.

Was ist die Folge von all dem?! Daß ich noch hundert Jahre warten kann, ehe ich noch einen so schönen Strick bekomme!«

Plötzlich war es mir, als ob mir jemand einen Finger nach dem Ofen ausgestreckt hätte. Ich erblickte den Strick, an dem man die billigen Särge in die Gräber hinunterließ.

Ich nahm ein Messer, zerschnitt den Strick und legte die Teile vor Pantalejmon. »Wir werden diesen Strick verkaufen!« sagte ich.

»Wenn er aber kein Glück bringt?« fragte Pantalejmon.

»Ich glaube«, sagte ich, »daß alle Stricke Glück bringen!«

Ich hatte wahrscheinlich recht. Fortwährend kamen die Leute, wir verkauften ganz winzige Stückchen, und immer wieder zerschnitten wir neue Stricke.

Ich kaufte mir eine neue Pelzmütze und ein Paar Stiefel, Pantalejmon bekam eine Weste. Seiner Frau schenkte er Korallen.

Wir waren sehr reich.

Ich hätte in die Welt fahren können, nach der ich mich sehnte.

»Warte auf den Grafen!« sagte Pantalejmon, »er wird dir gewiß sagen, wohin du fahren kannst!«

Der Sommer lag da und wartete auf sein Ende. Im Herbst mußten die Fremden kommen, die Hopfenhändler aus Österreich, Deutschland, aus England, die reichen Männer, von denen viele Menschen in unserer Stadt lebten.

Der Sommer lag da und gebar verschiedene Krankheiten. Vom faulen Obst bekamen die Menschen Bauchweh und starben, in den Brunnen trocknete das Wasser, ein paar Nadelwälder begannen zu brennen, die trockenen Gräser der Steppe entzündeten sich. In den Nächten war der Horizont gerötet, ein beizender Dunst lag in der Luft.

Immer neue Gäste kamen in die Totenkammer. Die Behörden ließen ausrufen, daß es gefährlich sei, Wasser zu trinken. Wir tranken heißen Tee, aßen keine Kirschen, nicht einmal die sauren. Birnen und Äpfel waren noch nicht reif.

Viele gingen ins Dampfbad, um die Gifte auszuschwitzen. Frau Bardach, die Besitzerin, hatte so viel zu tun, daß sie erkrankte. Nach zwei Wochen war auch sie tot, man begrub sie auf dem jüdischen Friedhof, noch ehe ihr Sohn gekommen war, ihr Sohn, der aus der weiten Welt nur ein paarmal im Jahr schrieb.

Sein Onkel, der Bruder der Frau Bardach, war ein reicher Holzhändler in Wien. Wolf, sein Neffe, war noch als Knabe über die Grenze zu seinem Onkel gefahren.

Man sagte, er sei ein großer Verteidiger geworden, ein berühmter Mann. Alle waren neugierig, ihn zu sehn.

Er kam. Er war wirklich sehenswert. Dieser Herr sollte der Sohn unserer Stadt sein?

Wolf Bardach war nicht nur dick, breit, mit funkelnden Brillengläsern mitten im Gesicht, mit einem grauen steifen Hut auf dem Kopf, mit glänzenden roten Backen – Bardach trug auch eine helle karierte Hose. Es war die erste Hose dieser Art in unserer Stadt, nicht einmal der Graf besaß dergleichen.

Bardach erbte ein großes Vermögen. Dampfbäder sind ein gutes Geschäft. Wenn Bardach geblieben wäre, um das Geschäft seiner Mutter weiter zu betreiben, so hätte er in einigen Jahren Millionen gemacht.

Es fehlte auch nicht an Ratgebern. Leute, die Wolf Bardach noch gekannt hatten, als er ein ganz kleiner Junge war, kamen zu ihm und machten Vorschläge. Wolf Bardach lebte im Hotel, ach, in was für einem Hotel!

Denn wir hatten natürlich ein Hotel, am Ende der Straße, die zum Bahnhof führte, stand es. Ein einfaches Häuschen, mit einer Schenke in der Mitte, mit einem lächerlichen Schild vor der Tür. Es stellte einen dicken Ritter vor, der ein Bierkrügel in der hocherhobenen Rechten hielt und dessen Panzer sich vergeblich bemühte, den vorspringenden Bauch zurückzuhalten.

Dieses Hotel hatte nicht mehr als drei Zimmer. In allen
drei Zimmern standen schlechte Öfen. In keinem der drei
Zimmer gab es ein Bett mit Matratzen. Alle Betten hatten
Strohsäcke.

Ja, es wird auch Ungeziefer gegeben haben. Man nannte
es das Hotel zur Wanze. In Wirklichkeit hieß es das Hotel
zum trunkenen Bären. Dort wohnte der große Verteidiger
Wolf Bardach, ein berühmter Mann, ein Mann in hellen
karierten Hosen.

Er bewohnte alle drei Zimmer. Für die Fremden gab es
kein Obdach mehr. Selbst reiche Leute, die in unsere Stadt
kamen, mußten bei den zwei Bäckern übernachten, die
ihre Betten vermieten konnten, weil sie in der Nacht back-
ten.

Wahrscheinlich haben diese armseligen Verhältnisse des
Verkehrswesens unserer Stadt den Herrn Verteidiger be-
wogen, ein neues Hotel zu errichten.

Er beschloß, ein Hotel nach amerikanischem Muster zu
erbauen. Es sollte ein Hotel sein, wie es auch in New York
stehen könnte.

Und man begann zu bauen.

Wolf Bardach verkaufte das Dampfbad und das Haus
seiner Mutter. Er kaufte fünf kleine Häuser und ließ sie
niederreißen.

Nicht nur die Häuser kosteten Geld. Auch das Niederreißen kostete. Weil in jedem der fünf Häuser durch-
schnittlich drei Familien gelebt hatten und weil jede Familie viele Kinder hatte, mußte der Herr Bardach auch
noch Baracken bauen, um alle obdachlosen Menschen un-
terzubringen.

Es gab also Arbeit in unserer Stadt. Die ältesten Männer, Männer mit weißen Bärten, die man höchstens zu
Ofenreparaturen im Winter gerufen hatte, kletterten hurtig auf die Gerüste. Sie waren eine Art bärtiger Wiesel.

Auch ich fand Arbeit. Ich hatte ein Notizbuch, notierte

Zentimeter und Meter und zählte Bretter, Pfosten, Zie-
gelsteine.

Ich war nicht der einzige. Mit mir standen einige intel-
ligente junge Leute und notierten.

Es wäre sicherlich auch ohne uns gegangen.

Das Hotel bekam fünf Stockwerke. Es war das größte
Haus im Umkreis von zehn Meilen.

Weiß, hoch, einsam ragte es über die Welt. Die alten
Leute bei uns, die nichts vom Fortschritt hielten, waren
erbost. Das Hotel erinnerte sie an den Turm von Babel.

Dennoch wuchs es munter.

Der Ingenieur, der es baute, stieg eines Tages auf das
Gerüst, fiel hinunter und war zerschmettert.

Man begrub ihn in der Mitte zwischen dem christlichen
und dem jüdischen Friedhof, weil man seine Konfession
nicht mehr hatte feststellen können.

Sein Tod rief eine gewaltige Erregung hervor. Aber Bardach, ein moderner Mann, ließ sich durch nichts abhalten,
er ließ einen neuen Ingenieur kommen und baute weiter.

Nach vier Monaten, der Schnee lag schon dicht auf den
Straßen, mußte er innehalten.

Aber als die ersten Schwalben kamen, war Herr Bardach wieder bei uns.

Man baute weiter.

An einem heißen Julitag war endlich das Werk fertig.
Aber nun war auch das Geld zu Ende.

Gläubiger kamen. Schuldscheine kamen. Nur Reisende
kamen nicht, und alle 200 Zimmer standen leer.

Um sich zu retten, errichtete man ein Kaffeehaus im
Parterre, ein Kaffeehaus mit klassischer Musik.

Aber es kamen keine Gäste.

Die Musik spielte vor leeren Tischen. Ein paar reiche
Offiziere gingen hinein, spielten eine Partie Billard und
gingen wieder fort.

Statt drinnen zu sitzen und das Leben zu genießen,

standen die Einwohner unserer Stadt draußen, vor den Fenstern, die durch dichte grüne Vorhänge geschützt waren.

Die Bewohner unserer Stadt tranken ihren Kaffee zu Hause, gingen dann vor die Fenster, hörten die Musik und hatten nichts zu bezahlen. Diese billige Lebensweise konnte unsern Hotelbesitzer nicht retten. Er packte eines Tages in der Stille seine Koffer und war verschwunden.

Immerhin hatten wir etwas Geld verdient. Wir besaßen ein neues Hotel. Wenn die Reisenden kamen, wohnten sie dort, saßen auch im Kaffeehaus und hörten die Musik.

Aber im Sommer, im Frühling und im Winter blieb das große Haus leer. Ein Portier stand vor der Tür wie ein steinernes Ornament, unbeweglich. Er wurde sichtbar älter, seine goldenen Knöpfe wurden matt, sein schwarzer Frack färbte sich grünlich.

Von dem kühnen Erbauer hörte man nichts mehr. Das Dampfbad rauchte jeden Tag lustig gegen den Himmel. Es war stets in Betrieb, im Gegensatz zum Hotel und zum Café.

Unsere Stadt war arm. Ihre Einwohner hatten kein geregeltes Einkommen, sie lebten von Wundern. Es gab viele, die sich mit nichts beschäftigten. Sie machten Schulden. Bei wem aber liehen Sie? Auch die Geldverleiher hatten kein Geld. Man lebte von guten Gelegenheiten.

Immer wieder ereignete sich etwas, das die Leute mit Hoffnungen erfüllte. Der große Hotelbau hatte nur Enttäuschungen gebracht. Es kam ein Winter mit frühen und starken Frösten, er überfiel uns wie ein Mörder, Ende November gab es schon 25 Grad. Die Vögel fielen starr von den Bäumen, jeden Morgen konnte man sie auflesen. Der Schnee seufzte unter den Tritten, der Frost schnitt uns in die Haut mit tausend dünnen Bindfäden, die Öfen platzten vom vielen Holz, der Wind trieb den Rauch in die

Schornsteine zurück, so daß wir in den Stuben fast erstickten. Wir konnten die Fenster nicht aufreißen, wir hatten sie schon mit Watte und Zeitungspapier verstopft. Die Fensterscheiben bekleideten sich mit dicken, undurchsichtigen Krusten aus Kristall, Winter, merkwürdigem gläsernem Gesträuch.

Die Armen wurden von unserm Herrn Grafen gespeist. Aber die nicht betteln durften, verhungerten, starben, man rannte oft mit Leichen durch die Gassen, die schwarzen Kutscher hieben auf die schwarzen Pferde ein, daß sie galoppierten, und die Hinterbliebenen liefen den Toten nach, es war, als beeilten sich alle, die Toten und die Lebenden, noch schnell in die überfüllten Gräber zu gelangen. Kein Platz! kein Platz! – schrien die Raben. Diese gefräßigen Vögel hingen schwarz und schwer in den kahlen Ästen, beflügelte Früchte, sie schlugen mit den Flügeln und zankten sich laut, sie flogen vor die Häuser und pickten wie Spatzen an die gefrorenen Fenster, sie waren nah wie schlimme Nachrichten, sie waren fern wie böse Ahnungen, schwarz drohten sie auf schwarzen Ästen und auf dem weißen Schnee.

Wie schnell fielen die Abende über uns herein, Abende, die mit einem scharfen Wind kamen, mit glänzenden fernen Sternen auf einem Himmel aus blauem Frost, mit kurzen heftigen Dämmerungen in den Stuben, mit heulenden Teufeln in den Öfen, mit Gespenstern aus Nichts. Eine halbe Stunde im Tag war die Sonne zu sehn. Sie war matt und weiß, von einer gefrorenen Fensterscheibe verhüllt. Die langen schweren Eiszapfen hingen von den tiefen Dächern, eine Art toter Troddeln. Schmale Stege zeichneten sich im tiefen Schnee ab, Fußgänger gingen zwischen weißen hohen Schneedämmen. Es gab nichts Heiteres außer dem Klingeln der Schlittenglocken, sie läuteten fast wie Frühling. Der Frost gab ihnen ein kurzes, aber scharfes, gläsernes Echo, in der Ferne waren sie summende helle junge Fliegen.

Aus schwarzen Strichen auf weißer Ebene bestanden
die Nadelwälder. Nebel verdeckte die Ferne und die Hügel, die Gewässer lagen gurgelnd unter dicken Fenstern,
rings um die Brunnen erhoben sich Kreise aus geschliffe-
nem, starkem, gefährlichem Glas.

In diesem Winter, der die Armen noch ärmer machte,
erwarteten wir mit mehr Ungeduld als gewöhnlich den
reichen Herrn Britz aus dem fernen Peking, den reichen
Teehändler, dessen Schutzmarke (eine Waage, von einem
Engel gehalten) in der ganzen Welt berühmt ist und den
echt chinesischen Tee garantiert.

Wenn der Herr Britz kam, ging es allen besser. Er blieb
zwei Wochen bei uns, er besuchte das Grab seines Vaters,
er besuchte die toten Verwandten und die Lebenden, auch
die fremden, bei den reichen Leuten wurde er eingeladen,
und die Armen lud er zu sich.

Jeden Winter kam er, in der Mitte des Winters, wenn
der Frost seine schärfste Stärke erreicht hatte, er kam wie
ein Gesandter Gottes. Alle segneten sein Kommen und
Gehn.

Ich weiß nicht, woher die Leute erfuhren, daß er kommen würde. Jedenfalls wußte man es eines Tages. Der Zug
hielt nur mittwochs bei uns. Und jeden Mittwoch dachten
die Leute: Von heute in acht Tagen kommt er! Von heute in
14 Tagen kommt er!

Der Zug kam um fünf Uhr fünfundzwanzig abends.
Längst war in dieser Jahreszeit der tiefe Abend schon in
der Welt, längst hätten die Fensterläden geschlossen sein
müssen, die Leute in den Stuben. So aber war's nicht. Die
Fensterläden waren noch offen, in allen Häusern brannte
Licht; alle Fenster sahen illuminiert aus, blank geputzt
waren die Laternen und gaben alles Licht her, das sie besaßen. Die Schlitten, beladen mit Menschen, glitten die
gerade Straße zum Bahnhof hinaus, warfen ihre dunkle
Last ab, blieben in einem schönen geschwungenen Bogen

stehen, blauer Rauch stieg aus den Nüstern der Pferde, die
Hufe der Tiere krachten auf dem Eis, ungeduldiges Wie-
hern kam aus den Pferden, die Kutscher rieben sich die
Hände und fuchtelten mit den Armen, die Leute standen
am Büfett und erwärmten sich mit Schnaps und stampften
mit den Stiefeln auf wie die Pferde.

Dann kam der Portier, Eis hing an seinem blonden
Schnurrbart, er rief den Zug aus, Türen gingen auf, man
hörte klingelnde Signale vom Bahnsteig her, der Zug lief
ein, Dampf zischte aus der Lokomotive. Unter den Reisenden, die ausstiegen, war Herr Britz.

Wie schön und stattlich war er! Was trug er für einen
Pelz aus Biber und Scals! Welch einen schönen seidenen
Shawl hatte er um den Hals geschlungen!

Er war nicht müde, sein glattrasiertes Gesicht hatte keine Fältchen, seine Haut war rosig und braun, seine dunklen Augen blank und gut, seine großen, schlanken Hände
glitten leicht aus den schweren Pelzhandschuhen und
streckten sich allen entgegen.

Alle Kutscher stritten sich um ihn, jeder wollte mit ihm
fahren. Hätte er doch alle seine Kinder mitgebracht, wie
schön hätte er sie verteilen können in den vielen Schlitten!
Er hatte nicht einmal viel Gepäck, nur einen einzigen Koffer! Er konnte sich nicht spalten, er konnte nicht mit zwei
Füßen in zehn Schlitten stehn. Er setzte sich in einen, in
den ersten, alle anderen fuhren hinterdrein, mit Schellen-
geläut! Wenn er aus dem Schlitten stieg, mußte er dennoch
alle Kutscher bezahlen. Das spielte keine Rolle! Er hatte ja
Geld!

Jetzt hatten wir ja ein neues Hotel, Herr Britz war zufrieden, als er den Komfort erlebte. »Ihretwegen haben
wir es bauen lassen«, log der Bürgermeister beim festlichen Abendessen, das die Stadt veranstaltete. Herr Britz
glaubte es vielleicht.

Er mietete fünf Zimmer im ersten Stock, er empfing

Arme, verteilte Geld, fuhr jeden Tag in einem andern
Schlitten, milderte die Strenge des Winters, schenkte
Holz, und Kohle, Brot und Heringe, Tee und Schmalz,
kaufte den Kranken südliche Weine und wärmte die Welt
wie hundert Sommer zusammen.

Wenn er wegfuhr, ließ er Glückliche zurück, aber er sah
nicht mehr so frisch aus wie bei der Ankunft, er war müde
und geknickt, seine Haut war blaß, seine guten Augen
glänzten nicht mehr. So anstrengend ist die Wohltätigkeit.

In diesem Jahr hatte uns Herr Britz so viel Geld zurück-
gelassen, daß wir endlich eine Expedition in die unterirdischen Gänge ausrüsten konnten, die schon seit Jahren
unsere Phantasie beschäftigten und von denen wir eigentlich eine Rettung aus unserer ewigen Geldnot erwarteten.

Die unterirdischen Gänge, so hieß es, wären im 17. Jahrhundert angelegt worden, führten von der Kirche, die in
der Mitte der Stadt stand, bis zum Schloß des Grafen, an
den Kellern vieler alter Häuser vorbei und enthielten eine
große Menge von Gold- und Silberschätzen, die man in
vergangenen kriegerischen Zeiten vor diversen Feinden
verborgen hätte.

Unter der Erde besaßen wir also eine Menge Gold, nur
auf der Oberfläche waren wir arm. Unsere Ausgrabungen
konnten uns alle reich machen. Wir brauchten dann nicht
mehr zu arbeiten. Jeder Bewohner unserer Stadt sollte so
viel bekommen, um sein Leben ohne Sorgen beschließen
und das seiner Kinder sichern zu können.

Es hatte uns nur an Geld gefehlt, um überhaupt zu den
Schätzen zu gelangen. Dazu gehörten gewisse Vorrich-
tungen, dazu gehörten Gasmasken, Instrumente von besonderer Art, Lampen. Vor allem gehörten mutige Männer dazu, die imstande waren, ihr Leben aufs Spiel zu
setzen. Sie mußte man teuer bezahlen. Die reichen Wohltäter unserer Stadt (der Herr Graf zum Beispiel) waren

immer skeptisch gewesen. Sie glaubten nicht an die unterirdischen Schätze, sie glaubten auch nicht an den wissenschaftlichen Wert unserer alten Gänge.

Jetzt, endlich, hatten wir Geld.

Als der Frühling kam, gingen wir den ganzen Tag in den Straßen herum und sprachen von den unterirdischen Geheimnissen. Welch ein Gefühl, bei jedem Schritt, den man auf der Straße macht, zu glauben, man trete auf Gold und Edelsteine! Jeder Mensch, der in jenen Tagen in seinen Keller ging, um Leitern, Wein, Essig und andere Dinge zu holen, war von Ehrfurcht erfüllt. Jeder trug sich mit dem Gedanken, selbst zu graben. Manche taten es in stillen Nächten, viele klopften ihre Wände ab, um hohle Stellen zu entdecken. Man sprach schon davon, daß der und jener Schätze in seinen Kellern entdeckt habe. Jeder wurde mißtrauisch. Es kam eine Zeit, in der alle zu klagen begannen, es ginge ihnen schlecht, um nicht in den Verdacht zu geraten, daß sie Schätze entdeckt hätten. Aber je mehr die Menschen klagten, desto verdächtiger wurden sie. Es war eine Zeit, in der man den Bettlern nichts mehr schenkte, weil man glaubte, gerade sie hätten Gold und Silber gefunden und sie bettelten nur, um ihre Funde zu verheimlichen. Die Kaufläden standen leer, weil jedermann fürchtete, durch einen Einkauf in den Verdacht unerhofften Gewinns zu gelangen. Als die Leute merkten, daß ihre Klagen mit Mißtrauen angehört wurden, schwiegen sie und getrauten sich überhaupt nicht mehr zu reden. Kaum, daß man die üblichen Grüße wechselte. Wenn zwei miteinander leise sprachen, zeigte man auf sie mit den Fingern und ernannte sie zu Millionären.

Eines Tages kam ein Professor der Geschichte mit Assistenten, Laternen, Gasmasken. An den Häusern klebten Plakate, der Magistrat suchte mutige Männer und Arbeiter.

Pantalejmon meldete sich und nahm mich mit. Im Gra-

ben waren wir Meister und an unterirdische Dinge vom
Friedhof her gewöhnt. Wir waren Fachleute für Unterir-
disches.

Unsern Lohn verlangten wir im voraus, denn wir fürchteten, in den Gängen umzukommen und umsonst zu sterben. Wir vergruben unsern Lohn beim vierten Grab in der
alten Gräberreihe, schrieben ein Testament und steckten
es in die Tasche. Pantalejmon vermachte den Lohn dem
Grafen, nicht seiner Familie. Ich dachte lange nach, wem
ich mein Geld schenken sollte. Ich besaß Erspartes für
meine Reise in die Welt. Ich verschrieb es meinem Bruder,
der nach Mexiko gegangen war.

Wir standen um fünf Uhr früh auf, es war der zehnte
Mai, die Vögel zwitscherten. Wir waren zehn Mann mit
Harken und Spaten. Wir bekamen hohe Stiefel, stiegen im
Haus des Herrn Jampoller in den Keller, erbrachen eine
zugenagelte Tür und standen am Beginn unserer unterir-
dischen Reise.

Ach! wie stank es dort, ich kann den Geruch nicht vergessen. Es stank nach alten Kartoffeln und faulem Heu,
nach Pilzen, nach Schimmel und ein wenig nach herbstlichen Wäldern im Regen. Wir leuchteten mit unsern wissenschaftlichen Lampen den Weg und die Wände ab. Wir
fanden Skelette, Truhen, der Professor notierte alles, es
troff von den steinernen Wänden, weißlicher Schleim lag
auf ihnen, wir stießen auf steinerne Särge, auf Inschriften,
aber wir fanden kein Gold, kein Silber, keine Edelsteine.

Wir hatten den ganzen Tag gearbeitet, als wir wieder an
die Oberfläche kamen, war es Abend, und wir befanden
uns in der Nähe des Schlosses.

Wir hatten wieder Geld verdient, wir gruben es aus und
legten es zum Ersparten.

Die Stadt beruhigte sich, die Menschen verloren das
Mißtrauen, Handel und Wandel war wieder in den Gassen, und den Bettlern ging es besser.

Dennoch irrte sich Herr Brandes.

Er war vor zwanzig Jahren nach London ausgewandert, er hatte Geld verdient, eine rote, sommersprossige Engländerin geheiratet und einen Bauch mit einer schweren Uhrkette bekommen.

Jetzt kam er zurück, er hatte Geld wie Heu, so sagten die Leute. Wozu kam er in unsere arme Stadt? Warum blieb er nicht in London?

Nein, er kam zurück, ein Pionier englischer Kultur. Er wollte uns zeigen, wie man in der Welt Geschäfte macht. Er kaufte einen freien Platz von der Gemeinde, er kaufte unsern »freien Platz«, auf dem wandernde Karussells, Menagerien, Zauberkünstler ihre Zelte immer aufschlugen, auf dem graues, trauriges Gras und gelbe Blümchen wucherten und der vom lieben Gott dazu bestimmt schien, unser freier Platz und nichts mehr zu sein.

Brandes baute ein Haus, nicht so hoch wie unser Hotel, aber immerhin ein einstöckiges Haus. Es hatte wunderbarerweise keine Fenster. Die Leute wunderten sich nicht wenig. Wie wollte Brandes ohne Fenster auskommen? Lebten die Londoner in finstern Stuben?

Als das Gerüst verschwunden war und die weißen Mauern dastanden, blind, ohne Fenster, glatt, ohne Stukkatur und Verzierungen – sie hatte man nämlich erwartet –, zweifelte niemand mehr an der Verrücktheit des Herrn Brandes.

So verrückt, wie wir damals glaubten, war aber Brandes nicht. Er hatte kein Wohnhaus gebaut, sondern ein Magazin, ein Warenhaus, er hatte so eines vielleicht einmal in London gesehn!

Heute früh kam ein Brief ...
|undatiert|

Heute früh kam ein Brief von meinem Freund Naphtali Kroj aus Buenos Aires. Es gefällt ihm gut, das Leben in der fremden großen und wahrscheinlich sehr merkwürdigen Stadt. Er hat Bekannte getroffen, Menschen aus unserer Heimat. Sie handeln mit Tabak oder andern Dingen und lassen mich grüßen. Sie haben mich nicht vergessen, obwohl ich noch ein Knabe war, als ich mich von ihnen trennte und nach dem Westen fuhr, zu der Familie meines Vaters nach Wien. Die Menschen meiner Heimat haben ein gutes Gedächtnis, denn sie erinnern sich mit dem Herzen. Ich aber hätte sie beinahe vergessen, weil ich in den Ländern Westeuropas gelebt habe und noch lebe, in denen das Herz nichts ist, der Kopf ein wenig und die Faust alles.

Wer weiß, wo ich hingeraten wäre, wenn mein Freund Naphtali Kroj nicht auch seinen Weg nach dem Westen genommen hätte. Schon war ich im Begriffe, mein Herz zu verlieren, die Sehnsucht, die Liebe und den Schmerz, der so stark ist wie Sehnsucht, Liebe und Tod zusammen. Schon hatte ich meine Heimat vergessen, die kleine Stadt in Rußland, die nicht mehr vorhanden ist, die gestorben ist, im großen Kriege gefallen, als wäre sie ein Infantrist gewesen, ein Mensch. Oh, sie war mehr als ein Mensch! Sie war ein fruchtbarer Schoß, aus dem viele Menschen, merkwürdige Menschen ausgestreut wurden wie Samen auf den weiten Acker der Welt.

Diese Stadt ist nicht mehr. Kanonen haben sie zerschossen, Brände vernichtet, Stiefel zerstampft, und jetzt blüht der goldene Kukuruz dort, wo einst kleine und schmutzige Gassen und Häuser waren, und der freie Wind geht über die Plätze und Winkel meiner Kindheit. Andere Städte werden groß und reich, oder wenn ihnen der Tod beschieden ist, sterben sie langsam, der Tod quält sie hundert oder tausend Jahre lang. Unsere kleine Stadt aber mähte er mit seiner großen, scharfen Sense auf einmal vom Boden weg.

Jetzt bin ich nirgends geboren und nirgends zu Hause. Das ist seltsam und furchtbar, und ich komme mir selbst vor wie ein Traum, der keine Wurzel hat und kein Ziel, keinen Anfang und kein Ende, der kommt und geht und selbst nicht weiß, woher und wohin. So sind sie alle, meine Landsleute. Sie leben verstreut in der weiten, weiten Welt, sie klammern sich mit schwachen Wurzeln an fremdes Erdreich, liegen begraben in fremder Erde, zeugen Kinder, die nicht wissen, wo ihr Vater geboren, und denen ihr Großvater schon ein Märchen ist. Von dem und jenem höre ich manchmal. So weiß ich, daß der Bäcker Surokin jetzt ein Gasthaus in Tokio verwaltet, mit einer Japanerin verheiratet ist und sechs Kinder hat, von denen zwei irgendwo in Europa studieren. Diesen Bäcker Surokin hat der reiche Herr Kobritz auf eine merkwürdige Art gefunden. Der Herr Kobritz treibt Handel mit der halben Welt, und so kam er einmal auch nach Tokio und ging, um seinen Hunger zu stillen, in ein Gasthaus, setzte sich an den Tisch und bekam ausgezeichnete Fische. Es waren Fische ganz nach seinem Geschmack, und schon begann der reiche Herr Kobritz zu philosophieren und stellte seine Theorie auf, daß die ganze Welt ein Dorf sei, ein größeres Dorf, und alle Menschen von der gleichen Beschaffenheit. Denn wieso kam es, daß er in Tokio, das fast am Ende der Welt liegt, Fische von jener Art bekam, wie sie ihm sein Leibkoch zu Hause bereitete? Herr Kobritz war mit seiner Philosophie sehr zufrieden, als sich ihm der Wirt näherte, ein Japaner mit einer großen Brille, und »Guten Tag, Herr Kobritz!« sagte. Also war die Welt doch nur ein größeres Dorf, und alle Menschen kannten den reichen Herrn Kobritz. »Sie erkennen mich nicht?« fragte der Ja-

paner. »Nein!« sagte Herr Kobritz. »Ich bin zum ersten
Mal in meinem Leben in Tokio.« »Ich aber habe Sie sofort
erkannt«, erwiderte der Japaner. »Ich war der Bäcker
Mendel Surokin, und seit dreißig Jahren bin ich ein Japaner.«

Herr Kobritz kam nach Wien und erzählte mir brüh-
warm die Geschichte, und ich erzählte sie meinem Freund
Naphtali, der sie jetzt in Buenos Aires verbreitet. So wissen wir bald alle, was mit dem Bäcker Mendel Surokin los
ist. Mich aber plagt die Neugierde. Ich möchte gerne wissen, was mit den vielen andern geschehn ist, zum Beispiel
mit dem blinden Turek, mit dem Totengräber Pantalejmon, mit dem Schneider Peisach, mit dem Doktor Habrich, mit Jonathan Brüh und Mordechai, dem Schreiber.
An alle diese Menschen erinnere ich mich noch ganz genau. Als stünde er leibhaftig vor mir, so sehe ich Jonathan
Brüh, den Schwaben aus einer deutschen Kolonie, der
pensionierter Briefträger war, ein Tschako trug und einen
alten Säbel und viele Orden aus Blech auf der Brust. Er
bildete sich ein, ein Prinz zu sein und ein großer General,
mit allen Kaisern und Königen der Welt verwandt, und
manchmal las er einen Brief des Kaisers von China vor.
»Lieber Vetter«, schrieb der Kaiser von China, »es wun-
dert mich, daß ich schon so lange nichts von dir gehört
habe. Mit gleicher Post sende ich dir den neuesten Orden
meines Hauses. Schreibe mir sofort, ob du ihn erhalten
hast. Dein treuer Kaiser.« Der Brief war mit chinesischen
Buchstaben auf altem Pergament geschrieben. Deshalb
konnte ihn niemand lesen, und man mußte sich schon auf
die Wahrheitsliebe Jonathan Brühs verlassen.

Noch wichtiger wäre es mir zu erfahren, was mit Peisach, dem Schneider, geschehn ist. Denn es war ein
Schneider, wie man keinen zweiten mehr findet und wie er
in keiner andern Stadt der Welt möglich ist. Er trug die
Maße aller seiner Kunden im Kopf, denn er konnte nicht

schreiben, nicht einmal die Zahlen. Oft blickten wir durch sein Fenster, Naphtali Kroj und ich, wenn wir an Herbstabenden von den Feldern heimkehrten, vom Kartoffelbraten. Da sahen wir den fetten gelblichen Schimmer der kleinen Lampe auf dem Tisch des Schneiders und ihn selbst, wie er auf der Ofenbank saß und nachdachte. Gewiß war er damit beschäftigt, sich die Maße seiner Kunden vorzustellen, sich an ihre Bäuche, ihre Brust und ihre Schenkel zu erinnern. Wenn er die Schere in die Hand nahm, standen sie alle wie leibhaft vor ihm, und er hatte es nicht schwer, die Mäntel, die Hosen und die Westen richtig auszumessen. Aber manchmal verschnitt er doch etwas, und dann blieb ihm Stoff genug für einen eigenen Anzug. Denn es war nur recht und billig, daß ein Schneider, der die Maße im Kopf behalten mußte, auch ein wenig Stoff behielt für seinen armen, dürren und frierenden Leib.

Was ist nun mit diesem Schneider eigentlich los? Sein Sohn, das weiß ich, wohnt seit langen Jahren in Amerika und ist auch ein Schneider, er schrieb immer, daß er einen Modesalon habe. Möglich ist es immerhin, daß dieser Sohn den Vater nach Amerika kommen ließ und daß der Schneider Peisach jetzt in einem Winkel des Modesalons sitzt, alt und schwerhörig und kurzsichtig, und noch immer nicht schreiben kann.

Mordechai, der Schreiber, hatte keine Kinder. Ich glaube, daß er einsam gestorben ist. Er war ein Witwer und Schreiblehrer, und er trug immer Tintenfaß und Feder bei sich, wenn er zu seinen Schülern ging. Aber seine Taschen waren zerrissen, und die Frau war tot, und niemand konnte ihm die Taschen flicken. Deshalb hatte er einen Zylinder auf dem Kopf. In diesem Hut barg er sein Schreibgerät. Das hatte nun zur Folge, daß er nicht grüßen konnte. Er begnügte sich, einen Finger an den Rand des Zylinders zu legen. Das war sein Gruß. Nur einen Menschen konnte er so nicht grüßen, und dieser eine Mensch war der Bürgermeister. Also wich er dem Bürgermeister immer aus, und wenn er an einer Straßenecke stand, blieb er längere Zeit da und lauerte verstohlen und ging erst weiter, wenn er sich überzeugt hatte, daß der Bürgermeister nicht des Weges daherkam.

Der Doktor Habrich war ein Arzt, der für alles andere auf der Welt mehr Interesse hatte als für Kranke und Krankheiten. Er hatte in Wien Medizin studiert, und er wäre wohl gerne ein berühmter Arzt in einer großen Stadt geworden. Aber als er gerade fertig war, starb sein Vater. Doktor Habrich besaß kein Geld und kehrte heim, obwohl ihm sein Professor gesagt hatte, daß man begabte Menschen im Westen Europas gebrauchen könnte. In unserer Stadt aber gab es keine besonderen Krankheiten. Man hatte einen Leistenbruch oder einen Schnupfen oder einen verdorbenen Magen, man brach sich ein Bein oder ein Bauer schnitt sich mit der Sense. Es waren keine Krankheiten für einen begabten und ehrgeizigen Arzt. Der Doktor Habrich hatte durch lange Jahre bei jedem neuen Patienten gehofft, der würde endlich ein schwieriges Leiden offenbaren. Aber dann war es doch nur ein Leistenbruch oder ein Schnupfen oder eine langsame Geburt. Da hörte Doktor Habrich auf, Rezepte zu schreiben, und wenn man ihn rief, ging er nicht und verordnete alles, ohne den Patienten gesehn zu haben. Ein neuer, junger Arzt kam, der sein Geschäft verstand und einen Schnupfen so behandelte, daß aus ihm eine Lungenentzündung wurde. Da begannen viele Menschen zu sterben, und der junge Doktor wurde dahin und dorthin gerufen, und den Doktor Habrich holte niemand mehr.

Er saß manchmal in der Schenke, in die auch wir gerne kamen, Naphtali und ich. Da waren Pantalejmon, der Totengräber, und der blinde Josef Turek, sie tranken und unterhielten sich. Pantalejmon hatte einen Selbstmörder

vom Baum abgeschnitten, er behielt den Strick und suchte
einen Käufer. Wer den Strick eines Gehenkten besaß, dem
gaben die Kühe viel Milch, seine Pferde gediehen, auf seinen Feldern wuchs üppig der Weizen, und kein böser Zauber konnte dem Besitzer etwas anhaben. So ein Strick war
unter Brüdern zwei Hühner wert, mindestens ein Schock
Eier. Geld brauchte Pantalejmon nicht. Wer sein ganzes
Leben ein Totengräber ist, wer sieht, wie auch die Reichen
ihre zwei großen Zimmer und Küche verlassen müssen
und den Geldbeutel unter dem Kopfkissen – wer so was
mindestens hundertmal gesehn hat, der braucht kein
Geld. Die Würmer, die Würmer – sagt Pantalejmon, sooft
er einen reichen Hochzeitszug sieht. Er denkt immer an
die Würmer.

Jetzt aber gilt es, den Strick zu verkaufen. Wer weiß uns
einen Käufer zu nennen? Wer kennt die Bedürfnisse aller
Häuser? Wer kommt überall hin? Wer sieht alles? – Der
blinde Josef Turek, der Bürstenbinder, der sein Handwerk
in der Blindenschule der großen Stadt gelernt hat und immer von der Schönheit dieser Stadt erzählt, als hätte er sie
genau besichtigt. Er hat sie besser gelernt als ein Sehender.
Denn er ist ein Blinder.

»Ich würde den Strick nicht einem einzelnen verkaufen!« sagt Josef Turek.

»Dummkopf«, entgegnet Pantalejmon, »es ist ja nur ein
einziger Strick!«

»Nun«, sagt Turek, »ein Dummkopf bist du! Aus einem
Stück kann man viele Stücke machen. Und für jedes Stück
kriegst du eine Henne. Und dein ganzes Leben lang ver-
kaufst du Stücke.«

»Ich glaube«, wendet Pantalejmon ein, »wenn ich nicht
sehr irre, bin ich so zwischen sechzig und fünfundsechzig.
Und will hundert Jahre leben. Wieviel Jahre habe ich also
noch?«

»Vierzig oder fünfunddreißig!«

»Siehst du! So groß ist der Strick nicht, daß ich ihn vierzig Jahre lang verkaufen könnte!«

»Es muß aber doch nicht derselbe Strick sein! Du schneidest eben einen ähnlichen in kleine Stücke, wenn der erste zu Ende ist.«

»So ein Strick aber, an dem sich niemand erhängt hat, bringt ja kein Glück!« sagte Pantalejmon.

»Alle Stricke bringen Glück!« erwidert Josef Turek. Und er hat recht.

Solche und ähnliche Gespräche konnte man am Abend in der Schenke hören. Da trank ich Schnaps, obwohl ich kaum zehn Jahre alt war, aber Naphtali Kroj, der acht Jahre älter war, hatte mich mit seiner Freundschaft beehrt, und da mußte ich eben einen Großen spielen und Schnaps trinken. Es schmeckte gar nicht schlecht.

Es schmeckte sogar sehr gut und erhielt mich am Leben, wenn ich müde und erfroren heimkehrte vom Kartoffelbraten. In der Früh zogen wir aus. Die Nebel lagen noch über der Erde und über dem Herbstmorgen, der aussah wie ein Greis, von Tüchern eingehüllt, taub und still. Die Krähen saßen auf den schwankenden Zweigen lange, lange Minuten still, daß man glaubte, sie wären angewachsen und die großen, traurigen Herbstfrüchte der Bäume. Sie erhoben sich in die Luft, wenn wir das Feuer anzündeten und der Rauch emporstieg. Wir waren die Feinde der Krähen. Manchmal zielten wir mit Steinen nach ihnen. Manchmal fiel eine betäubt nieder, wir nahmen sie in die Hand und erschraken immer wieder über die krumme Schärfe ihres Schnabels, der wie ein kleiner zweischneidiger Säbel war. Die Weiden dufteten naß und betäubend, es roch der Moder und die Verwesung. Durch unsere Stiefelsohlen drang die Feuchtigkeit in unsern Körper, wir fuchtelten mit den Armen, bis uns warm wurde, und stampften auf die Stoppeln der Felder und hauchten in unsere gehöhlten Hände. Am Waldrand zeigten sich einsame Tiere, flüchtig und spähend. Matte verspätete Käfer krochen schwarz und glänzend über die Erde in den Furchen wie lebendige Kohlenstücke. Die Wolken standen beharrlich am Himmel wie ein naher Fluch, der sich noch nicht erfüllt. Am Nachmittag schon begann sich der Horizont im Westen zu röten von der Sonne, die man nicht sah. Wir hatten sie nicht am Morgen gesehn, als sie aufging, nicht zu Mittag, nicht in der Fülle ihrer Leuchtkraft, wir sahen nur die letzten Ausläufer, ihre Strahlen und ihr rotes schmerzliches Spiegelbild in den Abendwolken. Der Wind erhob sich auf die Zehen und begann seine nächtliche Wanderung. Gleichzeitig zuckten ein paar gelbe Lichter in den fernen Hütten auf, als hätte er sie angezündet. Da pfiff Naphtali das Lied von dem Müller, dessen Rad sich dreht, dessen Jahre gehn. An unserer kleinen Rauchfahne erkannten wir, daß der Wind sich gedreht hatte, gestern war er noch vom Norden gekommen, heute kam er aus Nordwesten, und in einigen Tagen mußte der erste Schnee dasein. Schon sehnte ich mich nach seinen kleinen, scharfen, harten Sternchen und seiner heilenden, peitschenden Schärfe im Gesicht. Der Duft unserer bratenden Kartoffeln umgab uns wie eine Heimat. Die Krähen hatten sich schon an den Rauch gewöhnt und kehrten auf die Zweige zurück und spreiteten von Zeit zu Zeit ihre Flügel, ohne sich zu rühren, und vielleicht nur, um uns zu erschrecken, oder weil sie selbst erschrocken waren. Und der große, hochaufgeschossene, rötliche und dünne Naphtali Kroj ging mit langen Schritten nach Hause. Und hinter ihm her jagte ich und konnte ihm nicht nachfolgen. Zehn Minuten später als er erreichte ich die Stadt. Vor der Schenke stand er schon und wartete.

Es war der traurigste Herbst meines Lebens, jener Herbst, in dem Naphtali Kroj nach Wien kam. Der Krieg und die Revolution waren vorbei, und die Länder und Menschen zitterten noch, obwohl der Sturm, der sie gerüttelt hatte, sich schon verzog. Ich war ein armer Teufel. Ich besaß nichts außer meinem Rucksack. Im Rucksack lag mein Mantel. Einer peinlichen Wohltat hatte ich die Schuhe zu verdanken, die ich damals trug. Es waren Lackstiefel. Gerade sie konnte mein Wohltäter entbehren. Der Lack war gesprungen, durch die dünnen Sohlen drang die Nässe der ganzen herbstlichen verregneten Welt. Wenn ich meine Schuhe vom Kot der Straße reinigte, fingen sie an, aufsehenerregend zu glänzen. Sie waren ein qualvolles Geschenk.

Da kam Naphtali Kroj, mit allen Menschen vom Osten nach Westen gespült, er kam mit den Armen, mit den Flüchtlingen, mit den Kriegsgefangenen. Er war arm, und ich war es auch, zusammen waren wir noch ärmer als jeder für sich. Aber wir waren Freunde, und die Freundschaft ist ein großer Reichtum.

Hätte Naphtali einen ordentlichen Beruf gehabt, es wäre nur halb so schlimm gewesen. Aber er war nur ein Kutscher. Als Zwanzigjähriger hatte er eine Witwe geheiratet, eine Witwe mit zwei halbwüchsigen Kindern. Vierzig Jahre zählte die Witwe. Sie besaß eine Droschke mit einem Pferd, ihr Mann, der Droschkenkutscher, war ein Säufer gewesen und im Wahnsinn gestorben. Nun stand ein armes Pferd im kleinen Stall und wieherte, und im Hof wartete die Droschke mit zerbrochenen Fensterscheiben, von grauem Kot bespritzt, mit einer Deichsel, die wie eine traurige Zwecklosigkeit und schwermütig zu Boden geneigt war. Naphtali brach dieser Anblick das Herz. Jeden Tag blickte er in den Hof und in den Stall, bis er eines Morgens kurz entschlossen das Pferd vor den Wagen spannte, den Bock bestieg und zum Bahnhof trabte. Gäste kamen an. Naphtali hatte Glück. Er blieb auf dem Bock. Er fuhr jeden Tag, wenn die Züge kamen, zur Bahn. Er heiratete die Droschke und die Witwe mit ihren Kindern dazu. Im Kriege besetzten die Österreicher die Stadt. Sie requirierten den Wagen, das Pferd und Naphtali Kroj. Im Felde starb das Pferd, die Frau Kroj starb zu Hause. Die Kinder gingen an Typhus zugrunde. Die Droschke blieb irgendwo als Gerümpel zurück. Nur Naphtali war gesund. Er kam nach Wien.

Unterwegs fand er Gelegenheit, einen Ungarn zu erstechen, der ihm die neuen gelben Stiefel ausziehn wollte.

Jugend
|undatiert|

Ich liebte es, mich unsichtbar zu machen. Ich träumte mir eine Tarnkappe. Ich war kein schwächlicher Knabe, der den Kampf unter allen Umständen zu fürchten hatte. Dennoch schien mir ein Kampf, in dem ich dem Gegner unsichtbar bliebe, als der einzig mögliche.

Ich war eine sogenannte hinterlistige Natur. Ich verachtete meine Altersgenossen, die ihre gleichen oder ungleichen Kräfte maßen. Ich hielt es für ehrenhaft, Feinde hinterrücks zu erledigen, und den Meuchelmord, wenn er gerechten Ursachen entsprang, hielt ich nicht für eine schändliche Tat.

Ich konnte mich davon überzeugen, daß ich unsichtbar sei, und gleichzeitig wissen, daß mich alle sehen müssen. Ich versteckte mich gern. Im Versteckspiel war ich ein Meister, und niemand konnte mich finden. Ich verachtete immer die Helden ein wenig, von denen ich in den Sagen und Märchen las. Dennoch imponierten sie mir, nicht kraft ihrer Taten, sondern wegen der Stellung, die sie einnahmen, der großartigen Rolle, die sie spielen durften. Ich verglich mich gerne mit ihnen.

Denn ich war auch ehrgeizig, gewiß. Ich war entschlossen, den Durchschnitt der Menschen zu überragen, mit welchen Mitteln – wußte ich nicht. Ich war entschlossen, mich durch nichts hindern zu lassen. Von der Armut, die meine Jugend umgab, fühlte ich wenig. Ich betrachtete sie als eines der vielen Hindernisse, die das Schicksal den Menschen in den Weg stellt. Sie war, nach berühmten Mustern, zu überwinden. Ich beneidete andere, satte und gutgekleidete Knaben nicht. Seit jeher wußte ich, daß ein Mitleid mit mir selbst ebenso verwerflich ist wie Mitleid mit andern. Freudig und mit einer Art Wollust bekannte ich mich zur Armut, ich schloß mich in sie ein und schied mich dadurch von den Altersgenossen.

Es war mir immer daran gelegen, mit allen gut zu leben. Denn ich erkannte früh, daß üble Gesinnung und Feindschaft von Schaden sein können, besonders die Feindschaft der Minderwertigen. Es hätte mir nicht an Mut gefehlt, einer Welt von Feinden die Stirn zu bieten. Aber der Friede war mir lieber als der Kampf, weil dieser mich verraten hätte und ich im Verborgenen leben wollte. Ebenso mangelte es mir nicht an Empörung gegen Lehrer und Vorgesetzte. Ich aber zeigte sie nicht. Ich war ein ausgezeichneter Schüler, nicht durch Fleiß, sondern durch Überlegenheit. Es wäre mir unwürdig erschienen, vom Lehrer bei einer verbotenen Lektüre, beim Zigarettenrauchen oder beim Abschreiben einer Schularbeit erwischt zu werden, zu stottern oder mir einsagen zu lassen. Ich fügte mich den unüberwindlichen Mächten, und weil sie mir nichts anhaben konnten, fühlte ich mich frei. Indessen die Rebellen, die Tollkühnen und die Aufrichtigen immer auf der Flucht vor den Lehrern waren, die Jägern glichen. Mich belustigte es, an dieser Jagd nicht teilzunehmen, sondern sie zu betrachten.

Es erschien mir unwürdig, bei einer Lüge ertappt zu werden, aber nicht unwürdig zu lügen. Unehrliche Vorteile, die nicht an den Tag kommen konnten, wußte ich auszunützen. Ich erkannte bald, daß mich die Menschen infolgedessen für ehrlich, aber schlau hielten und daß sie vor mir Angst hatten, aber mir keine Unredlichkeit zutrauten. Sie faßten Zutrauen zu mir, trotz ihrer Furcht. Sie fragten mich um Rat, ich gewährte ihnen Hilfe. Sie wurden mir treu, sie blieben mir gleichgültig. Ich bezahlte ihnen ihre Treue und blieb ihnen nichts mehr schuldig. Sie beneideten mich, ich ließ mich beneiden. Ich hatte Erfolge, und es freute mich, die Konsequenzen der Erfolge, nicht sie selbst, auszunützen.

Bald sah ich, daß ich in Gefahr war, mich in mich selbst zu verlieben. Ich begann achtzugeben. Ich wollte vor mir selbst ebenso sicher sein, wie ich es vor den andern war. Dabei kam mir meine im landläufigen Sinn sehr tadelhafte und unmoralische Natur zu Hilfe. Ich durfte jeden Tag neue Fehler an mir entdecken, denn ich war damals noch überzeugt, daß Egoismus, Schlechtigkeit, Hochmut, Tükke und Feigheit absolute Fehler sind. Ich brachte es fertig, mir zu gefallen und mich für verworfen zu halten. Ich wollte nicht edel sein. Es genügte mir, erkannt zu haben, daß ich nicht edel sei. Diese Erkenntnis schützte mich ebenso vor mir selbst, wie meine Laster mich vor den andern schützten.

Ich glaubte an die Existenz und an die fruchtbare Kraft der Tugenden, ich wußte nur, daß sie für mich nichts getaugt hätten. Ich glaubte an die edle Gesinnung großer Männer und an die Fruchtlosigkeit gemeiner Bestrebungen. Ich glaubte an positive Kräfte und haßte die negativen. Ich haßte den Teufel. Aber an Gott glaubte ich nur schüchtern, und während ich genau wußte, daß er nicht existiere, betete ich dennoch zu ihm.

Zwei Jahre lang, von meinem vierzehnten bis zum sechzehnten Lebensjahr, war ich ein Atheist. Ich sah zum Himmel empor und wußte, daß er aus blauer Luft bestand. Ich hatte aber gar nicht bemerkt, daß Gott nicht verschwunden, sondern gleichsam nur übergesiedelt war, aus dem Himmel irgendwohin anders, ich wußte nicht wohin, wahrscheinlich aber in meine Nähe. Daß niemand die Welt regierte, war mir offenbar, daß aber jemand meine eigenen Wege überwachte, fühlte ich. Ich betete oft, und meine Gebete waren sehr kurz. Sie bestanden in einem Gedanken, ja nur in einem Einfall. Der, zu dem ich betete, half immer, er strafte niemals. Ja, ich schämte mich nicht, ihn um seine Unterstützung bei meinen unedlen, beinahe verbrecherischen, auf jeden Fall aber sündhaften

Unternehmungen zu bitten. Er half auch da. Ich hätte ihn immer verleugnet. Aber desto eifriger glaubte ich ihm. Er war da wie eine Wirklichkeit.

Erst zwei Jahre später wuchs der Gott, den ich nur für mich in Anspruch genommen hatte, zum Weltengott und Herrn des Alls. Daß er mir gut gesinnt war, gleichsam aus alter Kameradschaft, wußte ich. Ich fürchtete ihn nicht. Ich vertraute ihm. Und wenn mir Schlimmes widerfuhr, war mir's keine Strafe, sondern eine mir noch verborgene, maskierte Gnade.

Ich hatte nichts mehr zu fürchten. Mit Gott lebte ich gut, mich selbst kannte ich, die Menschen hatte ich in der Gewalt. Gespenster, Tote und Geister wußte ich zu versöhnen. Erschienen sie mir im Traum, so erschrak ich nicht, sondern unterhielt mich mit ihnen sachlich und höflich. Ich lief nicht vor ihnen davon, sie mußten also einsehn, daß bei mir nicht viel zu holen war.

Nur Tod und Krankheiten fürchtete ich. An das Weiterleben in einer andern Form glaubte ich, aber es war mir unangenehm, plötzlich und unvorbereitet in eine unbekannte, niemals vorher zu erforschende Umgebung zu gelangen. Ich mied den Tod, ich mied Begräbnisse, Friedhöfe und den Anblick von Leichen. Einmal kam ich zufällig zu einem Begräbnis – und war wochenlang erschüttert. Ich fühlte mich selbst dem Tod nahe und machte mich bereit zu sterben.

Als ich aber sah, daß mein Leben dennoch stärker war, hörte ich auf, die Ansteckungsgefahr des Todes zu fürchten. Ich ging auf einen alten Friedhof und blieb dort lange Stunden. Ich befreundete mich mit einem Friedhofswächter, der mir gruselige Geschichten erzählte, an die ich nicht glaubte. Er sprach von übernatürlichen Erscheinungen und von der wachen Kraft der Toten, die vor dem Begräbnis in der Totenkammer lagen. Einmal blieb ich eine Nacht lang bei den Toten. Sie rührten sich nicht. Ich glaubte dennoch nicht an ihren endgültigen Tod. Aber es schien mir klar zu sein, daß ihnen oder uns die Fähigkeit der Verständigung fehlte.

Ich gewöhnte mich an den Anblick der Leichen, an die Raserei der Hinterbliebenen, an traurige Gesänge, an Schauderhaftes, Geheimnisvolles und sogar Häßliches. Ich sah einmal, wie ein Telegraphenmast einen Arbeiter fällte. Er fiel ohne Laut zu Boden. Ich sah seinen zerschmetterten Schädel, schmeckte mit den Augen das schnell gerinnende Blut, hörte das Jammern seiner Frau und seiner zwei Töchter und war nicht erschüttert. Von nun aber ließ mich fremdes Leid unbeteiligt. Einmal verbrühte sich meine Mutter die Hand. Sie litt schrecklich. Sie stöhnte. Ich blieb ruhig. Einmal scheuten die Pferde eines Wagens, und der Kutscher wurde eine lange Strecke mitgeschleift. Ich blickte kühl auf diesen Vorgang, der alle Menschen in Aufregung versetzte. Nichts brachte mich aus der Fassung. Ich wäre niemals imstande gewesen, einen Menschen unter eigener Lebensgefahr zu retten. Ich möchte keinem Ertrinkenden nachspringen, ich habe nicht schwimmen gelernt, ich will nicht schwimmen. Ich verachte die vergeblichen Versuche der Menschen, es den Fischen gleichzutun, und ich glaube an vollkommene Apparate, die es uns möglich machen werden, auf dem Wasser spazierenzugehn. Solange diese zuverlässigen Erfindungen fehlen, mögen sie ertrinken, die Selbstmörder! Ich zweifle daran, ob die Welt etwas an ihnen gewinnt. Aber um mich wäre es schade.

Ich verlasse mich nicht auf den Körper, ich verlasse mich nur auf den siegreichen menschlichen Geist. Einer Pistole traue ich mehr als einem Boxer, und ich freue mich, daß die stärksten Muskeln einer Kugel nicht standhalten. Ich freue mich über die Nutzlosigkeit der Panzer und der Schwerter, und die männliche Tapferkeit scheint mir eine aussichtslose Sache.

Allerdings wußte ich schon früh, daß den Frauen Heldentaten imponieren, und ich verachtete die Frauen deswegen. Allein, sie schienen mir unentbehrlich, sie reizten mich, und ich genoß ihre Nacktheit, wenn sie angezogen waren. Ich wollte sie verführen, besitzen und verlassen. Ich schwärmte niemals für eine, ich war nicht verliebt. Das ganze weibliche Geschlecht empfand ich als ein Individuum. Einmal sah ich eine junge Dienerin in einer Badeanstalt. Ich saß im Warteraum, wartete auf eine freie Zelle, sie sprach mit zwei alten Frauen und streckte beide Arme in die Höhe, ohne Grund, ohne Zweck. Ihre Brüste strafften sich, ihre Bluse ließ ein Stück weißer Unterkleidung frei, ihre Füße schlüpften halb aus den Pantoffeln. Sie erschien mir sehr begehrenswert, mir schwindelte fast. Sie sah mich an, sie winkte mir, aber ich floh.

In der Nacht hatte ich Furcht, mich zu entkleiden. Ich fürchtete meine eigene Nacktheit, die einsame, nur männliche, und wünschte mir von Herzen, Mann und Weib in einem zu sein, Genießer und Genossener, Liebender und Empfangender, ich kam mir unvollkommen vor, brachte mich in Erregung, verwirklichte mir das Mädchen, zauberte sie ins Bett, genoß sie, verlor aber im Rausch nicht die Besinnung, sondern wußte jeden Augenblick, daß sie nicht da war und fern von mir mit einem andern schlief.

Schließlich stand ich auf, ging hinaus, da stand meine fünfzehnjährige Nachbarin am Fenster. Sie erwartete ihre Eltern, die auf ein Hochzeitsfest entfernt wohnender Verwandter gegangen waren. Ich stieg zu ihr ins Zimmer, löschte die Lampe aus, und wir schliefen zwei Stunden nebeneinander. Als ich fortging, weinte sie, aber sie rührte sich nicht. »Du wirst mich heiraten!« sagte sie glücklich und weinend. »Vielleicht!« antwortete ich.

Um diese Zeit begann ich, Dichter zu lieben, Dramen und Gedichte. Ich behielt alles im Gedächtnis, ohne eigentlich auswendig zu lernen. Ich schätzte ihre Schönhei-

ten, die Sprache, das Bild und den Klang und ließ mich
verführen, auch den Inhalt zu lieben, mehr, als mir zustand. Um die Schönheiten der Dichtungen genauer zu
genießen und durchaus zu verstehn, schien es mir nötig,
mich zu verlieben. Ich suchte mir ein hübsches Mädchen,
das viele meiner Altersgenossen anbeteten, und ging ihr
auf der Straße nach. Ich dachte an sie, träumte von ihr,
aber ich wußte bei alledem, daß ich nicht imstande gewesen wäre, ihr etwas zu opfern; daß ich im Regen vor
ihrem Fenster ging, nur um zu sehen, wie es ist, wenn man
leidet, aber nicht, um zu leiden. Ich konnte bald befriedigt
feststellen, daß ich wußte, was die Liebe sei. Ich wandte
mich hierauf anderen Angelegenheiten zu.

Ich wandte mich den Angelegenheiten zu, von denen
die Gedichte und Dramen handeln, die sogenannten großen Gegenstände, die erhabenen Gedanken, die Ideen und
deren moralische Ereignisse, die Ideale, die Natur, die
Sittlichkeit, das Vaterland, die Freiheit, die Nation und die
Sprache. Alle diese Begriffe bestanden für mich, wie nur
reale Gegenstände bestehen können, ferne, aber doch mit
Sinnen vernehmbar wie Glocken, an deren hoher, beinahe
himmlischer Existenz man nicht zweifelt, weil man ihre
Klänge hört. Damals wußte ich noch nichts von den Beziehungen des Klangs zum Instrument, das ihn gebärt,
von der Spannung, die sich bildet zwischen dem Fluß der
Zeit und der Stabilität der Dinge, und ich war ein kleiner
egozentrischer Skeptiker, der das allgemein Gültige verehrte, ohne es anzuwenden.

Las ich ein Gedicht, so zweifelte ich nicht daran, daß es
recht hatte. Besang einer eine Wiese, so war mir die Schönheit dieser Wiese so nahe wie dem Dichter. Ich hatte Respekt vor dem Gedruckten. Ich verehrte die Tradition. Ich
liebte nichts Besonderes unter dem Allgemeinen. Ich zog
nicht *einen* Dichter dem andern vor. Ich schätzte nicht die
Gegenstände, die der eine behandelte, höher als die des
andern. Alle schätzte ich gleichmäßig.

Ich schätzte den Faust und Wilhelm Tell. Shakespeare lernte ich auswendig und Hölderlin, und obwohl ich Widersprüche entdeckte, lag doch das Verschiedene, das die großen Männer trennt, unter einer einzigen einigenden Schicht von Erhabenheit, Anmut und Adel. Nie hätte ich so gehandelt wie ihre Helden. Aber ich glaubte doch, daß die Dichter und ihre Helden objektiv recht hatten. Ich wußte nicht, weshalb Nathan der Weise es nötig hatte, so edel zu sein. Ich empfand Mitleid im tragischen Sinn mit Shylock. Aber ich glaubte eben, ich selbst wäre eine Ausnahme, keine beneidenswerte, keine schätzbare, eher eine verworfene. Alles, was gepredigt, gesungen und geglaubt wurde, hatte recht und paßte für die Welt. Wenn einer seine Liebesschmerzen besang, so verstand ich zwar nicht, warum er so leide, aber ich glaubte, daß es normal sei, so zu leiden.

Sprichwörter, die zu meiner persönlichen, ganz eigenen Auffassung des Lebens nicht paßten, hielt ich dennoch für tiefsinnig, zumindest für die Ergebnisse weiser Erfahrungen und Bekenntnisse. Zitate, die im Laufe der Jahre geflügelt worden sind, hielt ich für den Ausdruck einer allgemein anerkannten, durch die Stimme des Volks und der Zeiten befestigten, begründeten Weisheit ...

... Ich besuchte die Universität gleichgültig, beinahe enttäuscht, ohne Fleiß und nicht mit der Andacht, mit der ich manchmal als Gymnasiast an sie gedacht hatte. Ich studierte Germanistik und exakte Philosophie, das heißt, ich hörte die Vorträge einiger Professoren, die mich langweilten. Im Gymnasium hatte ich mir nach den Beschreibungen vorgestellt, die Wissenschaft auf einer Hochschule wäre, eben weil sie ledig sei der kleinlichen Formen, die an den Mittelschulen angewendet würden, wirklich edel, frei und stolz. Nun sah ich, daß die Professoren sich keine Mühe gaben, daß sie nur eine halbe Stunde lasen, manchmal fortblieben und die Vorlesung ausfallen ließen und daß die meisten sich bei den Prüfungen dennoch das Recht anmaßten, streng zu sein, sehr kleinlich, noch kleinlicher als Mittelschullehrer, zu prüfen, sich von persönlichen Gefühlen, Sympathien und Abneigungen leiten zu lassen. Ich dachte an die Mittelschule mit einer gewissen Trauer zurück. Ihre Lehrer erschienen mir besser, edler, vorurteilsfreier und ärmer. Manche Seminarstunden, in denen gotische Übungen und mittelhochdeutsche Grammatik vorgenommen wurden, waren genauso wie Unterrichtsstunden in der Mittelschule, nur daß man hier zur Aufmerksamkeit nicht gezwungen war und die Klasse verlassen durfte, wenn man nicht mehr sitzen wollte. Es gab Dummköpfe unter den Studenten, ehrgeizige und eingebildete ...

Stationschef Fallmerayer
|1933|

I

Das merkwürdige Schicksal des österreichischen Stationschefs Adam Fallmerayer verdient, ohne Zweifel, aufgezeichnet und festgehalten zu werden. Er verlor sein Leben, das, nebenbei gesagt, niemals ein glänzendes – und vielleicht nicht einmal ein dauernd zufriedenes – geworden wäre, auf eine verblüffende Weise. Nach allem, was Menschen voneinander wissen können, wäre es unmöglich gewesen, Fallmerayer ein ungewöhnliches Geschick vorauszusagen. Dennoch erreichte es ihn, es ergriff ihn – und er selbst schien sich ihm sogar mit einer gewissen Wollust auszuliefern.

Seit 1908 war er Stationschef. Er heiratete, kurz nachdem er seinen Posten auf der Station L. an der Südbahn, kaum zwei Stunden von Wien entfernt, angetreten hatte, die brave und ein wenig beschränkte, nicht mehr ganz junge Tochter eines Kanzleirats aus Brunn. Es war eine »Liebesehe« – wie man es zu jener Zeit nannte, in der die sogenannten »Vernunftehen« noch Sitte und Herkommen waren. Seine Eltern waren tot. Fallmerayer folgte, als er heiratete, immerhin einem sehr maßvollen Zuge seines maßvollen Herzens, keineswegs dem Diktat seiner Vernunft. Er zeugte zwei Kinder – Mädchen und Zwillinge. Er hatte einen Sohn erwartet. Es lag in seiner Natur begründet, einen Sohn zu erwarten und die gleichzeitige Ankunft zweier Mädchen als eine peinliche Überraschung, wenn nicht als eine Bosheit Gottes anzusehen. Da er aber materiell gesichert und pensionsberechtigt war, gewöhnte er sich, kaum waren drei Monate seit der Geburt verflossen, an die Freigebigkeit der Natur, und er begann, seine Kinder zu lieben. Zu lieben: das heißt: sie mit der überlieferten bürgerlichen Gewissenhaftigkeit eines Vaters und braven Beamten zu versorgen.

An einem Märztag des Jahres 1914 saß Adam Fallmerayer, wie gewöhnlich, in seinem Amtszimmer. Der Telegraphenapparat tickte unaufhörlich. Und draußen regnete es. Es war ein verfrühter Regen. Eine Woche vorher hatte man noch den Schnee von den Schienen schaufeln müssen, und die Züge waren mit erschrecklicher Verspätung angekommen und abgefahren. Eines Nachts auf einmal hatte der Regen angefangen. Der Schnee verschwand. Und gegenüber der kleinen Station, wo die unerreichbare, blendende Herrlichkeit des Alpenschnees die ewige Herrschaft des Winters versprochen zu haben schien, schwebte seit einigen Tagen ein unnennbarer, ein namenloser graublauer Dunst: Wolke, Himmel, Regen und Berge in einem. Es regnete, und die Luft war lau. Niemals hatte der Stationschef Fallmerayer einen so frühen Frühling erlebt. An seiner winzigen Station pflegten die Expreßzüge, die nach dem Süden fuhren, nach Meran, nach Triest, nach Italien, niemals zu halten. An Fallmerayer, der zweimal täglich, mit leuchtend roter Kappe grüßend, auf den Perron trat, rasten die Expreßzüge hemmungslos vorbei; sie degradierten beinahe den Stationschef zu einem Bahnwärter. Die Gesichter der Passagiere an den großen Fenstern verschwammen zu einem grauweißen Brei. Der Stationschef Fallmerayer hatte selten das Angesicht eines Passagiers sehen können, der nach dem Süden fuhr. Und der »Süden« war für den Stationschef mehr als lediglich eine geographische Bezeichnung. Der »Süden« war das Meer, ein Meer aus Sonne, Freiheit und Glück.

Eine Freikarte für die ganze Familie in der Ferienzeit gehörte gewißlich zu den Rechten eines höheren Beamten der Südbahn. Als die Zwillinge drei Jahre alt gewesen wa-

ren, hatte man mit ihnen eine Reise nach Bozen gemacht.
Man fuhr mit dem Personenzug eine Stunde bis zu der
Station, in der die hochmütigen Expreßzüge hielten, stieg
ein, stieg aus – und war noch lange nicht im Süden. Vier
Wochen dauerte der Urlaub. Man sah die reichen Menschen der ganzen Welt – und es war, als seien diejenigen,
die man gerade sah, zufällig auch die reichsten. Einen Urlaub hatten sie nicht. Ihr ganzes Leben war ein einziger
Urlaub. So weit man sah – weit und breit –, hatten die
reichsten Leute der Welt auch keine Zwillinge; besonders
nicht Mädchen. Und überhaupt: Die reichen Leute waren
es erst, die den Süden nach dem Süden brachten. Ein Beamter der Südbahn lebte ständig mitten im Norden.

Man fuhr also zurück und begann seinen Dienst von
neuem. Der Morseapparat tickte unaufhörlich. Und der
Regen regnete.

Fallmerayer sah von seinem Schreibtisch auf. Es war fünf
Uhr nachmittags. Obwohl die Sonne noch nicht unter-
gegangen war, dämmerte es bereits, vom Regen kam es.
Auf den gläsernen Vorsprung des Perrondachs trommelte
der Regen ebenso unaufhörlich, wie der Telegraphenapparat zu ticken pflegte – und es war eine gemütliche, un-
aufhörliche Zwiesprache der Technik mit der Natur. Die
großen, bläulichen Quadersteine unter dem Glasdach des
Perrons waren trocken. Die Schienen aber – und zwischen
den Schienenpaaren die winzigen Kieselsteine – funkelten
trotz der Dunkelheit im nassen Zauber des Regens.

Obwohl der Stationschef Fallmerayer keine phantasie-
begabte Natur war, schien es ihm dennoch, daß dieser Tag
ein ganz besonderer Schicksalstag sei, und er begann, wie
er so zum Fenster hinausblickte, wahrhaftig zu zittern. In
sechsunddreißig Minuten erwartete er den Schnellzug
nach Meran. In sechsunddreißig Minuten – so schien es
Fallmerayer – würde die Nacht vollkommen sein – eine

fürchterliche Nacht. Über seiner Kanzlei, im ersten Stock, tobten die Zwillinge wie gewöhnlich; er hörte ihre trippelnden, kindlichen und dennoch ein wenig brutalen Schritte. Er machte das Fenster auf. Es war nicht mehr kalt. Der Frühling kam über die Berge gezogen. Man hörte die Pfiffe rangierender Lokomotiven wie jeden Tag und die Rufe der Eisenbahnarbeiter und den dumpf scheppernden Anschlag der verkoppelten Waggons. Dennoch hatten heute die Lokomotiven einen besonderen Pfiff – so war es Fallmerayer. Er war ein ganz gewöhnlicher Mensch. Und nichts schien ihm sonderbarer, als daß er an diesem Tage in all den gewohnten, keineswegs überraschenden Geräuschen die unheimliche Stimme eines ungewöhnlichen Schicksals zu vernehmen glaubte. In der Tat aber ereignete sich an diesem Tage die unheimliche Katastrophe, deren Folgen das Leben Adam Fallmerayers vollständig verändern sollten.

II

Der Expreßzug hatte schon von B. aus eine geringe Verspätung angekündigt. Zwei Minuten, bevor er auf der Station L. einlaufen sollte, stieß er infolge einer falsch gestellten Weiche auf einen wartenden Lastzug. Die Katastrophe war da.

Mit eilig ergriffener und völlig zweckloser Laterne, die irgendwo auf dem Bahnsteig gestanden hatte, lief der Stationschef Fallmerayer die Schienen entlang dem Schauplatz des Unglücks entgegen. Er hatte das Bedürfnis gefühlt, irgendeinen Gegenstand zu ergreifen. Es schien ihm unmöglich, mit leeren, gewissermaßen unbewaffneten Händen dem Unheil entgegenzurennen. Er rannte zehn Minuten, ohne Mantel, die ständigen Peitschenhiebe des Regens auf Nacken und Schultern.

Als er an der Unglücksstelle ankam, hatte man die Bergung der Toten, der Verwundeten, der Eingeklemmten bereits begonnen. Es fing an, heftiger zu dunkeln, so, als beeilte sich die Nacht selber, zum ersten Schrecken zurechtzukommen und ihn zu vergrößern. Die Feuerwehr aus dem Städtchen kam mit Fackeln, die mit Geprassel und Geknister dem Regen mühsam standhielten. Dreizehn Waggons lagen zertrümmert auf den Schienen. Den Lokomotivführer wie den Heizer – sie waren beide tot – hatte man bereits fortgeschafft. Eisenbahner und Feuerwehrmänner und Passagiere arbeiteten mit wahllos aufgelesenen Werkzeugen an den Trümmern. Die Verwundeten schrien jämmerlich, der Regen rauschte, die Fackelfeuer knisterten. Den Stationschef fröstelte im Regen. Seine Zähne klapperten. Er hatte die Empfindung, daß er etwas tun müsse wie die andern, und gleichzeitig Angst, man würde es ihm verwehren zu helfen, weil er selbst das Unheil verschuldet haben könnte. Dem und jenem unter den Eisenbahnern, die ihn erkannten und im Eifer der Arbeit flüchtig grüßten, versuchte Fallmerayer mit tonloser Stimme irgend etwas zu sagen, was ebensogut ein Befehl wie eine Bitte um Verzeihung hätte sein können. Aber niemand hörte ihn. So überflüssig in der Welt war er sich noch niemals vorgekommen. Und schon begann er zu beklagen, daß er sich nicht selbst unter den Opfern befinde, als sein ziellos umherirrender Blick auf eine Frau fiel, die man soeben auf eine Tragbahre gelegt hatte. Da lag sie nun, von den Helfern verlassen, von denen sie gerettet worden war, die großen, dunklen Augen auf die Fackeln in ihrer nächsten Nähe gerichtet, mit einem silbergrauen Pelz bis zu den Hüften zugedeckt und offenbar nicht imstande, sich zu rühren. Auf ihr großes, blasses und breites Angesicht fiel der unermüdliche Regen, und das schwankende Feuer der Fackeln zuckte darüber hin. Das Angesicht selbst leuchtete, ein nasses silbernes Angesicht, im zauberhaften Wechsel von Flamme und Schatten. Die langen weißen Hände lagen über dem Pelz, regungslos auch sie, zwei wunderbare Leichen. Es schien dem Stationsvorsteher, daß diese Frau auf der Bahre auf einer großen weißen Insel aus Stille ruhe, mitten in einem betäubenden Meer von Lärm und Geräusch, und daß sie sogar Stille verbreite. In der Tat war es, als ob all die hurtigen und geschäftigen Menschen einen Bogen um die Bahre machen wollten, auf der die Frau ruhte. War sie schon gestorben? Brauchte man sich nicht mehr um sie zu kümmern? Der Stationschef Fallmerayer näherte sich langsam der Bahre.

Die Frau lebte noch. Unverletzt war sie geblieben. Als Fallmerayer sich zu ihr niederbeugte, sagte sie, ohne seine Frage abzuwarten – ja sogar wie in einer gewissen Angst vor seinen Fragen –, ihr fehle nichts, sie glaube, sie könne aufstehn. Sie habe höchstens lediglich den Verlust ihres Gepäcks zu beklagen. Sie könne sich bestimmt erheben. Und sie machte sofort Anstalten aufzustehn. Fallmerayer half ihr. Er nahm den Pelz mit der Linken, umfaßte die Schulter der Frau mit der Rechten, wartete, bis sie sich erhob, legte den Pelz um ihre Schultern, hierauf den Arm um den Pelz, und so gingen sie beide, ohne ein Wort, ein paar Schritte über Schienen und Geröll in das nahe Häuschen eines Weichenwärters, die wenigen Stufen hinauf, in die trockene, lichtvolle Wärme.

»Hier bleiben Sie ein paar Minuten ruhig sitzen«, sagte Fallmerayer.

»Ich habe draußen zu tun. Ich komme gleich wieder.«

Im selben Augenblick wußte er, daß er log, und er log wahrscheinlich zum erstenmal in seinem Leben. Dennoch war ihm die Lüge selbstverständlich. Und obwohl er in dieser Stunde nichts sehnlicher gewünscht hätte, als bei der Frau zu bleiben, wäre es ihm doch fürchterlich gewesen, in ihren Augen als ein Nutzloser zu erscheinen, der nichts anderes zu tun hatte, während draußen tausend

Hände halfen und retteten. Er begab sich also eilig hinaus
– und fand, zu seinem eigenen Erstaunen, jetzt den Mut
und die Kraft, zu helfen, zu retten, hier einen Befehl zu
erteilen und dort einen Rat, und obwohl er die ganze Zeit,
während er half, rettete und schaffte, an die Frau im Häuschen denken mußte und obwohl die Vorstellung, er könnte sie später nicht wiedersehn, grausam war und grauen-
haft, blieb er dennoch tätig auf dem Schauplatz der
Katastrophe, aus Angst, er könnte viel zu früh zurückkehren und also seine Nutzlosigkeit vor der Fremden beweisen. Und als verfolgten ihn ihre Blicke und feuerten
ihn an, gewann er sehr schnell Vertrauen zu seinem Wort
und zu seiner Vernunft, und er erwies sich als flinker, kluger und mutiger Helfer.

Also arbeitete er zwei Stunden etwa, ständig denkend
an die wartende Fremde. Nachdem Arzt und Sanitäter
den Verletzten die notwendige Hilfe geleistet hatten,
machte sich Fallmerayer daran, in das Häuschen des Wei-
chenstellers zurückzukehren. Dem Doktor, den er kannte, sagte er hastig, drüben sei noch ein Opfer der Katastrophe. Nicht ganz ohne Selbstbewußtsein betrachtete er
seine zerschürften Hände und seine beschmutzte Uniform. Er führte den Arzt in die Stube des Weichenwärters
und begrüßte die Fremde, die sich nicht von ihrem Platz
gerührt zu haben schien, mit dem fröhlich-selbstverständ-
lichen Lächeln, mit dem man längst Vertrauten wieder-
zubegegnen pflegt.

»Untersuchen Sie die Dame!« sagte er zum Arzt. Und
er selbst wandte sich zur Tür.

Er wartete ein paar Minuten draußen. Der Arzt kam
und sagte: »Ein kleiner Schock, nichts weiter. Am besten,
sie bleibt hier. Haben Sie Platz in Ihrer Wohnung?«

»Gewiß, gewiß!« antwortete Fallmerayer. Und gemeinsam führten sie die Fremde in die Station, die Treppe hinauf, in die Wohnung des Stationschefs.

»In drei, vier Tagen ist sie völlig gesund«, sagte der Arzt. In diesem Augenblick wünschte Fallmerayer, es möchten viel mehr Tage vergehen.

III

Der Fremden überließ Fallmerayer sein Zimmer und sein Bett. Die Frau des Stationsvorstehers handelte geschäftig zwischen der Kranken und den Kindern. Zweimal täglich kam Fallmerayer selbst. Die Zwillinge wurden zu strenger Ruhe angehalten.

Einen Tag später waren die Spuren des Unglücks beseitigt, die übliche Untersuchung eingeleitet, Fallmerayer vernommen, der schuldige Weichensteller vom Dienst entfernt. Zweimal täglich rasten die Expreßzüge wie bisher am grüßenden Stationschef vorbei.

Am Abend nach der Katastrophe erfuhr Fallmerayer den Namen der Fremden: Es war eine Gräfin Walewska, Russin, aus der Umgebung von Kiew, auf der Fahrt von Wien nach Meran begriffen. Ein Teil ihres Gepäcks fand sich und wurde ihr zugestellt: braune und schwarze lederne Koffer. Sie rochen nach Juchten und unbekanntem Parfüm. So roch es nun in der ganzen Wohnung Fallmerayers.

Er schlief jetzt – da man sein Bett der Fremden gegeben hatte – nicht in seinem Schlafzimmer, neben Frau Fallmerayer, sondern unten, in seinem Dienstzimmer. Das heißt: Er schlief überhaupt nicht. Er lag wach. Am Morgen gegen neun Uhr betrat er das Zimmer, in dem die fremde Frau lag. Er fragte, ob sie gut geschlafen und gefrühstückt habe, ob sie sich wohl fühle. Ging mit frischen Veilchen zu der Vase auf der Konsole, wo die alten gestern gestanden hatten, entfernte die alten Blumen, setzte die neuen in frisches Wasser und blieb dann am Fußende des

Bettes stehen. Vor ihm lag die fremde Frau, auf seinem Kissen, unter seiner Decke. Er murmelte etwas Undeutliches. Mit großen, dunklen Augen, einem weißen, starken Angesicht, das weit war wie eine fremde und süße Landschaft, auf den Kissen, unter der Decke des Stationsvorstehers, lag die fremde Frau. »Setzen Sie sich doch«, sagte sie, jeden Tag zweimal. Sie sprach das harte und fremde Deutsch einer Russin, eine tiefe, fremde Stimme. Alle Pracht der Weite und des Unbekannten war in ihrer Kehle.

Fallmerayer setzte sich nicht. »Entschuldigen schon, ich hab' viel zu tun«, sagte er, machte kehrt und entfernte sich.

Sechs Tage ging es so. Am siebenten riet der Doktor der Fremden weiterzufahren. Ihr Mann erwartete sie in Meran. Sie fuhr also und hinterließ in allen Zimmern und besonders im Bett Fallmerayers einen unauslöschbaren Duft von Juchten und einem namenlosen Parfüm.

IV

Dieser merkwürdige Duft blieb im Hause, im Gedächtnis, ja, man könnte sagen, im Herzen Fallmerayers viel länger haften als die Katastrophe. Und während der folgenden Wochen, in denen die langwierigen Untersuchungen über genauere Ursachen und detaillierteren Hergang des Unglücks ihren vorschriftsmäßigen Verlauf nahmen und Fallmerayer ein paarmal einvernommen wurde, hörte er nicht auf, an die fremde Frau zu denken, und wie betäubt von dem Geruch, den sie rings um ihn und in ihm hinterlassen hatte, gab er beinahe verworrene Auskünfte auf präzise Fragen. Wäre sein Dienst nicht verhältnismäßig einfach gewesen und er seit Jahren nicht bereits selbst zu einem fast mechanischen Bestandteil des Dienstes gewor-

den, er hätte ihn nicht mehr guten Gewissens versehen
können. Im stillen hoffte er von einer Post zur andern auf
eine Nachricht der Fremden. Er zweifelte nicht daran, daß
sie noch einmal schreiben würde, wie es sich schickte, um
für die Gastfreundschaft zu danken. Und eines Tages traf
wirklich ein großer, dunkelblauer Brief aus Italien ein. Die
Walewska schrieb, daß sie mit ihrem Mann weiter süd-
wärts gefahren sei. Augenblicklich befände sie sich in
Rom. Nach Sizilien wollten sie und ihr Mann fahren. Für
die Zwillinge Fallmerayers kam einen Tag später ein nied-
licher Korb mit Früchten und vom Mann der Gräfin Walewska für die Frau des Stationschefs ein Paket sehr zarter
und duftender blasser Rosen. Es hätte lange gedauert,
schrieb die Gräfin, ehe sie Zeit gefunden habe, ihren gütigen Wirten zu danken, aber sie sei auch eine längere Zeit
nach ihrer Ankunft in Meran erschüttert und der Erholung bedürftig gewesen. Die Früchte und die Blumen
brachte Fallmerayer sofort in seine Wohnung. Den Brief
aber, obwohl er einen Tag früher gekommen war, behielt
der Stationschef noch etwas länger. Sehr stark dufteten
Früchte und Rosen aus dem Süden, aber Fallmerayer war
es, als röche der Brief der Gräfin noch kräftiger. Es war ein
kurzer Brief. Fallmerayer kannte ihn auswendig. Er wußte genau, welche Stelle jedes Wort einnahm. Mit lila Tinte,
in großen, fliegenden Zügen geschrieben, nahmen sich die
Buchstaben aus wie eine schöne Schar fremder, seltsam
gefiederter, schlanker Vögel, dahinschwebend auf tief-
blauem Himmelsgrund. »Anja Walewska« lautete die Unterschrift. Auf den Vornamen der Fremden, nach dem er
sie zu fragen niemals gewagt hatte, war er längst begierig
gewesen, als wäre ihr Vorname einer ihrer verborgenen
körperlichen Reize. Nun, da er ihn kannte, war es ihm
eine Weile, als hätte sie ihm ein süßes Geheimnis geschenkt. Und aus Eifersucht, um es für sich allein zu be-
wahren, entschloß er sich, erst zwei Tage später den Brief

seiner Frau zu zeigen. Seitdem er den Vornamen der Walewska wußte, kam es ihm zu Bewußtsein, daß der seiner Frau – sie hieß Klara – nicht schön war. Als er nun sah, mit welch gleichgültigen Händen Frau Klara den Brief der Fremden entfaltete, kamen ihm auch die fremden Hände der Schreiberin in Erinnerung – so, wie er sie zum erstenmal erblickt hatte, über dem Pelz, regungslose Hände, zwei schimmernde silberne Hände. Damals hätte ich sie küssen sollen – dachte er einen Augenblick. »Ein sehr netter Brief«, sagte seine Frau und legte den Brief weg. Ihre Augen waren stahlblau und pflichtbewußt, nicht einmal bekümmert. Frau Klara Fallmerayer besaß die Fähigkeit, sogar Sorgen als Pflichten zu werten und im Kummer eine Genugtuung zu finden. Das glaubte Fallmerayer – dem derlei Überlegungen oder Einfälle immer fremd gewesen waren – auf einmal zu erkennen. Und er schützte heute nacht eine dringende dienstliche Obliegenheit vor, mied das gemeinsame Zimmer und legte sich unten im Dienstraum schlafen und versuchte sich einzureden, oben, über ihm, in seinem Bett, schliefe noch immer die Fremde.

Die Tage vergingen, die Monate. Aus Sizilien flogen noch zwei bunte Ansichtskarten heran, mit flüchtigen Grüßen. Der Sommer kam, ein heißer Sommer. Als die Zeit des Urlaubs herannahte, beschloß Fallmerayer, nirgends hinzufahren. Frau und Kinder schickte er in eine Sommerfrische nach Österreich. Er blieb und versah seinen Dienst weiter. Zum erstenmal seit seiner Verheiratung war er von seiner Frau getrennt. Im stillen hatte er sich zuviel von dieser Einsamkeit versprochen. Erst als er allein geblieben war, begann er zu merken, daß er keineswegs allein hatte sein wollen. Er kramte in allen Fächern; er suchte nach dem Brief der fremden Frau. Aber er fand ihn nicht mehr. Frau Fallmerayer hatte ihn vielleicht längst vernichtet.

Frau und Kinder kamen zurück, der Juli ging zu Ende. Da war die allgemeine Mobilisierung da.

V

Fallmerayer war Fähnrich in der Reserve im Einund-
zwanzigsten Jägerbataillon. Da er einen verhältnismäßig
wichtigen Posten versah, wäre es ihm, wie mehreren seiner Kollegen, möglich gewesen, noch eine Weile im Hinterland zu bleiben. Allein Fallmerayer legte seine Uniform an, packte seinen Koffer, umarmte seine Kinder,
küßte seine Frau und fuhr zu seinem Kader. Dem Bahn-
assistenten übergab er den Dienst. Frau Fallmerayer
weinte, die Zwillinge jubelten, weil sie ihren Vater in einer
ungewohnten Kleidung sahen. Frau Fallmerayer verfehlte
nicht, stolz auf ihren Mann zu sein – aber erst in der Stunde der Abfahrt. Sie unterdrückte die Tränen. Ihre blauen
Augen waren erfüllt von bitterem Pflichtbewußtsein.

Was den Stationschef selbst betraf, so empfand er erst,
als er mit einigen Kameraden in einem Abteil geblieben
war, die grausame Entschiedenheit dieser Stunden. Dennoch glaubte er zu fühlen, daß er sich durch eine ganz
unbestimmte Heiterkeit von all den in seinem Abteil an-
wesenden Offizieren unterschied. Es waren Reserveoffi-
ziere. Jeder von ihnen hatte ein geliebtes Haus verlassen.
Und jeder von ihnen war in dieser Stunde begeisterter
Soldat. Jeder zugleich auch ein trostloser Vater, ein trostloser Sohn. Fallmerayer allein schien es, daß ihn der Krieg
aus einer aussichtslosen Lage befreit hatte. Seine Zwillinge
kamen ihm gewiß bedauernswert vor. Auch seine Frau.
Gewiß, auch seine Frau. Während aber die Kameraden,
begannen sie von der Heimat zu sprechen, alle zärtliche
Herzlichkeit, derer sie fähig sein mochten, in Mienen und
Gebärden offenbarten, war es Fallmerayer, als müßte er,
um es ihnen gleichzutun, sobald er von den Seinen zu
erzählen begann, wenn auch keine lügnerische, so doch
eine übertriebene Bangigkeit in Blick und Stimme legen.
Und eigentlich hatte er eher Lust, mit den Kameraden von

der Gräfin Walewska zu sprechen als von seinem Haus. Er zwang sich zu schweigen. Und es kam ihm vor, daß er doppelt log: einmal, weil er verschwieg, was ihn im Innersten bewegte, und zweitens, weil er hie und da von seiner Frau und seinen Kindern erzählte – von denen er in dieser Stunde viel weiter entfernt war als von der Gräfin Walewska, der Frau eines feindlichen Landes. Er begann, sich ein wenig zu verachten.

VI

Er rückte ein. Er ging ins Feld. Er kämpfte. Er war ein tapferer Soldat. Er schrieb die üblichen herzlichen Feldpostbriefe nach Hause. Er wurde ausgezeichnet, zum Leutnant ernannt. Er wurde verwundet. Er kam ins Lazarett. Er hatte Anspruch auf Urlaub. Er verzichtete und ging wieder ins Feld. Er kämpfte im Osten. In freien Stunden, zwischen Gefecht, Inspizierung, Sturmangriff, begann er, aus zufällig gefundenen Büchern Russisch zu lernen. Beinahe mit Wollust. Mitten im Gestank des Gases, im Geruch des Bluts, im Regen, im Sumpf, im Schlamm, im Schweiß der Lebendigen, im Dunst der faulenden Kadaver verfolgte Fallmerayer der fremde Duft von Juchten und das namenlose Parfüm der Frau, die einmal in seinem Bett, auf seinem Kissen, unter seiner Decke gelegen hatte. Er lernte die Muttersprache dieser Frau und stellte sich vor, er spräche mit ihr, in ihrer Sprache. Zärtlichkeiten lernte er, Verschwiegenheiten, kostbare russische Zärtlichkeiten. Er sprach mit ihr. Durch einen ganzen großen Weltkrieg war er von ihr getrennt, und er sprach mit ihr. Mit kriegsgefangenen Russen unterhielt er sich. Mit hundertfach geschärftem Ohr vernahm er die zartesten Tönungen, und mit geläufiger Zunge sprach er sie nach. Mit jedem neuen Klang der fremden Sprache, den er lernte, kam er der fremden Frau näher. Nichts mehr wußte er von ihr, als was er zuletzt von ihr gesehn hatte: flüchtigen Gruß und flüchtige Unterschrift auf einer banalen Ansichtskarte. Aber für ihn lebte sie; auf ihn wartete sie; bald sollte er mit ihr sprechen.

Er kam, weil er Russisch konnte, als sein Bataillon an die Südfront abkommandiert wurde, zu einem der Regimenter, die eine kurze Zeit später in die sogenannte Okkupationsarmee eingereiht wurden. Fallmerayer wurde zuerst als Dolmetscher zum Divisionskommando versetzt, hierauf zur »Kundschafter- und Nachrichtenstelle«. Er gelangte schließlich in die Nähe von Kiew.

VII

Den Namen Solowienki hatte er wohl behalten. Mehr als behalten: Vertraut und heimisch war ihm dieser Name geworden.

Ein leichtes war es, den Namen des Gutes herauszufinden, das der Familie Walewski gehörte. Solowki hieß es und lag drei Werst südlich von Kiew. Fallmerayer geriet in süße, beklemmende und schmerzliche Erregung. Er hatte das Gefühl einer unendlichen Dankbarkeit gegen das Schicksal, das ihn in den Krieg und hierhergeführt hatte, und zugleich eine namenlose Angst vor allem, was es ihm jetzt erst zu bereiten begann. Krieg, Sturmangriff, Verwundung, Todesnähe: Es waren ganz blasse Ereignisse, verglichen mit jenem, das ihm nun bevorstand. Lediglich eine – wer weiß: vielleicht unzulängliche – Vorbereitung für die Begegnung mit der Frau war alles gewesen. War er wirklich für alle Fälle gerüstet? War sie überhaupt in ihrem Hause? Hatte sie nicht der Einmarsch der feindlichen Armee in gesichertere Gegenden getrieben? Und wenn sie zu Hause lebte, war ihr Mann mit ihr? Man mußte auf alle Fälle hingehn und sehn.

Fallmerayer ließ einspannen und fuhr los.

Es war ein ziemlich früher Morgen im Mai. Man fuhr im leichten, zweirädrigen Wägelchen an blühenden Wiesen vorbei, auf gewundener, sandiger Landstraße, durch eine fast unbewohnte Gegend. Soldaten marschierten klappernd und rasselnd dahin, zu den üblichen Exerzierübungen. Im lichten und hohen blauen Gewölbe des Himmels verborgen, trillerten die Lerchen. Dichte, dunkle Flecken kleiner Tannenwäldchen wechselten ab mit dem hellen, fröhlichen Silber der Birken. Und der Morgenwind brachte aus weiter Ferne abgebrochenen Gesang der Soldaten aus entlegenen Baracken. Fallmerayer dachte an seine Kindheit, an die Natur seiner Heimat. Nicht weit von der Station, an der er bis zum Kriege Dienst getan hatte, war er geboren worden und aufgewachsen. Auch sein Vater war Bahnbeamter gewesen, niederer Bahnbeamter, Magazineur. Die ganze Kindheit Fallmerayers war, wie sein späteres Leben, erfüllt gewesen von den Geräuschen und Gerüchen der Eisenbahn wie von denen der Natur. Die Lokomotiven pfiffen und hielten Zwiesprache mit dem Jubel der Vögel. Der schwere Dunst der Steinkohle lagerte über dem Duft der blühenden Felder. Der graue Rauch der Bahnen verschwamm mit dem blauen Gewölk über den Bergen zu einem einzigen Nebel aus süßer Wehmut und Sehnsucht. Wie anders war diese Welt hier, heiter und traurig in einem, keine heimliche Güte mehr auf mildem, sanftem Abhang, spärlicher Flieder hier, keine vollen Dolden mehr hinter sauber gestrichenen Zäunen. Niedere Hütten mit breiten, tiefen Dächern aus Stroh wie Kapuzen, winzige Dörfer, verloren in der Weite und sogar in dieser übersichtlichen Fläche doch gleichsam verborgen. Wie verschieden waren die Länder! Waren es auch die menschlichen Herzen? Wird sie mich auch begreifen? – fragte sich Fallmerayer. Wird sie mich auch begreifen? – Und je näher er dem Gute der Walewskis kam, desto heftiger loderte die Frage in seinem Herzen. Je näher er kam, desto sicherer schien es ihm auch, daß die Frau zu Hause war. Bald zweifelte er gar nicht mehr daran, daß ihn noch Minuten nur von ihr trennten. Ja, sie war zu Hause.

Gleich am Anfang der schütteren Birkenallee, die den sachten Aufstieg zum Herrenhaus ankündigte, sprang Fallmerayer aus dem Wagen. Zu Fuß legte er den Weg zurück, damit es noch ein wenig länger dauere. Ein alter Gärtner fragte nach seinen Wünschen. Er möchte die Gräfin sehen, sagte Fallmerayer. Er wolle es ausrichten, meinte der Mann, entfernte sich langsam und kam bald wieder. Ja, die Frau Gräfin war da und erwartete den Besuch.

Die Walewska erkannte Fallmerayer selbstverständlich nicht. Sie hielt ihn für einen der vielen militärischen Besucher, die sie in der letzten Zeit hatte empfangen müssen. Sie bat ihn, sich zu setzen. Ihre Stimme, tief, dunkel, fremd, erschreckte ihn und war ihm wohlvertraut zugleich, ein heimischer Schauder, ein wohlbekannter, liebevoll begrüßter, seit undenklichen Jahren sehnsüchtig erwarteter Schrecken. »Ich heiße Fallmerayer!« sagte der Offizier. – Sie hatte natürlich den Namen vergessen. »Sie erinnern sich«, begann er wieder, »ich bin der Stationschef von L.« Sie trat näher zu ihm, faßte seine Hände, er roch ihn wieder, den Duft, der ihn undenkliche Jahre verfolgt, umgeben, gehegt, geschmerzt und getröstet hatte. Ihre Hände lagen einen Augenblick auf den seinen.

»Oh, erzählen Sie, erzählen Sie!« rief die Walewska. Er erzählte kurz, wie es ihm ging. »Und Ihre Frau, Ihre Kinder?« fragte die Gräfin. »Ich habe sie nicht mehr gesehen!« sagte Fallmerayer. »Ich habe nie Urlaub genommen.«

Hierauf entstand eine kleine Stille. Sie sahen sich an. In dem breiten und niederen, weiß getünchten und fast kahlen Zimmer lag die Sonne des jungen Vormittags golden und satt. Fliegen summten an den Fenstern. Fallmerayer sah still auf das breite weiße Gesicht der Gräfin. Vielleicht verstand sie ihn. Sie erhob sich, um eine Gardine vor das mittlere der drei Fenster zu ziehen. »Zu hell?« fragte sie. »Lieber dunkel!« antwortete Fallmerayer. Sie kam an das Tischchen zurück, rührte ein Glöckchen, der alte Diener kam; sie bestellte Tee. Die Stille zwischen ihnen wich nicht: Sie wuchs im Gegenteil, bis man den Tee brachte. Fallmerayer rauchte. Während sie ihm den Tee einschenkte, fragte er plötzlich: »Und wo ist Ihr Mann?«

Sie wartete, bis sie die Tasse gefüllt hatte, als müßte sie erst eine sehr vorsorgliche Antwort überlegen. »An der Front natürlich!« sagte sie dann. »Ich höre seit drei Monaten nichts mehr von ihm. Wir können ja jetzt nicht korrespondieren!« »Sind Sie sehr in Sorge?« fragte Fallmerayer. »Gewiß«, erwiderte sie, »nicht weniger als Ihre Frau um Sie wahrscheinlich.« »Verzeihen Sie, Sie haben recht, ich war recht dumm«, sagte Fallmerayer. Er blickte auf die Teetasse.

Sie hätte sich geweigert, erzählte die Gräfin weiter, das Haus zu verlassen. Andere seien geflohen. Sie fliehe nicht, vor ihren Bauern nicht und auch nicht vor dem Feind. Sie lebe hier mit vier Dienstboten, zwei Reitpferden und einem Hund. Geld und Schmuck habe sie vergraben. Sie suchte lange nach einem Wort, sie wußte nicht, wie man »vergraben« auf deutsch sage, und zeigte auf die Erde. Fallmerayer sagte das russische Wort. »Sie können Russisch?« fragte sie. »Ja«, sagte er, »ich habe es gelernt, im Felde gelernt.« Und auf russisch fügte er hinzu:

»Ihretwegen, für Sie, um einmal mit Ihnen sprechen zu können, habe ich Russisch gelernt.«

Sie bestätigte ihm, daß er vorzüglich spreche, so als hätte er seinen inhaltsschweren Satz nur gesprochen, um seine sprachlichen Fähigkeiten zu beweisen. Auf diese Weise verwandelte sie sein Geständnis in eine bedeutungslose

Stilübung. Aber gerade diese ihre Antwort bewies ihm, daß sie ihn gut verstanden habe.

Nun will ich gehen, dachte er. Er stand auch sofort auf. Und ohne ihre Einladung abzuwarten und wohl wissend, daß sie seine Unhöflichkeit richtig deuten würde, sagte er: »Ich komme in der nächsten Zeit wieder!« – Sie antwortete nicht. Er küßte ihre Hand und ging.

VIII

Er ging – und zweifelte nicht mehr daran, daß sein Geschick anfing, sich zu erfüllen. Es ist ein Gesetz, sagte er sich. Es ist unmöglich, daß ein Mensch einem andern so unwiderstehlich entgegengetrieben wird und daß der andere zugeschlossen bleibt. Sie fühlt, was ich fühle. Wenn sie mich noch nicht liebt, so wird sie mich bald lieben.

Mit der gewohnten sicheren Solidität des Beamten und Offiziers erledigte Fallmerayer seine Obliegenheiten. Er beschloß, vorläufig zwei Wochen Urlaub zu nehmen, zum erstenmal, seitdem er eingerückt war. Seine Ernennung zum Oberleutnant mußte in einigen Tagen erfolgen. Diese wollte er noch abwarten.

Zwei Tage später fuhr er noch einmal nach Solowki. Man sagte ihm, die Gräfin Walewska sei nicht zu Hause und würde vor Mittag nicht erwartet. »Nun«, sagte er, »so werde ich im Garten so lange bleiben.« Und da man nicht wagte, ihn hinauszuweisen, ließ man ihn in den Garten hinter dem Hause.

Er sah zu den zwei Reihen der Fenster hinauf. Er vermutete, daß die Gräfin zu Hause war und sich verleugnen ließ. In der Tat glaubte er, bald hinter diesem, bald hinter jenem Fenster den Schimmer eines hellen Kleides zu sehen. Er wartete geduldig und geradezu gelassen.

Als es zwölf Uhr vom nahen Kirchturm schlug, ging er

wieder ins Haus. Frau Walewska war da. Sie kam gerade die Treppe herunter, in einem schwarzen, engen und hochgeschlossenen Kleid, eine dünne Schnur kleiner Perlen um den Kragen und ein silbernes Armband um die enge linke Manschette. Es schien Fallmerayer, daß sie sich seinetwegen gepanzert hatte – und es war, als ob das Feuer, das ewig in seinem Herzen für sie brannte, noch ein neues, ein besonderes, kleines Feuerchen geboren habe. Neue Lichter zündete die Liebe an. Fallmerayer lächelte. »Ich habe lange warten müssen«, sagte er, »aber ich habe gern gewartet, wie Sie wissen. Ich habe hinten im Garten zu den Fenstern hinaufgeschaut und habe mir eingebildet, daß ich das Glück habe, Sie zu sehn. So ist mir die Zeit vergangen.«

Ob er essen wolle, fragte die Gräfin, da es gerade Zeit sei. Gewiß, sagte er, er habe Hunger. Aber von den drei Gängen, die man dann servierte, nahm er nur die lächerlichsten Brocken.

Die Gräfin erzählte vom Ausbruch des Krieges. Wie sie in höchster Eile aus Kairo nach Hause heimgekehrt seien. Vom Garderegiment ihres Mannes. Von dessen Kameraden. Von ihrer Jugend hierauf. Von Vater und Mutter. Von der Kindheit dann. Es war, als suchte sie sehr krampfhaft nach Geschichten und als wäre sie sogar bereit, etwelche zu erfinden – alles nur, um den ohnehin schweigsamen Fallmerayer nicht sprechen zu lassen. Er strich seinen kleinen, blonden Schnurrbart und schien genau zuzuhören. Er aber hörte viel stärker auf den Duft, den die Frau ausströmte, als auf die Reden, die sie führte. Seine Poren lauschten. Und im übrigen: Auch ihre Worte dufteten, ihre Sprache. Alles, was sie erzählen konnte, erriet er ohnedies. Nichts von ihr konnte ihm verborgen bleiben. Was konnte sie ihm verbergen? Ihr strenges Kleid schützte ihren Körper keineswegs vor seinem wissenden Blick. Er fühlte die Sehnsucht seiner Hände nach ihr, das Heimweh seiner Hände nach der Frau. Als sie aufstanden, sagte er, daß er noch zu bleiben gedenke, Urlaub habe er heute, einen viel längeren Urlaub nehme er in einigen Tagen, sobald er Oberleutnant geworden sei. Wohin er fahren wolle? fragte die Gräfin. »Nirgendwohin!« sagte Fallmerayer. »Bei Ihnen will ich bleiben!« Sie lud ihn ein, zu bleiben, solange er wolle – heute und später. Jetzt müsse sie ihn allein lassen und sich im Hause ein wenig umsehen. Wolle er kommen – es gäbe Zimmer genug im Hause – und so viele, daß sie es nicht nötig hätten, einander zu stören.

Er verabschiedete sich. Da sie nicht mit ihm bleiben könne, sagte er, zöge er es vor, in die Stadt zurückzukehren.

Als er in den Wagen stieg, wartete sie auf der Schwelle, im strengen schwarzen Kleid, mit ihrem weiten, hellen Antlitz darüber – und während er die Peitsche ergriff, hob sie sachte die Hand zu einem halben, gleichsam angestrengt gezügelten Gruß.

IX

Ungefähr eine Woche nach diesem Besuch erhielt der neuernannte Oberleutnant Adam Fallmerayer seinen Urlaub. Allen Kameraden sagte er, er wolle nach Hause fahren. Indessen begab er sich in das Herrenhaus der Walewskis, bezog ein Zimmer im Parterre, das man für ihn vorbereitet hatte, aß jeden Tag mit der Frau des Hauses, sprach mit ihr über dies und jenes, Gleichgültiges und Fernes, erzählte von der Front und gab nie acht auf den Inhalt seiner Rede, ließ sich erzählen und hörte nicht zu. In der Nacht schlief er nicht, schlief er ebensowenig wie vor Jahren daheim im Stationsgebäude, während der sechs Tage, an denen die Gräfin über ihm, in seinem Zimmer, genächtigt hatte. Auch heute ahnte er sie in den Nächten über sich, über seinem Haupt, über seinem Herzen.

Eines Nachts, es war schwül, ein linder, guter Regen fiel, erhob sich Fallmerayer, kleidete sich an und trat vor das Haus. Im geräumigen Treppenhaus brannte eine gelbe Petroleumlaterne. Still war das Haus, still war die Nacht, still war der Regen, er fiel wie auf zarten Sand, und sein eintöniges Singen war der Gesang der nächtlichen Stille selbst. Auf einmal knarrte die Treppe. Fallmerayer hörte es, obwohl er sich vor dem Tor befand. Er sah sich um. Er hatte das schwere Tor offengelassen. Und er sah die Gräfin Walewska die Treppen hinuntersteigen. Sie war vollkommen angezogen, wie bei Tag. Er verneigte sich, ohne ein Wort zu sagen. Sie kam nahe zu ihm heran. So blieben sie, stumm, ein paar Sekunden. Fallmerayer hörte sein Herz klopfen. Auch war ihm, als klopfte das Herz der Frau so laut wie das seine – und im gleichen Takt mit diesem. Schwül schien auf einmal die Luft geworden zu sein, kein Zug kam durch das offene Tor. Fallmerayer sagte: »Gehen wir durch den Regen, ich hole Ihnen den Mantel!« Und ohne eine Zustimmung abzuwarten, stürzte er in sein Zimmer, kam mit dem Mantel zurück, legte ihn der Frau um die Schultern, wie er ihr einmal den Pelz umgelegt hatte, damals, an dem unvergeßlichen Abend der Katastrophe, und hierauf den Arm um den Mantel. Und so gingen sie in die Nacht und in den Regen.

Sie gingen die Allee entlang, trotz der nassen Finsternis leuchteten silbern die dünnen, schütteren Stämme wie von einem im Innern entzündeten Licht. Und als erweckte dieser silberne Glanz der zärtlichsten Bäume der Welt Zärtlichkeit im Herzen Fallmerayers, drückte er seinen Arm fester um die Schulter der Frau, spürte durch den harten, durchnäßten Stoff des Mantels die nachgiebige Güte des Körpers, für eine Weile schien es ihm, daß sich ihm die Frau zuneige, ja, daß sie sich an ihn schmiege, und doch war einen hurtigen Augenblick später wieder geraumer Abstand zwischen ihren Körpern. Seine Hand verließ

ihre Schultern, tastete sich empor zu ihrem nassen Haar,
strich über ihr nasses Ohr, berührte ihr nasses Angesicht.
Und im nächsten Augenblick blieben sie beide gleichzeitig stehn, wandten sich einander zu, umfingen sich, der
Mantel sank von ihren Schultern nieder und fiel taub und
schwer auf die Erde – und so, mitten in Regen und Nacht,
legten sie Gesicht an Gesicht, Mund an Mund und küßten
sich lange.

X

Einmal sollte Oberleutnant Fallmerayer nach Shmerinka
versetzt werden, aber es gelang ihm, mit vieler Anstrengung, zu bleiben. Fest entschlossen war er zu bleiben. Jeden Morgen, jeden Abend segnete er den Krieg und die
Okkupation. Nichts fürchtete er mehr als einen plötzlichen Frieden. Für ihn war der Graf Walewski seit langem
tot, an der Front gefallen oder von meuternden kommu-
nistischen Soldaten umgebracht. Ewig hatte der Krieg zu
währen, ewig der Dienst Fallmerayers an diesem Ort, in
dieser Stellung.

Nie mehr Frieden auf Erden.

Dem Übermut war Fallmerayer eben anheimgefallen,
wie es manchen Menschen geschieht, denen das Übermaß
ihrer Leidenschaft die Sinne blendet, die Einsicht raubt,
den Verstand betört. Allein, schien es ihm, sei er auf der
Erde, er und der Gegenstand seiner Liebe. Selbstverständlich aber ging, unbekümmert um ihn, das große und verworrene Schicksal der Welt weiter. Die Revolution kam.
Der Oberleutnant und Liebhaber Fallmerayer hatte sie
keineswegs erwartet.

Doch schärfte, wie es in höchster Gefahr zu geschehen
pflegt, der heftige Schlag der außergewöhnlichen Schick-
salsstunde auch seine eingeschläferte Vernunft, und mit

verdoppelter Wachsamkeit erkannte er schnell, daß es galt, das Leben der geliebten Frau, sein eigenes und vor allem ihrer beider Gemeinsamkeit zu retten. Und da ihm, mitten in der Verwirrung, welche die plötzlichen Ereignisse angerichtet hatten, dank seiner militärischen Grade und der besonderen Dienste, die er versah, immer noch einige, fürs erste genügende Hilfs- und sogar Machtmittel verblieben waren, bemühte er sich, diese schnell zu nutzen; und also gelang es ihm, innerhalb der ersten paar Tage, in denen die österreichische Armee zerfiel, die deutsche sich aus der Ukraine zurückzog, die russischen Roten ihren Einmarsch begannen und die neuerlich revoltierenden Bauern gegen die Gutshöfe ihrer bisherigen Herren mit Brand und Plünderung anrückten, zwei gut geschützte Autos der Gräfin Walewska zur Verfügung zu stellen, ein halbes Dutzend ergebener Mannschaften mit Gewehren und Munition und einem Mundvorrat für ungefähr eine Woche.

Eines Abends – die Gräfin weigerte sich immer noch, ihren Hof zu verlassen – erschien Fallmerayer mit den Wagen und seinen Soldaten und zwang seine Geliebte mit heftigen Worten und beinahe mit körperlicher Gewalt, den Schmuck, den sie im Garten vergraben hatte, zu holen und sich zur Abreise fertigzumachen. Das dauerte eine ganze Nacht. Als der trübe und feuchte Spätherbstmorgen zu grauen begann, waren sie fertig, und die Flucht konnte beginnen. In dem geräumigeren, von Zeltleinwand überdachten Auto befanden sich die Soldaten. Ein Militärchauffeur lenkte das Personenautomobil, das dem ersten folgte und in dem die Gräfin und Fallmerayer saßen. Sie hatten beschlossen, nicht westwärts zu fahren, wie damals alle Welt tat, sondern südlich. Man konnte mit Sicherheit annehmen, daß alle Straßen des Landes, die nach dem Westen führten, von rückflutenden Truppen verstopft sein würden. Und wer weiß, was man noch an den

Grenzen der neu entstandenen westlichen Staaten zu erwarten hatte! Möglich war immerhin – und wie es sich
später zeigte, war es sogar Tatsache –, daß man an den
westlichen Grenzen des russischen Reiches neue Kriege
angefangen hatte. In der Krim und im Kaukasus hatte die
Gräfin Walewska außerdem reiche und mächtige Anver-
wandte. Hilfe war von ihnen selbst unter diesen veränderten Verhältnissen immerhin noch zu erwarten, sollte
man ihrer bedürftig werden. Und was das Wichtigste war:
Ein kluger Instinkt sagte den beiden Liebenden, daß in
einer Zeit, in der das wahrhaftige Chaos auf der ganzen
Erde herrschte, das ewige Meer die einzige Freiheit bedeuten müsse. An das Meer wollten sie zuallererst gelangen. Sie versprachen den Männern, die sie bis zum Kaukasus begleiten sollten, jedem eine ansehnliche Summe in
purem Gold. Und wohlgemut, wenn auch in natürlicher
Aufregung, fuhren sie dahin.

Da Fallmerayer alles sehr wohl vorbereitet und auch
jeden möglichen und unwahrscheinlichen Zufall im voraus berechnet hatte, gelang es ihnen, innerhalb einer sehr
kurzen Frist – vier Tage waren es im ganzen – nach Tiflis
zu kommen. Hier entließen sie die Begleiter, zahlten ihnen den ausgemachten Lohn und behielten lediglich den
Chauffeur bis Baku. Auch nach dem Süden und nach der
Krim hatten sich viele Russen aus den adligen und gut-
bürgerlichen Schichten geflüchtet. Man vermied, obwohl
man es sich vorgenommen hatte, Verwandte zu treffen,
von Bekannten gesehen zu werden. Vielmehr bemühte
sich Fallmerayer, ein Schiff zu finden, das ihn und seine
Geliebte unmittelbar von Baku nach dem nächsten Hafen
eines weniger gefährdeten Landes bringen konnte. Dabei
ließ es sich nicht vermeiden, daß man andre, mit den Walewskis mehr oder weniger bekannte Familien traf, die
ebenfalls, wie Fallmerayer, nach einem rettenden Schiff
Ausschau hielten – und daß die Gräfin über die Person

Fallmerayers wie über ihre Beziehungen zu ihm lügenhafte Auskünfte geben mußte. Schließlich sah man ein, daß man nur in Gemeinschaft mit den andern die geplante Art der Flucht bewerkstelligen konnte. Man einigte sich also mit acht andern, die Rußland auf dem Seewege verlassen wollten, fand schließlich einen zuverlässigen Kapitän eines etwas gebrechlich aussehenden Dampfers und fuhr zuerst nach Konstantinopel, von wo aus regelmäßige Schiffe nach Italien und Frankreich immer noch abgingen.

Drei Wochen später gelangte Fallmerayer mit seiner geliebten Frau nach Monte Carlo, wo die Walewskis vor dem Kriege eine kleine Villa gekauft hatten. Und nun glaubte sich Fallmerayer auf dem Höhepunkt seines Glücks und seines Lebens. Von der schönsten Frau der Welt wurde er geliebt. Mehr noch: Er liebte die schönste Frau der Welt. Neben ihm war sie jetzt ständig, wie ihr starkes Abbild jahrelang in ihm gelebt hatte. In ihr lebte er jetzt selbst. In ihren Augen sah er stündlich sein eigenes Spiegelbild, wenn er ihr nahe kam – und kaum gab es eine Stunde im Tag, in der sie beide einander nicht ganz nahe waren. Diese Frau, die kurze Zeit vorher noch zu hochmütig gewesen wäre, um dem Wunsch ihres Herzens oder ihrer Sinne zu gehorchen: diese Frau war nun ohne Ziel und ohne Willen ausgeliefert der Leidenschaft Fallmerayers, eines Stationschefs der österreichischen Südbahn, sein Kind war sie, seine Geliebte, seine Welt. Wunschlos wie Fallmerayer war die Gräfin Walewska. Der Sturm der Liebe, der seit der Schicksalsnacht, in der sich die Katastrophe auf der Station L. zugetragen hatte, im Herzen Fallmerayers zu wachsen angefangen hatte, nahm die Frau mit, trug sie davon, entfernte sie tausend Meilen weit von ihrer Herkunft, von ihren Sitten, von der Wirklichkeit, in der sie gelebt hatte. In ein wildfremdes Land der Gefühle und Gedanken wurde sie entführt. Und dieses Land war

ihre Heimat geworden. Was alles in der großen, ruhelosen
Welt vorging, bekümmerte die beiden nicht. Das Gut, das
sie mitgenommen hatte, sicherte ihnen auf mehrere Jahre
hinaus ein arbeitsloses Leben. Auch machten sie sich keine Sorgen um die Zukunft. Wenn sie den Spielsaal besuchten, geschah es aus Übermut. Sie konnten es sich leisten,
Geld zu verlieren – und sie verloren in der Tat, wie um
dem Sprichwort gerecht zu werden, das sagt, wer Glück in
der Liebe habe, verliere im Spiel. Über den Verlust waren
beide beglückt; als bedürften sie noch des Aberglaubens,
um ihrer Liebe sicher zu sein. Aber wie alle Glücklichen
waren sie geneigt, ihr Glück auf eine Probe zu stellen, um
es, bewährte es sich, womöglich zu vergrößern.

XI

Hatte die Gräfin Walewska auch ihren Fallmerayer ganz
für sich, so war sie doch – wie es sonst nur wenige Frauen
können – keineswegs imstande, längere Zeit zu lieben,
ohne den Verlust des Geliebten zu fürchten (denn es ist oft
die Furcht der Frauen, sie könnten den geliebten Mann
verlieren, die ihre Leidenschaft steigert und ihre Liebe). So
begann sie denn eines Tages, obwohl Fallmerayer keinen
Anlaß dazu gegeben hatte, von ihm zu fordern, er möge
sich von seiner Frau scheiden lassen und auf Kinder und
Amt verzichten. Sofort schrieb Adam Fallmerayer seinem
Vetter Heinrich, der ein höheres Amt im Wiener Unter-
richtsministerium bekleidete, daß er seine frühere Existenz endgültig aufgegeben habe. Da er aber nach Wien
nicht kommen wolle, möge, wenn dies überhaupt möglich, ein geschickter Advokat die Scheidung veranlassen.
    Ein merkwürdiger Zufall – so erwiderte ein paar Tage
später der Vetter Heinrich – habe es gefügt, daß Fallmerayer schon vor mehr als zwei Jahren in der Liste der

Vermißten gestanden habe. Da er auch niemals habe von sich hören lassen, sei er von seiner Frau und von seinen wenigen Blutsverwandten bereits zu den Toten gezählt worden. Längst verwaltete ein neuer Stationschef die Station L. Längst habe Frau Fallmerayer mit den Zwillingen Wohnung bei ihren Eltern in Brunn genommen. Am besten sei es, man schweige weiter, vorausgesetzt, daß Fallmerayer bei den ausländischen Vertretungen Österreichs keine Schwierigkeiten habe, was den Paß und dergleichen betreffe.

Fallmerayer dankte seinem Vetter, versprach, ihm allein fernerhin zu schreiben, bat um Verschwiegenheit und zeigte den Briefwechsel der Geliebten. Sie war beruhigt. Sie zitterte nicht mehr um Fallmerayer. Allein einmal von der rätselhaften Angst befallen, welche die Natur in die Seelen der so stark liebenden Frauen gesät hat (vielleicht, wer weiß, um den Bestand der Welt zu sichern), forderte die Gräfin Walewska von ihrem Geliebten ein Kind – und seit der Minute, in der dieser Wunsch in ihr aufgetaucht war, begann sie, sich den Vorstellungen von der vorzüglichen Beschaffenheit dieses Kindes zu ergeben; gewissermaßen sich der unerschütterlichen Hingabe an dieses Kind zu weihen. Unbedacht, leichtsinnig, beschwingt, wie sie war, erblickte sie in ihrem Geliebten, dessen maßlose Liebe ja erst ihre schöne, natürliche Unbesonnenheit geweckt hatte, dennoch das Muster der vernünftigen, maßvollen Überlegenheit. Und nichts erschien ihr wichtiger, als ein Kind in die Welt zu setzen, das ihre eigenen Vorzüge mit den unübertrefflichen ihres geliebten Mannes vereinigen sollte.

Sie wurde schwanger. Fallmerayer, wie alle verliebten Männer dem Schicksal dankbar wie der Frau, die es erfüllen half, konnte sich vor Freude nicht lassen. Keine Grenzen mehr hatte seine Zärtlichkeit. Unwiderleglich bestätigt sah er seine eigene Persönlichkeit und seine

Liebe. Erfüllung wurde ihm jetzt erst. Das Leben hatte noch gar nicht begonnen. In sechs Monaten erwartete man das Kind. Erst in sechs Monaten sollte das Leben beginnen.

Indessen war Fallmerayer fünfundvierzig Jahre alt geworden.

XII

Da erschien eines Tages in der Villa der Walewskis ein Fremder, ein Kaukasier namens Kirdza-Schwili, und teilte der Gräfin mit, daß der Graf Walewski dank einem glücklichen Geschick und wahrscheinlich gerettet durch ein besonders geweihtes, im Kloster von Pokroschni geweihtes Bildnis des heiligen Prokop der Unbill des Krieges wie den Bolschewiken entronnen und auf dem Wege nach Monte Carlo begriffen sei. In ungefähr vierzehn Tagen sei er zu erwarten. Er, der Bote, früherer Ataman Kirdza-Schwili, sei auf dem Wege nach Belgrad, im Auftrag der zaristischen Gegenrevolution. Seines Auftrages habe er sich nunmehr entledigt. Er wolle gehn.

Dem Fremden stellte die Gräfin Walewska Fallmerayer als den getreuen Verwalter des Hauses vor. Während der Anwesenheit des Kaukasiers schwieg Fallmerayer. Er begleitete den Gast ein Stück Weges. Als er zurückkam, fühlte er zum erstenmal in seinem Leben einen scharfen, jähen Stich in der Brust.

Seine Geliebte saß am Fenster und las.

»Du kannst ihn nicht empfangen!« sagte Fallmerayer. »Fliehen wir!«

»Ich werde ihm die ganze Wahrheit sagen«, erwiderte sie. »Wir warten!«

»Du hast ein Kind von mir!« sagte Fallmerayer, »eine unmögliche Situation.«

»Du bleibst hier, bis er kommt! Ich kenne ihn! Er wird alles verstehn!« antwortete die Frau.

Sie sprachen seit dieser Stunde nicht mehr über den Grafen Walewski. Sie warteten.

Sie warteten, bis eines Tages eine Depesche von ihm eintraf. An einem Abend kam er. Sie holten ihn beide von der Bahn ab.

Zwei Schaffner hoben ihn aus dem Waggon, und ein Gepackträger brachte einen Rollstuhl herbei. Man setzte ihn in den Rollstuhl. Er hielt sein gelbes, knochiges, gestrecktes Angesicht seiner Frau entgegen, sie beugte sich über ihn und küßte ihn. Mit langen, blaugefrorenen, knöchernen Händen versuchte er, immer wieder umsonst, zwei braune Decken über seine Beine zu ziehen. Fallmerayer half ihm.

Fallmerayer sah das Angesicht des Grafen, ein längliches, gelbes, knöchernes Angesicht, mit scharfer Nase, hellen Augen, schmalem Mund, darüber einen herabhängenden schwarzen Schnurrbart. Man rollte den Grafen wie eines der vielen Gepäckstücke den Perron entlang. Seine Frau ging hinter dem Wagen her, Fallmerayer voran.

Man mußte ihn – Fallmerayer und der Chauffeur – ins Auto heben. Der Rollwagen wurde auf das Dach des Autos verladen.

Man mußte ihn in die Villa hineintragen. Fallmerayer hielt den Kopf und die Schultern, der Diener die Füße.

»Ich bin hungrig«, sagte der Graf Walewski.

Als man den Tisch richtete, erwies es sich, daß Walewski nicht allein essen konnte. Seine Frau mußte ihn füttern. Und als, nach einem grausam schweigenden Mahl, die Stunde des Schlafs nahte, sagte der Graf:

»Ich bin schläfrig. Legt mich ins Bett.«

Die Gräfin Walewska, der Diener und Fallmerayer trugen den Grafen in sein Zimmer im ersten Stock, wo man ein Bett bereitet hatte.

»Gute Nacht!« sagte Fallmerayer. Er sah noch, wie seine Geliebte die Kissen zurechtrückte und sich an den Rand des Bettes setzte.

XIII

Hierauf reiste Fallmerayer ab; man hat nie mehr etwas von ihm gehört.

Triumph der Schönheit
Novelle
|1935|

I

Ich halte viel von der Menschenkenntnis meines alten
Freundes Doktor Skowronnek. Seit mehr als fünfund-
zwanzig Jahren ist er Arzt in einem berühmten Kurort für
Frauen, wo die wundertätigen Quellen Gebärmutterlei-
den, Unfruchtbarkeit und Hysterie heilen sollen. Mein
Freund, der Doktor Skowronnek, versichert es jedenfalls.
Immerhin spricht er fast mit der gleichen Überzeugung
von der wunderbaren, wenn auch leichter zu erklärenden
Wirkung, die eine erhebliche Anzahl junger, kräftiger und
liebesdurstiger Männer auf die trostbedürftigen Patientinnen des Kurorts in jeder Saison auszuüben pflegen.
Pünktlich wie gewisse Zugvögel treffen nämlich bei »Er-
öffnung der Saison« die jungen Männer in jenem Kurort
ein und wetteifern mit der Heilkraft der berühmten Quellen. Mein Freund, Doktor Skowronnek, hat jedenfalls innerhalb eines Vierteljahrhunderts Gelegenheit gehabt, die
körperlichen und seelischen Krankheiten der Frauen kennenzulernen. Nehmen wir an, er hätte nur dreißig Damen
in der Saison zu behandeln, so hätte er, nach fünfundzwanzig Jahren, nicht weniger als siebenhundertundfünf-
zig Frauen gründlich kennengelernt. Ich glaube also, recht
zu haben, wenn ich viel von der Weltkenntnis meines
Freundes halte.

Infolgedessen pflege ich auch alle Ehemänner, die mir
von Krankheiten (echten oder eingebildeten) ihrer Frauen
erzählen, zu Doktor Skowronnek zu schicken. Er behandelt die Männer, die an ihren Frauen gewöhnlich mehr zu
leiden haben als die Frauen an ihren Krankheiten, eben-

falls als Patienten – und dies mit Recht. Ja, ich betrachte meinen Freund, den Doktor, eher als einen Ehemänner-Arzt denn als einen Frauenarzt – obwohl er selbst nichts davon wissen will und behauptet, es schade seinem Ruf. Ich aber kenne ihn. Und ich weiß, daß er hinter einer Art beichtväterlicher Güte, mit der er die kranken Damen auf Herz und Nieren prüft, die Sorge um die den Patientinnen hörigen Herren verbirgt. Wer so viel Frauen untersucht hat, muß schließlich eine leidenschaftliche Solidarität mit den Männern empfinden.

So geschah es denn eines Tages, daß ich einem meiner Bekannten, dem Ingenieur M., den Rat gab, den Doktor Skowronnek aufzusuchen; allein zuerst, ohne die kranke Frau, von der mir der Ingenieur ein langes und breites erzählt hatte. Der Ingenieur war ein junger Mann, erst seit zwei Jahren verheiratet, ohne Kinder. Nach einem Jahr glücklicher Ehe – oder was man so nennt – hatte die Frau angefangen, über Schmerzen im Kopf, im Rücken, im Bauch, im Hals, in der Nase, in den Augen, in den Füßen zu klagen. Man soll nicht verallgemeinern: aber ich habe die Erfahrung gemacht, daß Ingenieure – und besonders Brückenbauingenieure, solch einer war mein Bekannter – von der Konstitution der Frauen keine Ahnung haben. Es mag Ausnahmen geben. Der Brückenbauingenieur aber, von dem ich hier erzähle, war ganz und gar von der Panik ergriffen, die jeden braven Mann erfaßt, wenn er eine Frau leiden oder auch nur weinen sieht. (Es ist die Panik des Gesunden vor dem Kranken, des Starken vor der Ohnmacht. Es gibt nichts Schlimmeres als die Mischung aus Liebe, Mitleid und Bangnis um das Geliebte und Bemitleidete. Eine gesunde Xanthippe ist besser und erträglicher als eine kränkliche Julia.) Und also riet ich dem Ingenieur, den Doktor Skowronnek aufzusuchen.

Bei seiner Zusammenkunft mit dem Doktor war ich auch anwesend – auf des Ingenieurs ausdrücklichen

Wunsch und gegen meinen eigenen. Ich befand mich ungefähr in der Lage eines Menschen, der hinter der dünnen Wand eines Hotelzimmers seinen Nachbarn peinliche private Dinge sagen hört – und außerstande ist, etwas dagegen zu tun. Ich bemühte mich, an anderes zu denken. Ich ließ mir Zeitungen kommen. Allein, die berufliche Neugier des Schriftstellers siegte über private Bemühungen um private Diskretion, und ich hörte, ohne hören zu wollen, sozusagen mit einem beruflichen Ohr, alle Dinge, die im Augenblick und in diesem Zusammenhang nicht erzählt werden können.

Doktor Skowronnek verhielt sich schweigsam. Er hörte nur zu. Schließlich entließ er den Ingenieur mit der Aufforderung, er möchte seine Frau in die Sprechstunde schicken.

Der Ingenieur verließ uns. Und da ich die Schweigsamkeit meines Freundes nicht begriff, fing ich an, selber um die Frau des Ingenieurs besorgt zu sein, und fragte:

»Sagen Sie, ist das so schlimm, was er von der Frau erzählt hat? Warum haben Sie geschwiegen?« »Nicht schlimm und nicht gut!« erwiderte der Doktor. »Es ist nur gewöhnlich. Und wenn ich nicht vor einiger Zeit eine besondere Geschichte erlebt hätte, ich wäre auch nicht so schweigsam geblieben. Aber seitdem ich diese besondere Geschichte kenne, habe ich aufgehört, die Männer der kranken Frauen zu bemitleiden. Unheilbare sind nicht mehr zu behandeln. Wer sich selbst töten will, den kann man nicht retten. Unheilbare Selbstmörder sind die Männer ganz bestimmter kranker Frauen. Und damit Sie mir glauben, will ich Ihnen diese Geschichte erzählen. Schreiben Sie sie eines Tages auf.«

Und Doktor Skowronnek begann zu erzählen:

II

»Vor vielen Jahren, ich war damals noch ein unbekannter praktischer Arzt in einer mittelgroßen Stadt, kam eines Tages in meine Sprechstunde ein junger Mann. Nun, ich hatte damals nicht viele Patienten. An manchen Tagen zeigte sich überhaupt keiner. Ich saß da, wartete und las Kriminalromane. Ich hätte vielleicht medizinische Bücher lesen sollen, aber mein Respekt vor den Naturwissenschaften und den Erkenntnissen meiner berühmten Kollegen war eben immer geringer als mein Interesse für Verbrecher und Polizei. Sie begreifen, daß ein Arzt, der wenig zu tun hat, von einem seltenen Patienten geradezu fasziniert wird. Dennoch ließ ich ihn im Vorzimmer warten, wie es wohl jeder nichtbeschäftigte Arzt tut. Ich ließ den jungen Mann erst nach einigen Minuten eintreten – (und Sie können mir glauben, ich litt in diesen paar Minuten mehr Ungeduld als er). Ungeduld ist, wie Sie wissen, eine gefährliche Krankheit, sie führt manchmal sogar zum Tode durch Selbstmord. Nun, ich bezwang mich. Mit um so intensiverer Freude weidete ich mich an dem Anblick des Mannes, als er endlich eintrat. Natürlich suchte ich mechanisch ebenso nach Anzeichen einer äußerlich erkennbaren Krankheit in seiner Gestalt und in seinem Gesicht wie nach Anzeichen etwaiger Wohlhabenheit an seiner Kleidung. Ich sah sofort, es war ein beruhigender Patient. Er gehörte offenbar nicht nur den guten, sondern sogar den höheren Ständen an – und eine gefährliche Krankheit, die mich wahrscheinlich genötigt hätte, ihn einer medizinischen Kapazität abzutreten, hatte er auch nicht. Er war gesund, groß, sehnig, hübsch, von braunem Teint, er hatte ein schmales, sympathisches Gesicht, helle Augen, einen edlen Nacken, eine gutgewölbte Stirn, kräftige, lange Hände, er war sicher und schüchtern zugleich, also, was man gute Rasse nennt. Ich vermutete in ihm einen Ministerialbeamten von guten Eltern und mittlerer Begabung und wahrscheinlich mit einem jener Leiden behaftet, die man in der Gesellschaft ›galante‹ nennt.

Ich hatte mich nicht sehr getäuscht. Es war ein junger Diplomat, unserer Botschaft in England zugeteilt, Sohn eines bekannten Munitionsfabrikanten, also reicher, als ich gedacht hätte, und seine Krankheit war tatsächlich eine ›galante‹. Er war aufs Geratewohl zu mir gekommen. Mit dem Hausarzt seiner Eltern wollte er sich nicht beraten. Er schlug also das Adreßbuch der Ärzte auf, tippte mit dem Bleistift auf einen Namen – es war der meine – und suchte mich unverzüglich auf. Ich behandelte ihn munter und sorgsam. Er gefiel mir. Ich erzählte ihm Anekdoten. Als er geheilt war, gestand er mir, daß er es fast bedaure, nicht noch eine andere, harmlose Krankheit zu haben, solange sein Urlaub dauere. Ich untersuchte ihn, er war leider kerngesund. Ich fragte ihn, ob er wenigstens eine Leidenschaft habe. ›Nein‹, sagte er, ›außer der Musik gar keine.‹ Musik ist, wie Sie wissen, auch meine Leidenschaft. Und kurz und gut: Die Musik machte uns erst zu Verbündeten, später zur Freunden.«

Hier ließ Doktor Skowronnek eine Pause eintreten. Dann sagte er:

»Bis zu seinem Tode waren wir gute Freunde.«

»Er ist also jung gestorben? Und wohl plötzlich?«

»Jung und langsam und an der gefährlichsten und gewöhnlichsten aller Krankheiten: Er starb nämlich an einer Frau, und zwar an seiner eigenen …«

III

»Unsere Freundschaft hörte nicht auf, auch nachdem er seinen Urlaub beendet hatte und wieder nach London abgereist war. Im Gegenteil: Die Entfernung verstärkte unsere Freundschaft. Wir wechselten fast jede Woche Briefe. Meine Praxis war miserabel; ich wartete oft stundenlang auf einen Patienten und las meine Kriminalromane. Eines Tages schrieb er mir, ich solle für ein paar Wochen nach England kommen, als sein Gast.

Ich fuhr nach London. Ich verstand kein Wort Englisch, war also gezwungen, bei jedem Schritt die Hilfe meines Freundes in Anspruch zu nehmen. Sie erkennen einen Menschen der sogenannten ›guten Rasse‹ immer daran, daß es Ihnen unmöglich ist, Dankbarkeit für seine kleinen und größeren Hilfeleistungen zu empfinden, geschweige denn, sie auszudrücken. Sie kommen niemals oder fast niemals in die Lage, einem wirklichen Herrn ›Danke schön!‹ zu sagen. Ja, er weiß es so einzurichten, daß man immer glaubt, seine kleinen Dienste und Gefälligkeiten kämen ihm selbst zugute und die eigene Hilflosigkeit wäre eigentlich sein Nutzen. So war es auch mit meinem Freunde. Niemals habe ich einen vornehmeren Gastgeber gesehen. Sein diskretes Verhalten ward mit der Zeit derart, daß es mir zeitweilig fast vorkam, er hätte eine Art Schuldbewußtsein mir gegenüber. Ja, er beschämte mich. Ich dachte daran, daß ich ihn aus törichter beruflicher Eitelkeit im Wartezimmer hatte sitzen lassen, als er zum erstenmal zu mir gekommen war, und ich gestand ihm eines Tages, daß ich ihn ohne Grund hatte warten lassen. Er verstand mich gar nicht, oder er tat so, als ob er mich nicht verstünde. ›Wahrscheinlich‹, so sagte er, ich erinnere mich genau, ›hatten Sie doch etwas zu tun, Sie wissen es selbst nicht mehr. Übrigens auch mir passiert es, daß ich Menschen warten lasse, obwohl ich ganz unbeschäftigt bin. Ich muß mich sammeln, bevor ich einen Fremden empfange. Das ist ganz selbstverständlich.‹

Hatte ich vorher an seine mittelmäßige Begabung gedacht, so gewann ich im Laufe der Zeit die Überzeugung, daß seine geradezu unterstrichene Mittelmäßigkeit lediglich eine vornehme Bescheidenheit war, wie es oft bei Menschen guter Rasse der Fall ist. Er hatte nicht den geringsten Ehrgeiz. Er gab mir oft Gelegenheit, Einblick in seine berufliche Tätigkeit zu nehmen. Und immer wieder sah ich, daß es sein höchstes, aber auch selbstverständliches Bemühen war, sich *nicht* vor den anderen, seinen Kollegen, hervorzutun. Er war das Gegenteil von einem ehrgeizigen Diplomaten. Er kannte wohl alle Dummheiten seiner Kollegen, aber er bemühte sich, nicht viel klüger zu erscheinen, als sie waren. Ehrgeizig ist der Plebejer. Der wirklich noble Mensch ist anonym. Es gibt eine Kraft in der angeborenen Noblesse, die größer ist als das Licht des Ruhms, der Glanz des Erfolges, die Macht des Siegers. Ehrgeiz ist, wie gesagt, eine Eigenschaft des Plebejers. Er hat keine Zeit. Er kann es nicht erwarten, zu Ehre, Macht, Ansehn, Ruhm zu gelangen. Der noble Mensch aber hat Zeit zu warten, ja, sogar zurückzustehn.

So also war mein Freund. Obwohl älter als er, begann ich, eine Art Ehrfurcht vor ihm zu empfinden. Ich liebte ihn und verehrte ihn.

Eine Woche vor meiner Abreise gestand er mir, daß er verliebt sei.

Nun, es ist selbstverständlich, daß sich ein junger Mann verliebt. Ich selbst, der ich damals noch nicht der ›ausgekochte‹ Frauenarzt war, der ich heute bin, wie Sie wissen, hatte mich schon ein paarmal verliebt. Aber da es sich um meinen Freund handelte, erschrak ich. Denn ich fühlte, daß dieser vornehme Mensch einem tiefen Gefühl ohnmächtig ausgeliefert sein mußte und daß es in seiner Natur gelegen war, den Gegenstand, den er zu lieben glaubte, mit den edelsten Eigenschaften auszustatten, die er selbst besaß. Wenn die Liebe, wie das Sprichwort sagt, schon alle gewöhnlichen Menschen blind macht, wie erst die auserwählten und vornehmen!

Ich erschrak also. Und ich sagte meinem Freunde, daß ich wünsche, seine Geliebte zu sehen.

›Auch Sie werden sich verlieben‹, antwortete er – mit der Naivität der Liebenden, die glauben, der Gegenstand ihrer Liebe sei unwiderstehlich.

Gut! – Wir trafen uns also alle drei eines Abends.

Es war eine junge Dame aus der sogenannten guten Gesellschaft. Hübsch, gewiß! Eine blonde Jungfrau mit himmelblauen Augen, starken Zähnen, einem etwas zu langen und langweiligen Kinn und ausgesprochen guter Figur. Gewiß hatte sie ›Manieren‹ – was man so nennt. Sie war eben aus guter Familie. Gewiß war sie auch in meinen Freund verliebt – warum denn nicht? So verliebt, wie es nur Mädchen aus guter Familie sein können, für die Liebe zu einem jungen Mann von Stand und Rang so etwas ist wie Sünde ohne Gefahr, Laster ohne fluchwürdige oder sträfliche Folgen. Die jungen Mädchen dieser Art sind nicht hungrig; sie sind nur genäschig. Der Hunger, den man befriedigen muß, bringt, unter Umständen, fürchterliche Strafe. Die Genäschigkeit aber, der man Genüge tut, bringt keinen Schaden, nur Lust und die Genugtuung: man wäre ein bißchen gefährdet gewesen. Es ist der Unterschied wie zwischen dem Besuch, den man etwa einer Menagerie abstattet, und dem Versuch, in den Käfig der Löwen zu steigen. Dies alles wußte mein Freund natürlich nicht. Ihm schien die Tatsache, daß eine Tochter aus bester englischer Familie ihn heimlich küßte, Beweis genug für ihre tiefe Liebe zu ihm. Ihm war's, als hätte sie tausend Meilen durch die Gefahren irgendeiner Wüste zurückgelegt, nur, um ihm einen Kuß zu gewähren. Er fand sie tapfer, tollkühn, opfermutig und obendrein sehr gescheit.

Nun, sie war sehr dumm! Sie ist es noch heute. Sie hat ihn ins Grab gebracht. Sie ist alt und ziemlich häßlich geworden, aber sie ist immer noch dumm! So ungerecht die Natur auch ist in ihrer Bosheit, die Männer blind zu machen, wenn sie lieben: Sie gleicht diese Ungerechtigkeit aus, indem sie den Glanz der Frauen, der die Männer einst geblendet hat, ziemlich früh erlöschen läßt und indem sie die alten Damen zwingt, mit den Jahren die zweifelhafte Hilfe der Friseure, Masseure und Chirurgen in Anspruch zu nehmen, damit die verfallenen Brüste, Bäuche, Wangen und Schenkel wieder eine halbwegs annehmbare Form bekommen. Als eine Art von aufgebesserten Gipsfiguren sinken die einstmals schönen Frauen ins Grab. Die Männer aber, die weise genug waren, nicht an ihnen zu sterben, werden von der Natur belohnt: Bekleidet mit der Würde des Silbers und der nicht minderen Würde der Gebrechlichkeiten gehen sie in den Schoß Gottes ein.

IV

In den besseren Kreisen folgt gewöhnlich die Heirat der Verlobung wie dem Blitz der Donner. Mein Freund heiratete, kurze Zeit nachdem ich ihn verlassen hatte, ging auf die Hochzeitsreise, passierte bei der Rückkehr unsere Stadt und besuchte mich mit seiner Frau. Sie waren beide hübsch, sie boten einen gefälligen Anblick, sie schienen füreinander geschaffen zu sein. Am Abend begleitete ich sie in ein Lokal, wo Offiziere, höhere Beamte, Adelige und ein paar Gutsbesitzer verkehrten. In einer mittleren Stadt, in sogenannten besseren Lokalen, sieht man sich nach jedem Gast um, geschweige denn nach Fremden, die man nicht kennt. Das Aufsehen aber, das mein Freund erregte, als er mit seiner Frau ankam, war kein gewöhnliches, sondern etwa mit der Überraschung zu vergleichen, die ein außerordentliches Naturphänomen bei ahnungslosen Menschen hervorzurufen pflegt. Es war wie ein Märchen. Alle Gespräche verstummten. Die Kellner hielten ein in ihren beflissenen Dienstgängen. Der Chef vergaß, sich zu verneigen. Es war ein warmer Spätsommerabend, die Fenster standen offen, und der sachte Wind bewegte die rötlichen Gardinen. Aber ich hatte den Eindruck, daß auch diese Gardinen aufgehört hatten, sich zu bewegen.

Wie Götter wirkten meine Freunde. Mein Freund fühlte es und beeilte sich, in die nächste freie Loge zu kommen. Seine Frau aber schien das betroffene, ja fast betretene Schweigen der Menschen gar nicht zu merken. Sie trug ein Lorgnon, es war damals bei manchen Leuten Mode, ob sie nun schwache oder normale Augen hatten. Das Lorgnon hob sie nun an die Augen, einen Augenblick nur natürlich, für den Bruchteil einer Sekunde. Sie ließ es sofort wieder fallen. Aber mein Freund hatte es bemerkt, und es muß ihn getroffen haben, ebenso wie mich. Denn er berührte unwillkürlich den Arm seiner Frau – es war eine zärtliche und sanfte Mahnung.

Als wir in der Loge saßen, hob die Frau meines Freundes noch ein paarmal das Lorgnon an die Augen. Ich bin überzeugt, daß sie nicht das geringste Interesse an all dem hatte, was im Saal vorging. Wahrscheinlich betrachtete sie den Kronleuchter durch das Glas. Aber meinen Freund und mich reizte diese Art, das Glas an die Augen zu führen. Es ist eine hochmütige Bewegung, ein Lorgnon ist ein ziemlich hochmütiger Gegenstand, und die bescheidenste Frau, die sich seiner bedient, kann unter Umständen sehr arrogant erscheinen. Ich habe wirklich vornehme und in der Tat kurzsichtige Damen gekannt, die eine ganz besondere, nahezu verschämte Art hatten, das Lorgnon zu gebrauchen, so etwa, wie es ihre ganz besondere Art war, die Röcke zu heben. Nun, es fehlte der Frau meines Freundes gewiß nicht an guten Manieren! Aber es fehlte ihr die wirkliche Noblesse. Diese besteht nicht so sehr darin, was man tut, als darin, was man unterläßt. Sie besteht aber in der Hauptsache darin, daß man fühlt, was den andern ›schockieren‹ könnte; daß man es rechtzeitig fühlt, noch ehe etwas geschehen ist.

Die Frau meines Freundes tat das Gegenteil. Als wäre sie eine durchaus kleine Bürgerin aus London, mokierte sie sich über die mittelmäßige Eleganz unserer Stadt, über die lässige Haltung der Offiziere, über die eilfertige Dienstbarkeit des Personals, über die unmodischen Hüte der Damen. Mein Freund lächelte, verliebt und bekümmert und beschämt zu gleicher Zeit. Hie und da versuchte er, uns in Schutz zu nehmen. Einmal, ich erinnere mich, wurde er sogar deutlich und sagte etwa: ›Aber Gwendolin! Du hast eine kleine, scharfe Zunge. Schwätzt sie so weiter, mußt du sie dem Doktor zeigen! Nicht wahr, Doktor?‹ Und weil er fühlte, daß sein Scherz keineswegs sehr gelungen war, fuhr er ernsthaft fort: ›Der Aufenthalt hier behagt meiner Frau nicht. Wir werden morgen abend aufbrechen.‹

Um meinen Freund nicht merken zu lassen, daß ich die Mittelmäßigkeit seines Scherzes erkannt hatte, versuchte ich, sozusagen seinen Intentionen zu folgen, und sagte: ›Zeigen Sie schnell die Zunge dem Onkel Doktor!‹ – Sie streckte mir sofort ihr schmales, beinahe karmesinrotes Zünglein entgegen, und Sie können mir glauben, es ist mein Beruf, ich habe leider vieltausendmal Frauenzungen anschaun müssen: Hier, beim Anblick dieses Züngleins, hatte ich den vielleicht allzu primitiven, aber sehr überzeugenden Eindruck: eine Schlange.

Am nächsten Vormittag kam mein Freund zu mir. ›Wir fahren heute abend‹, sagte er. ›Ich will mich verabschieden.‹ ›Werde ich Ihre schöne Frau nicht wiedersehn?‹ ›Bitte, kommen Sie zur Bahn, am Abend. Ich bin hierhergekommen, damit wir sozusagen einen Separatabschied nehmen.‹

Ich sah, daß er nicht sehr glücklich war. Ich schlug ihm einen Spaziergang vor. Ich weiß, daß man verschwiegene Dinge leichter im Gehen sagt als im Sitzen. Man sagt's eben nicht Aug' in Aug'. Der Sprechende wie der Zuhörer, sie blicken beide zu Boden. Eine laute Straße befreit manchmal die menschliche Brust genauso wie Alkohol oder auch, wenn Sie wollen, wie jener stille Kirchenwinkel, in dem gewöhnlich der Beichtstuhl wartet. Wir gingen also spazieren. Und da erzählte er mir, daß es schon während der Hochzeitsreise ein paar Unstimmigkeiten zwischen Gwendolin und ihm gegeben hätte. Es begann bei der Musik. Sie liebte Wagner. Er beschimpfte ihn. Nichts konnte einen Musiker seiner Art – und auch meiner Art – so sehr reizen wie ein Wohlgefallen an Wagner. Gewiß, die Liebhaber Wagners sind ebenfalls musikalische Menschen. Aber die musikalischen Menschen könnte man in zwei feindliche Gruppen teilen: in Mozart-Liebhaber und Wagner-Anhänger. Merken Sie, daß ich nicht einmal Wagner-Liebhaber mehr sagen kann? Ich sage: ›Anhänger‹. Menschen mit Ohren für Posaunen und Kesselpauken – und Menschen mit Ohren für Cello, Geige und Flöte. Eher werden sich zwei Taubstumme verständigen als zwei musikalische Menschen, von denen einer Mozart liebt und der andere Wagner. Beides zusammen kann man meiner Meinung nach nicht. Ich glaube, es sind im Grunde taube Menschen, die beides lieben; oder wenn sie hören, sind's Kapellmeister.

Nun, ich brauche Ihnen nichts mehr zu sagen: Sie vertrugen sich wie Mozart und Wagner. Ich wußte sofort, daß diese Ehe zerbrochen war. Aber ich sagte: ›Spielen Sie zu Hause Mozart, lieben Sie viel, schlafen Sie mit Ihrer Frau, ein Kind sollte sie bald bekommen. Schwangerschaft ändert manchmal den musikalischen Geschmack. Fahren Sie mit Gott.‹

Wir umarmten uns, jetzt schon. Ich begriff, daß er mich vor seiner Frau am Bahnhof niemals hätte umarmen können.

Ich kam zum Zug. Gwendolin gab mir die Hand zum Kuß und stieg rasch ein, ein Lächeln für zehn Kreuzer um

den holden Mund. (Die Damen lächeln merkwürdigerweise genauso wie die armen Straßenmädchen; das heißt,
wenn sie konventionellen Abschied nehmen; so lächeln
die Mädchen, wenn sie eine Bekanntschaft machen.)

Mein Freund wäre gerne noch zu mir auf den Perron
heruntergestiegen. Aber er fürchtete sich, es war, als hielte
ihn seine Frau hinten am Rock fest. Er beugte sich nur
zum Fenster heraus, gab mir noch einmal die Hand und
ich ging – lange noch vor der Abfahrt des Zuges.

V

Ich kenne nicht die internationalen Gesetze oder Sitten
der Diplomatie. Ich glaube aber, daß es nicht üblich ist,
daß ein Diplomat eine Frau aus dem Lande heiratet, in
dem er als der Vertreter seines eigenen fungiert. Ausnahmen gibt es, ich habe schon von einigen gehört. Mein
Freund gehörte allerdings nicht zu diesen. Unser damali-
ger Botschafter dürfte ein strenger Formalist gewesen
sein. Mein Freund mußte, weil er eine Engländerin geheiratet hatte, London verlassen. Sein neuer Posten war kein
anderer als Belgrad.

Ich habe nicht erwähnt, daß die Frau meines Freundes
die einzige Tochter ihrer Eltern war. Sie wissen: Engländer
reisen zwar viel in der Welt herum, sie kennen sogar die
verschiedenen Länder besser als andere Westeuropäer;
aber sie schicken ihre Töchter nicht gerne in unwirtliche
Gegenden. Einen kürzeren oder längeren Besuch verdient
jedes Land; auch das unwirtlichste. Aber seinen ständigen
Wohnsitz behält man in England, zumindest in einer der
besseren englischen Kolonien. Wahrscheinlich hätten die
Schwiegereltern meines Freundes nichts dagegen gehabt,
wenn er zum Beispiel nach Indien gegangen wäre. Serbien
aber flößte ihnen einen wahren Horror ein. Auch Frau

Gwendolin hatte unsagbare Angst vor Belgrad und weigerte sich hinzufahren, indes mein Freund darauf bestand, daß die Frau ihn begleitete. Von den bibelkundigen, gläubigen Protestanten, die seine Schwiegereltern waren, führte er das bekannte Wort an, daß die Frau dem Manne überallhin zu folgen habe: vergebens. Es kam zum ersten ernstlichen Konflikt. Mein Freund fuhr nach Wien. Im Ministerium des Äußeren versuchte er alles Unmögliche, um seine Versetzung nach Paris oder wenigstens nach Madrid zu erreichen. Vergebens. Es gab andere, es gab, wie Sie wissen, im alten Österreich viele Protektionskinder. Paris, Madrid, Lissabon waren besetzt. Man brauchte übrigens tatsächlich einen tüchtigen Legationsrat in Belgrad. Man konnte sich dort auszeichnen. Der Sektionschef Baron S. im Ministerium wußte die Qualitäten meines Freundes zu schätzen, war auch ein wenig um dessen Karriere besorgt. Kurz, es war unmöglich. Man mußte nach Belgrad.

Zufällig – oder besser: nicht zufällig, denn ich glaube nicht an Zufälle – sollte ich im April jenes Jahres zum erstenmal meine Stellung als Kurarzt antreten. Ich gab meine Praxis auf, wir hielten im Februar. Unter zwanzig praktischen Ärzten, wahrscheinlich lauter armen Teufeln wie ich selbst, hatte die Kurverwaltung gerade mich ausgesucht. Ich wußte dieses Glück zu schätzen. Ich gab davon aller Welt sofort Kunde und natürlich auch meinem Freund in London. Er schrieb mir, es träfe sich herrlich. Da er ungefähr im März nach Belgrad müsse, könnte seine Frau bis zum April in London bleiben, dann zu mir kommen, die ganze Saison in meiner Obhut bleiben und erst im August nach Belgrad fahren. Sein Glück sei mein Posten, nicht das meinige.

Der Arme! Er hatte keine Ahnung davon, wie Frauenbäder auf gewisse jüngere Frauen wirken!

Er sollte es erst später erfahren.

VI

Die Frau war mit dem Plan einverstanden. Im März sollte mein Freund nach Belgrad fahren, im April seine Frau zu mir in den Kurort kommen. Von mir behandelt und durch die wundertätigen Quellen unseres Bades gestärkt, vielleicht gar in ihrem Sinne gewandelt, würde sie dann – so hoffte mein Freund – ohne Heimweh und Kummer ihrem Mann nach Belgrad folgen können.

Nun, sehen Sie: Es gibt wenig Frauen, mit denen man etwas Festes abmachen kann. Nicht, daß sie nicht Wort hielten oder mit Absicht täuschen wollten: nein! Ihre Konstitution verträgt keine feste Abmachung. Wenn sie entschlossen sind, ein Übereinkommen einzuhalten, wehrt sich, ohne daß sie es selbst wollen, ihr Körper. Sie werden einfach krank.

Zu den wenigen Frauen, mit denen man etwas Festes abmachen kann, gehörte nun die Frau meines Freundes keineswegs. Sie gehörte vielmehr zu jenen, die krank werden, das heißt: zu jenen, deren Körper sich gegen ihre redlichen Vorsätze wehrt – und sie erkrankte tatsächlich, genau einen Tag vor der Abreise meines Freundes nach Belgrad. Nicht sie selbst, begreifen Sie mich recht! – ihre Konstitution wollte sich nicht in das Unvermeidliche fügen. – Was ihr eigentlich fehlte? – Gott allein kann es wissen, Er, der die Eva schuf. Ein Frauenarzt weiß nur selten, was einer Frau fehlt.

Es begann mit dem Magen und der ihm benachbarten Gebärmutter. Die hastigen Ärzte in London einigten sich, wie gewöhnlich in solchen Fällen, auf eine Blinddarmentzündung. Mein Freund erbat und erhielt einen Aufschub von zwei Tagen. Man operierte die Frau. Der Blinddarm war, wie jeder zweite Blinddarm, den man herausnimmt, natürlich vereitert. (Der Ihrige, der meinige, sie sind auch vereitert.) Die Ärzte und mein Freund bildeten sich ein, die Frau sei aus großer Lebensgefahr errettet. Beglückt, wie jeder Liebende, über die Rettung des geliebten Wesens, fuhr mein Freund auf seinen neuen Posten nach Belgrad.

Es blieb dennoch bei der Abmachung. Etwa Mitte April kam Frau Gwendolin zu mir, in meinen Kurort. Natürlich holte ich sie bei der Bahn ab. Sie sah aus wie eine Göttin, eine Göttin ohne Blinddarm, eine Göttin in Rekonvaleszenz. Sie litt und triumphierte zugleich und bezog aus ihrer Rekonvaleszenz allerhand Kräfte für ihren Triumph. Selbstverständlich hatte ich etwa eine halbe Stunde zu tun, bevor alle Koffer abgeholt und verstaut waren. Es waren etwa zwölf Stück. Kleider und Wäsche genug, um zwanzig Frauen für zwei bis drei Jahre auszustatten. Ich brachte Frau Gwendolin im Hotel Imperial unter und bat sie, morgen in meine Sprechstunde zu kommen.

Sie kam, ich untersuchte sie. Ich erinnere mich genau an diese Untersuchung, nicht nur, weil Gwendolin die Frau meines Freundes, sondern auch, weil sie eine meiner ersten Patientinnen war. Der Blinddarm war weg. Man sah den Schnitt, aber die Frau behauptete, man hätte ›etwas drin vergessen‹. Sie hatte Hunger, Übelkeiten, Herzweh, Herzklopfen, Magenschmerzen, Krämpfe und immer wieder Hunger. Schwangerschaftserscheinungen, wie Sie wissen. Aber nein, sie war nicht schwanger! Es ist so ziemlich das einzige, was ein Frauenarzt feststellen kann, mit einiger Sicherheit. Sie war nicht schwanger! Nach einiger Überlegung kam ich auf die banalste aller Krankheiten. Diese schöne, elegante Dame – nichts Menschliches ist einem Menschen fremd – hatte leider einen Bandwurm.

Aber wie sollte ich ihr das mitteilen, ohne sie zu kränken? – Ich begann zuerst, von Parasiten zu sprechen, von harmlosen, dann von gefährlichen und schilderte den Bandwurm als einen der gefährlichsten Feinde der weiblichen Schönheit. Als ich sie endlich soweit hatte, daß sie selbst ihren Wurm für äußerst interessant halten mußte, begann ich mit Vorschriften, Diät und Rezepten. Und noch niemals, seitdem Bandwürmer bestehen, ward einer so ernst genommen. Er war für Frau Gwendolin eine besondere Persönlichkeit. Alle ihre Gelüste und Schwächen schob sie seinem Einfluß zu. So kam sie zum Beispiel zu mir am Morgen und sagte: ›Denken Sie, heute nacht hat er mich geweckt, er wollte absolut Champagner!‹ – Er – das war der Bandwurm natürlich. Oder ein anderes Mal: ›Ich wollte zu Hause bleiben, wie Sie es mir geraten haben, Doktor, aber er wollte nicht, er machte mir Übelkeiten, ich mußte ausgehn, tanzen.‹ Und so fort. Sie schätzte ihren Wurm weit höher als ihren Mann. Er war ihr Verführer, ihr Ablaßgeber, ihr Held. Er gab ihr alles, was eine Frau ihresgleichen brauchte: Leiden, Schwäche, Lust, Gelüste. Er ließ sie tanzen, trinken, essen, alles Verbotene entschuldigte dieser Wurm. Er nahm sozusagen alle ihre Sünden auf sein Gewissen. Eine Woche später sogar eine wirkliche Sünde.

Geben Sie zu, daß ich der einzige Arzt der Welt sein dürfte, der einen solchen, geradezu schlangenartigen Bandwurm behandelt hat?

VII

Etwa eine Woche später schrieb mir mein Freund aus Belgrad, ich möchte ja nicht den Geburtstag seiner Frau vergessen. Er fand statt am 1. Mai, ein Datum, das man leicht behält. Am frühen Nachmittag, bevor meine Sprechstunde begann, ging ich mit einem gewaltigen Strauß roter Rosen ins Hotel Imperial zu meiner Schutzbefohlenen. Eigentlich hatte ich die Blumen unten beim Portier zurücklassen wollen. Ich weiß nicht, ob es Ihnen auch so geht, manchen Männern geht es jedenfalls ähnlich wie mir:

Ich komme mir sehr lächerlich vor mit Blumen in der Hand. Ein Mann, der etwas auf sich hält, sollte keine Blumen tragen. Aber es war die Frau meines Freundes, meine Schutzbefohlene, meine Patientin und ein ›Geburtstagskind‹. Ich entschloß mich also, den Rosenstrauß unter den Arm zu nehmen und in den Lift zu steigen. Ich ließ mich im ersten Stock anmelden. Ich sah, wie der livrierte Kellner an die Tür der Frau Gwendolin klopfte, einmal, zweimal, dreimal. Keine Antwort. ›Die Dame schläft vielleicht – oder sie badet‹, sagte ich. ›Nein‹, erwiderte der Etagenkellner, ›ich habe ihr soeben Champagner gebracht, mit zwei Gläsern.‹ ›Hat sie Besuch?‹ ›Gewiß‹, sagte der Kellner, ›der Doktor von Nummer 32.‹ ›Wer ist das?‹ ›Das ist der junge Rechtsanwalt aus Budapest, Herr Doktor Jenö Lakatos.‹

Nun, ich wußte genug. Zwar war es meine erste Saison in diesem Badeort. Aber ich war ja kein ›heuriger Has'‹, wie man bei uns sagt; und ich wußte, was die jungen Advokaten aus Budapest in Frauenbädern zu suchen hatten. Im allgemeinen, im Prinzip sozusagen, hatte ich ja nichts dagegen. Hier aber handelte es sich um die Frau meines Freundes, für die ich ihm einigermaßen verantwortlich war. Ja, ich selbst fühlte mich schon betrogen an seiner Statt. Ich bin Junggeselle geblieben. Aber ich habe die Erfahrung gemacht, daß wir gar nicht selbst zu heiraten brauchen, wenn wir verheiratete Freunde haben. Es ist, als heiratete man gewissermaßen die Frauen aller seiner guten Freunde mit, ließe sich mit den Freunden von den Frauen scheiden und würde mit den Freunden von den Frauen betrogen – wenn man nicht zufällig selbst der Betrüger seines Freundes ist.

Ich stand also ratlos da, in dem noblen, blendend weiß getünchten Korridor des Hotels, auf einem dunkelroten Läufer und blickte ratlos auf den blaubefrackten Zimmerkellner, den Blumenstrauß unter dem Arm, sehr lä-

cherlich – nicht wahr?! Mir war, als fühlte ich an meiner
Hüfte die schönen Rosen welken, Rosenleichen hielt ich
schon. Ich beschloß, wieder hinunterzugehn. Da öffnete
sich auf einmal die Tür. Heraus kam, aber mit dem Rükken zuerst, der Lakatos von Nummer 32. Ich sah ihn also
zuerst von hinten. Aber es genügte vollkommen. Ein kleines, rundes Köpfchen mit glänzenden, schwarzen, geölten
Haaren: als ob die Natur selbst Perücken herstellte. Ein
großer, quadratischer Rumpf, eine Art bekleideter Kom-
mode. Darunter der Körperteil, den man nicht nennt,
mindestens sechsmal umfangreicher als der Kopf, hell-
graue Hose, knallgelbe Schuhe. Dies war Lakatos. Er warf
durch die halboffene Tür Kußhändchen ins Zimmer, kicherte, verneigte sich, schloß endlich die Tür, wandte sich
um – und sah sich dem Kellner und mir gegenüber. Sein
Angesicht, das lediglich aus schwarzen Knopfäugelchen,
einem Näschen und einem pechschwarzen Schnurrbärtchen bestand, war wie aus Wachs, gerötetem Wachs. Er
hatte keine Hautfarbe, sondern eine Art Schminke. Im
übrigen: Er wurde gar nicht verlegen. Er lächelte uns zu.
Er steckte die Hände in die Hosentaschen und ging zu
seinem Zimmer, zur Nummer 32. Wie gerne hätte ich ihm
mit meinem mächtigen Rosenstrauß ins Gesicht geschlagen. Ich hätte so gewußt, warum ich eigentlich zum ersten
und einzigen Male in meinem Leben Blumen schleppte.
Aber ich mußte zur Frau Gwendolin und ihr zum Geburtstag gratulieren.

In einem Anfall törichter Ratlosigkeit sagte ich zum
Kellner: ›Die gnädige Frau ist sehr krank! Sie hat nämlich
einen Bandwurm.‹

›Jawohl, Herr Doktor‹, sagte der Schlingel. ›Er ist soeben weggegangen.‹«

VIII

Doktor Skowronnek machte eine Pause, sah auf die Uhr, bestellte einen Cognac und sagte: »Ich sehe eben, daß ich Sie schon lange aufhalte. Gedulden Sie sich bitte, meine eigentliche Geschichte kommt erst.«

Er trank den Cognac und fuhr fort:

»Die Begebenheiten, von denen ich zuletzt gesprochen habe, fallen in das Jahr 1910. Sie erinnern sich an jene Zeit, es gab Stürme auf dem Balkan, mein Freund in Belgrad hatte keinen leichten Posten. Seine Briefe wurden immer seltener, zwei-, dreimal im Jahr besuchte er seine Eltern, ich sah ihn nur außerhalb meiner Saison, das heißt, wenn er zufällig im Winter kam – denn ich wohnte immer noch in jener mittelgroßen Stadt, in der ich meine Praxis angefangen hatte, und zog nur im Frühling in meinen Kurort.

Die Besuche meines Freundes waren so kurz, daß wir kaum Zeit fanden, ein Konzert zu besuchen, geschweige denn, gemeinsam zu musizieren.

Die seltenen Abende, an denen wir uns trafen, wollten wir mit Gesprächen verbringen. Aber es kam im Laufe dieser Jahre zwischen uns zu keinem richtigen Gespräch mehr. Die Musik hatte uns zu Freunden gemacht. Ohne Musik – so empfand ich es damals deutlich – erstarrte das von Natur diskrete Herz meines Freundes. Wir saßen hart nebeneinander, aber wie getrennt durch eine Wand aus Eis. Unsere Blicke mieden sich gegenseitig. Trafen sie sich manchmal für eine Sekunde, so war's eine fast körperliche, zärtliche, aber flüchtige Berührung. Wenn du nur alles wüßtest, schienen seine Augen zu sagen. Und meine Augen fragten: Also, was ist denn geschehen? Es war nichts zu machen. Die Musik fehlte uns. Sie allein war das fruchtbare Feuer unserer Freundschaft gewesen. Mein Freund schämte sich – das wußte ich. Einen vornehmen Menschen hindert nichts so sehr am Sprechen und Erzählen wie die Scham. Wenn ein vornehmer Mensch sich schämt, schweigt er, verschweigt er sogar Wichtiges – und die Scham kann ihn sogar bis zur vulgärsten aller menschlichen Schwächen führen: nämlich bis zur Lüge. Ja, ich hatte ein paarmal die Empfindung, daß mein Freund lüge. Aber Sie kennen mich: Ich bin kein Moralist. Das will heißen: Ich beurteile die Menschen nicht nach ihren Handlungen und Reden, sondern nach den Gründen ihrer Handlungen und Reden. Und ich tat also, als nähme ich seine Lügen für pure Wahrheiten. Er aber fühlte, daß ich genauso log wie er selbst. Es waren peinliche Gespräche. Sein Gesicht war verändert. Er hatte, trotz seiner Jugend, leicht angegraute Schläfen, statt einer gesunden, gebräunten Hautfarbe eine bleiche und gelbliche. Über dem ursprünglichen Glanz seiner schönen, hellen Augen lag ein grauer Schleier, der graue Schleier der Lüge eben. Nach jedem neuen Besuch, den er mir im Laufe dieser Jahre abstattete, fand ich, daß seine Schultern schmaler und abfallend geworden waren, sein Rücken runder, seine Arme schlaffer. Immer fragte ich ihn nach seiner Frau. Dann begann er, von ihr zu erzählen; so viel zu erzählen, daß ich mit Recht glauben konnte, er verschwiege noch viel mehr, als er erzählte. Es war, als ob ein Mensch mit sehr viel Kleidern, mit viel zuviel Kleidern und Mänteln Blößen zudecken wollte. Frau Gwendolin war – wollte ich meinem Freund glauben – brav, heiter, treu, ernst und ausgelassen zugleich, ein Sprühteufel und eine gütige Fee, eine Hausfrau und eine flotte Tänzerin, verführerisch und außerordentlich bescheiden, eine Dame und ein süßes Mädchen, kurz: eine Gattin, wie sie ein Diplomat brauchen konnte.

›Und was macht der Bandwurm?‹ fragte ich hie und da, in Erinnerung an die freche Antwort des Zimmerkellners aus dem Hotel Imperial.

›Meine Frau ist ganz gesund‹, sagte mein Freund.

Ich zweifelte nicht daran. An ihrer Gesundheit hätte ich
am wenigsten und zuallerletzt gezweifelt.

IX

Dann kam der Krieg.

Mein Freund (er war Oberleutnant der Reserve bei den
Neuner-Dragonern) rückte am ersten Tage der Mobilisierung ein. Sein Regiment stand an der russischen Grenze.
Frau Gwendolin kam in unsere Stadt, zu den Eltern meines Freundes, mit einem Empfehlungsbrief an mich ausgerüstet. In diesem Brief wünschte mein Freund, ich
möchte in der Saison seine Frau mit mir nehmen und
– so hieß es wörtlich – ›auf sie achtgeben‹.

Man rechnete damals, wie Sie wissen, mit einem Feld-
zug von einigen Monaten. Ich selbst ahnte, daß es Jahre
dauern würde. Auch wußte ich, daß es mir nicht möglich
sein werde, auf die Frau ›achtzugeben‹. Aber ich tat, wie
mir geheißen ward. In der Saison nahm ich die Frau mit
mir, in den Kurort.

Nun, ich bekam leider sofort, das heißt: kurz nachdem
die Saison begonnen hatte, den Befehl, als Landsturmarzt
einzurücken. Und ich überließ Frau Gwendolin der Obhut eines meiner Kollegen, der durch einen körperlichen
Fehler – er hatte einen Buckel – vom Militärdienst befreit
war.

Erst zwei Jahre später – ich hatte in einem Typhus-
Spital gearbeitet und war selbst erkrankt – durfte ich ins
Hinterland zurück. Am Vormittag war ich Landsturmarzt
in Uniform und untersuchte kranke Soldaten. Am Nach-
mittag behandelte ich die weniger kranken Frauen, deren
Männer meist im Felde standen und die ich mit ruhigem
Gewissen eigentlich der weniger dezenten Behandlung
durch meine rekonvaleszenten Soldaten hätte überlassen

dürfen. Es war damals eine günstige Zeit für die Damen. Ein Lakatos, von der Art, wie ich ihn einst aus dem Zimmer der Frau meines Freundes hatte kommen sehn, war ein Waisenknabe gegen die robusten Bauern aus Bosnien, Herzegowina, Kroatien, Slowenien. Niemals hatten die wunderbaren Quellen unseres Frauenbads so herrliche Heilerfolge gehabt wie in der Zeit des Krieges, in der in unserem Kursalon die braven Krieger ihre Heilung abwarteten.

Frau Gwendolin war natürlich da... Sie schien ihr Vaterland, das feindliche England, ihre Abstammung vergessen zu haben. Die äußerst bunte Männlichkeit der österreichisch-ungarischen Armee hatte wahrscheinlich jedes Gefühl für England in ihrem schönen Busen ausgelöscht. Sie war eine österreichische Patriotin geworden, kein Wunder! – Liebe allein bestimmt die Haltung der Frauen.

Als der Krieg zu Ende war, kam mein Freund zurück, immer noch verliebt und wie jeder verliebte Mann überzeugt, daß ihm seine Frau die Treue gehalten habe. Nun, ich brauche Ihnen nicht zu sagen, daß Frau Gwendolin ziemlich erbittert war über das Ende des Krieges, vielleicht auch über die Rückkehr ihres Mannes. Sie fiel ihrem Mann um den Hals mit der Gewandtheit, die sie im Lauf der Kriegsjahre angenommen hatte und die mein Freund selbstverständlich mit der Leidenschaft für ihn verwechselte.

Es gab keine österreichisch-ungarische Monarchie mehr. Mein Freund, der noch im verkleinerten und veränderten Österreich seine Karriere hätte fortsetzen können (denn er war im Grunde ein leidenschaftlicher Diplomat), gab seinen Beruf auf. Er hatte Geld genug. Reich genug waren auch die Eltern seiner Frau. Und er beschloß, sein Leben der Frau Gwendolin zu widmen.

X

Sie reisten durch die neutral gebliebenen Länder. Mein Freund wollte, wie er sagte, den ›guten alten Frieden‹ wiederfinden. Er fand ihn nirgends. Er kehrte heim. Die Fabrik seines Vaters hatte keine Möglichkeit mehr, Waffen und Munition herzustellen. Alle vorhandenen Waffen mußten vernichtet oder den siegreichen Mächten ausgeliefert werden. Eines Tages erkrankte auch noch der Vater meines Freundes. Man durfte immerhin die Fabrik nicht ohne weiteres zugrunde gehen lassen. Anderen Munitionsfabriken war es gelungen, ihre Werke umzuwandeln: Statt der Granaten und Gewehrläufe erzeugte man Fahrräder, Maschinenteile, Wagen, Räder, Automobile. Auch mein Freund wollte es versuchen. Mit der Gewissenhaftigkeit, die ihm eigen war, begann er, die Industriefächer von Grund auf zu studieren. Er besichtigte Fabriken in England, Deutschland, in der Schweiz. Als er genügend Erfahrung zu haben glaubte, kehrte er zurück: Allein – er hatte seine Frau in London bei ihren Eltern gelassen. Er war unternehmungslustig, voller Hoffnung. Fast schien es, als begrüße er das Schicksal, das ihn aus seiner noblen Laufbahn geworfen hatte. Er hatte in der Tat auch kaufmännische Fähigkeiten, einen Instinkt für Menschen und Dinge. Wir kamen oft zusammen. Natürlich musizierten wir und besuchten Konzerte.

Einmal kam er zu mir, zu einer außergewöhnlichen Stunde. Er wußte, daß ich spät zu Bett zu gehen pflegte. Es war eine Stunde nach Mitternacht. Er legte eine Aktenmappe auf den Tisch, blieb vor mir stehen und fragte:

›Sagen Sie mir die Wahrheit, Sie wissen es, ist meine Frau treu? – Hat sie mich betrogen? Wie oft? Mit wem?‹

Eine schwierige Situation, Sie begreifen. Es gehört zu den Gesetzen der Ritterlichkeit, eine Frau nicht zu verraten. Außerdem hatte ich ein paarmal gesehen, daß sich der Zorn verliebter Männer nicht gegen die betrügerischen Frauen kehrt, sondern gegen die warnenden und mahnenden Freunde. Ich weiß heute noch nicht, welche Pflicht die dringlichere ist: die Frau zu schonen oder dem Freund die Wahrheit zu sagen. Im Lauf meiner langen Praxis als Frauenarzt bin ich zwar sozusagen immer ritterlicher geworden, das heißt, ich habe Übung bekommen in der rücksichtsvollen Behandlung der Frauen; aber auch immer rücksichtsloser in der Beurteilung dieses schwachen Geschlechts, dessen Kräften wir niemals gewachsen sein werden. Es war mein bester, mein einziger Freund. Ich sah ihn an, ich erhob mich auch nicht und sagte ruhig:

›Ihre Frau hat Sie oft betrogen.‹

Er setzte sich, kehrte die Aktentasche um und leerte auf meinem Tisch ihren Inhalt aus: Militärschleifen, Kokarden, Edelweiß, Metallknöpfe, Spiegelchen, lauter Zeug, wie es die Soldaten den Mädchen während des Krieges zu schenken pflegten.

Schließlich gab's auch Liebesbriefe, kleine, große, einfache, bunte Kärtchen und blaue Feldpostkarten. Mein Freund stand da und starrte auf den bunten Haufen. Dann sah er mich lange an und fragte:

›Warum haben Sie mir nichts gesagt?‹

›Das war nicht meine Aufgabe‹, erwiderte ich.

›So!‹ schrie er plötzlich, ›nicht Ihre Aufgabe! Ich pfeife auf Ihre Freundschaft, hören Sie, ich pfeife auf Sie!‹

Er raffte den ganzen Kram in die Aktentasche, schloß sie, sah mich nicht mehr an und verließ das Haus.

›Nun hab' ich einen Freund verloren!‹ sagte ich mir. – Schlimmer, viel schlimmer, als wenn man eine Frau verliert.

Ich hätte noch zwei Wochen Zeit gehabt. Aber ich fuhr schon am nächsten Morgen in meinen Kurort.

Dorthin wurde mir ein aufgeregtes Telegramm der Frau Gwendolin nachgeschickt. Auch ihr sollte ich umgehend

die Wahrheit sagen: ob ihr Mann erkrankt sei, sie wüßte
nicht, warum sie plötzlich zu ihm kommen müsse.

Ich schickte das Telegramm ohne ein begleitendes Wort
meinem Freunde zu.

XI

Vier Wochen später kamen beide plötzlich zu mir. Das
heißt: Zuerst stürzte mein Freund in mein Zimmer. Es
hatte sich etwas Furchtbares ereignet. In hastigen Sätzen
erzählte er: Es hatte eine der üblichen Szenen gegeben. Die
Frau versuchte zu leugnen. Er nannte und zeigte die sogenannten ›erdrückenden Beweise‹. Die Frau entschloß
sich, unter Tränen natürlich, nach London für immer zurückzufahren. Die Koffer waren gepackt, das Billett gekauft. Eine Stunde vor der Abfahrt des Zuges kam sie in
seine Fabrik. Das bekannte ›letzte Lebewohl‹. Selbstverständlich brachte sie Blumen. Sie glauben gar nicht, welch
ein elender Abklatsch schlechter Romane das Leben ist.
Oder: wie Sie gleich sehen werden: medizinischer Lehr-
bücher. Sie benahm sich merkwürdig. Sie sank auf die
Knie und küßte meinem Freund die Schuhspitzen. Er
konnte sich ihrer nicht erwehren. Sie schlug ihn auch ins
Gesicht. Hierauf fiel sie, steif wie eine Kleiderpuppe, auf
den Boden. Man konnte sie nicht aufheben. Sie haftete am
Teppich wie angelötet. Hierauf verfiel sie in Zuckungen.
Man brachte sie nach Hause, man berief Ärzte, man fuhr
mit ihr nach Wien, zu den Koryphäen. Ihr Zustand ist
beinahe unverändert schlecht, aber innerhalb der Krankheit gibt es muntere Abwechslungen. Bald ist ein Arm
gelähmt, bald ein Bein. Einmal zittert ihr Kopf, ein anderes Mal ein Augenlid. Tagelang kann sie nichts essen, sie
erbricht sich beim Anblick von Nahrungsmitteln. Ein
paarmal mußte man sie auf der Bahre in die Kirche tragen,

sie wollte beten. Auf den Mann ist sie böse. Ihrer Meinung nach ist er der Urheber ihrer Leiden.

Mein armer Freund hielt sich tatsächlich für den Schuldigen. ›Ich habe sie vernichtet‹, sagte er. ›Meine Schuld! Alles, was sie getan hat: meine Schuld! Ich war taub und blind. Junge Frauen läßt man nicht allein. Was hätte sie tun sollen, ganze Tage und Nächte, ohne mich? Und wie brutal hab' ich mit ihr abgerechnet! Es tat mir ja gar nicht wirklich weh! Nur mein elender Stolz war beleidigt. Gekränkte, blöde, männliche Eitelkeit. Kein Doktor kann ihr helfen. Nur Sie, mein Freund! Verzeihen Sie mir alles!‹

›Auch ich kann ihr nicht helfen, lieber armer Freund!‹ sagte ich. ›Nur sie selber könnte sich helfen, wenn sie wollte. Aber sie ist ja eben krank, weil sie sich nicht helfen will. Wir nennen das in der Medizin: die Flucht in die Krankheit. Es ist geradezu ein Musterbeispiel für diese pathologische Erscheinung. Es gibt nur eines: Retten Sie sich selbst. Geben Sie Ihre Frau in ein gutes Sanatorium.‹

›Niemals!‹ schrie er. ›Ich verlasse sie niemals.‹

›Gut!‹ sagte ich. ›Wie Sie wollen. Gehn wir zu Ihrer Frau.‹

Sie empfing mich mit einem holden Lächeln, ihren Mann mit einem strengen Blick. Keine geniale Schauspielerin hätte das vermocht. Ihr rechtes Auge leuchtete mir selig entgegen, ihr linkes sandte finstere Blitze gegen meinen Freund. Gestern noch hatten ihre Lider gezuckt. Heute konnte sie mir nur die Linke geben, denn die Rechte war steif. Die Beine? – Ja, die waren heute gut. – ›Stehen Sie auf!‹ befahl ich in dem Ton, in dem ich als Militärarzt zu den Soldaten hatte sprechen müssen. Sie erhob sich. ›Kommen Sie ans Klavier! Wir wollen versuchen zu spielen!‹ Sie trat ans Klavier. Wir setzten uns. Und nun brachte ich meinem Freund ein unerhörtes Opfer. Denken Sie: Ich, ich spielte – nun, was, glauben Sie, spielte ich? – Wagner! – Und was von Wagner? – Den Pilgerchor. – Und ihre rechte Hand bewegte sich. – ›Wagner ist ein großer Meister!‹ sagte sie, als wir fertig waren. ›Ja, gnädige Frau! Als Heilmittel für kranke Damen ist er unübertrefflich‹, erwiderte ich.

›Sie sind der einzige Arzt in der Welt!‹ jubelte mein Freund. Denken Sie, er hatte gar nicht gemerkt, daß ich zum erstenmal in meinem Leben Wagner gespielt hatte!

So viel vermag eine Frau, und noch mehr! Denn von dieser Stunde an ließ sie mir nur ein paar Pausen am Tag, meinem Freund nicht eine einzige. Wir saßen Tag um Tag, Nacht um Nacht neben ihr, besser gesagt: um sie herum. In den kurzen Pausen, in denen ich allein sein durfte beziehungsweise meine anderen Patientinnen behandelte, hatte mein Freund kein leichtes Leben. Ich fühlte, mit welcher Inbrunst er mich erwartete. Wenn ich kam, umarmte er mich, blieb mit mir eine lange Weile im Vorzimmer, ich wußte genau, wie er sich danach sehnte, mit mir allein zu sein, zwei Stunden, einen Abend; und ich fühlte sein Herz klopfen, sein armes, furchtsames Herz, das Herz eines Sklaven, den die Herrin drohend erwarten kann. Kamen wir dann ins Zimmer, so fragte die Frau regelmäßig: ›Was habt ihr so lange draußen zu tun? Es ist ja warm! Der Doktor hat ja keinen Mantel! Was habt ihr vor mir für Geheimnisse? Ach Gott! Immer werde ich betrogen!‹

Ich konnte mich nicht enthalten, ihr eines Tages zu antworten: ›An jeden von uns kommt einmal die Reihe ...‹

Sie rächte sich an jenem Tage. Ihr linker Fuß erstarrte, erkaltete, und ich mußte ihn eine Stunde lang frottieren.

Mein Freund stand ihr zu Häupten und streichelte ihre Haare. Wir sprachen kein Wort.

Als der linke Fuß beinahe wieder warm geworden war, fragte ich meinen Freund: ›Und was ist eigentlich mit Ihrer Fabrik?‹

›Fabrik? – Welche Fabrik?‹ rief die Kranke.

›Beruhige dich‹, sagte der Mann. ›Der Doktor meint meine Fabrik. Ich habe sie längst verkauft, lieber Freund, wir leben vom Konto.‹

Tag für Tag wiederholten sich derartige Szenen. Manchmal gingen wir alle drei aus. Dann führten wir, nein, wir schleppten geradezu die Frau in der Mitte. An unser beider Armen hing sie, die süße Last.

Wir aßen, tranken und schwiegen.

Einmal, ich erinnere mich, gingen wir in ein Tanzlokal. Sie wissen, daß ich kein leidenschaftlicher Tänzer bin. Ich hasse jede Art von Exhibitionismus – und das ist – offen gestanden – der Tanz seit dem Ende des Krieges. Da ich aber nun einmal schon, meines Freundes wegen, Wagner mit der Frau gespielt hatte, beschloß ich auch, mit ihr zu tanzen. Was muß ein Frauenarzt nicht alles! Nun, wir tanzten. Mitten im Shimmy flüsterte sie: ›Ich liebe dich, Doktor, ich liebe nur dich.‹ – Ich antwortete natürlich nicht. Als wir zum Tisch zurückkehrten, sagte ich zu meinem Freunde: ›Ihre Frau hat mir eben ihre Liebe gestanden. Ich bin der einzige Arzt, den sie liebhat.‹

Ein paar Tage später, die Saison ging schon zu Ende, riet ich meinem Freund, er möchte mit seiner Frau nach England fahren, zu den Schwiegereltern, und – wenn er wolle – im nächsten Jahr wieder zu mir kommen.

›Im nächsten Jahr kommen wir als Gesunde zu Ihnen‹, sagte er. Und sie fuhren nach London.

XII

Im nächsten Jahr kamen sie wieder, aber keineswegs als Gesunde. Ich spreche in der Mehrzahl: Denn mein Freund war genauso krank wie seine Frau. Typhus ist weniger ansteckend als Hysterie, müssen Sie wissen. Ein Irrsinniger ist nicht deshalb gefährlich, weil er seine normale Um-

gebung körperlich bedrohen könnte, sondern weil er die
Vernunft seiner normalen Umgebung allmählich vernich-
tet. Der Irrsinn in dieser Welt ist stärker als der gesunde
Menschenverstand, die Bosheit ist mächtiger als die Güte.
Ich hatte den Winter über wenig Nachrichten von meinem Freund bekommen. Mein Rat war vielleicht ein
schlimmer gewesen. Im Hause ihrer Eltern gewann die
Bosheit der Frau neue Kräfte, es war geradezu eine
Schmiedeanstalt für ihre Waffen. Ärzte, Hypnotiseure,
Gesundbeter, Magnetiseure, Pfarrer, alte Weiber: nichts
konnte ihr helfen. Eines Tages behauptete sie, die Beine
nicht mehr bewegen zu können. Und kennzeichnender-
weise war es kurz nach einem Abend, an dem ihr Mann
– mit seinem Schwiegervater übrigens – zum erstenmal
seit dem Ausbruch ihrer Krankheit zu irgendeinem Ban-
kett gegangen war. Nun, die Beine waren tatsächlich steif.
Krücken, Holzbeine, Prothesen sind beweglicher. Die
unbewegten, unbeweglichen Beine magerten rapide ab,
indes der Oberkörper der Frau ständig zunahm. Man
mußte sie im Rollstuhl fahren. Und da sie keinen fremden
Menschen um sich duldete, mußte sie natürlich ihr Mann,
mein Freund, im Rollstuhl fahren. Als er wieder zu mir
kam, war er alt und grau geworden. Aber, schlimmer als
dies: Dieser noble Mensch hatte die Haltung und die Al-
lüren eines Dieners – was sag' ich: eines Knechtes angenommen. Wie ein Rekrut beim Anruf seines Feldwebels,
so erstarrte er, wenn seine Frau ihn rief. Ihre Stimme war
heiser und zugleich schärfer geworden. Wie eine sirrende
Säge schnitt sie durch die Luft. Dabei hatte sie blitzende,
lachende, heitere Augen, ein angenehmes Lächeln, rosige
Wangen, die immer voller wurden, ein Grübchen im Kinn,
das immer fetter wurde, sie glich einem gelähmten Weih-
nachtsengel, ohne Flügel, auf armseligen, stockdünnen,
harten, unbeweglichen Beinen. Mein Freund aber, wie gesagt, sah aus wie ein Lakai. Ein alter Herrschaftskutscher

hätte sich neben ihm wie ein Fürst ausgenommen. Mein Freund schlich mit schiefen Schultern einher, auf geknickten Beinen, vielleicht kam es davon, daß er ewig den Karren mit seiner süßen Last durch das Leben stoßen mußte. Ja, verprügelt – das ist das richtige Wort: verprügelt sah er aus! Vielleicht schlug sie ihn auch dann und wann.

Ich fragte ihn, wie es mit der Liebe sei, ich meine, mit der körperlichen. Nun, denken Sie: Dieser Mann mußte Nacht für Nacht seine Frau entkleiden, auf seinen Armen ins Bett tragen und selbstverständlich neben ihr liegen. Er fürchtete, der Arme, diese Frau würde ihn noch einmal betrügen, wenn er sie nicht liebte. Ja, er schwärmte noch von ihrer Schönheit! Mir schwärmte er von ihrer Schönheit vor, der ich ihren fett gewordenen Oberkörper und ihre stabdünnen Beine gesehen hatte!

Am stärksten plagte ihn ihre Eifersucht. Sie konnte keinen Augenblick allein bleiben, sie lehnte Krankenschwestern ab – aus Angst, ihr Mann könnte sich in die Schwester verlieben. Aber sie war auch auf mich eifersüchtig, auf das Zimmermädchen, den Zimmerkellner, den Hotelportier, den Liftboy. Ins Konzert und ins Café und ins Restaurant schleppten wir sie beide gemeinsam, wie Zugesel, angeschnallt an den Griff ihres elenden, knarrenden Karrens, keuchend durch die schwülen Abende, manchmal durch Regen und Wind, einen Schirm haltend über ihren immer modischen Hut, die Decken unaufhörlich glättend über ihren steifen Knien. Modistinnen, Näherinnen, Schneiderinnen flatterten, wie Falter um das Licht, ins Hotel, in dem sie wohnte. Vor jedem dritten Schaufenster blieb man stehen. In Juwelierläden ließ sie sich rollen, stundenlang suchte sie nach passendem Schmuck. Jeden Vormittag kam der Friseur ins Haus. Jeden Morgen mußte sie mein Freund ins Bad legen. Und während sie im Wasser mit Gummitieren spielte, las er ihr aus törichten englischen Gesellschaftsromanen und Magazinen vor. Meine

Behandlung nützte gar nichts mehr. Es war, wie wir Ärzte sagen, kein ›Gesundheitswillen‹ mehr in der Frau, die Psychose war schon allzu heimisch in ihr geworden. Sie lachte mich aus. Ich hatte keine Macht mehr über sie.

Niemals gelang es mir, allein mit meinem Freund zu sein. Sie ließ uns nicht eine Viertelstunde allein. Ich suchte nach einem Ausweg. Ich glaubte schließlich, einen gefunden zu haben: Da sie aus Eifersucht eine Schwester ablehnte – wie war es da mit einem Wärter? Ich kannte einen braven jungen Burschen aus unserem Krankenhaus. Ich sprach mit ihm, er war einverstanden. Ich brachte ihn zu Frau Gwendolin, er gefiel ihr. ›Aber nicht jetzt‹, sagte sie, ›wir werden ihn mitnehmen, wenn wir zurückfahren. Hier mag ich euch beide nicht allein lassen.‹ Dabei blieb es. Kurz vor Saisonende fuhren sie mit dem jungen Wärter nach London.

Ich hatte eine kleine Genugtuung: Vielleicht konnte dieser Wärter wenigstens in London meinem armen Freund ein paar Atempausen verschaffen.

Aber es kam anders! Kaum zwei Monate später erhielt ich einen kurzen Brief meines Freundes.

Ich hätte immer recht gehabt, so schrieb er mir, jetzt wisse er es endlich, aber es sei nie zu spät, jetzt würde er seine Frau verlassen. Er hätte sie bei einer innigen Umarmung mit dem jungen Wärter ertappt. Ich würde bald Näheres hören.

Aber zwei Jahre vergingen, ich schrieb, ohne Antwort zu erhalten, ich hörte nichts mehr von meinem lieben Freund.

XIII

Eines Tages fuhr ich nach Paris und besuchte mehr aus langer Weile denn aus Interesse eines der vielen nächtlichen Lokale auf dem Montmartre, vor deren Türen falsche Kosaken Wache halten und echte Amerikaner hereinzulocken versuchen. Müde und fast gekränkt über meine eigene Dummheit, saß ich da und sah den tanzenden Paaren zu. Auf einmal erblickte ich Frau Gwendolin. Sie war es, kein Zweifel! Im Arm eines glattgekämmten, öligschwarzhaarigen Gigolos tanzte sie einen sogenannten Java. Der Mann konnte kein anderer sein als Lakatos. Das heißt: Lakatos aus Budapest ist ein Typus, keine Persönlichkeit. Es mußte nicht unbedingt der alte Lakatos von Zimmer 32 sein. Plötzlich fiel ihr Blick auf mich. Sie ließ ihren Tänzer stehen, kam an meinen Tisch, gesund, heiter, lächelnd, eine Göttin. Unwillkürlich bückte ich mich, um ihre Beine zu sehn. Gesunde, tadellose Beine in hellgrauen seidenen Strümpfen.

›Sie wundern sich, Doktor, was?‹ sagte sie. ›Ich setze mich ein bißchen.‹

Sie setzte sich.

›Wo ist Ihr Mann?‹ fragte ich. ›Warum schreibt er nicht?‹

Zwei große, glänzende Tränen erschienen auf Kommando, zwei Wachtposten der Trauer, in ihren Augenwinkeln.

›Er ist tot!‹ sagte sie. ›Er hat sich leider umgebracht. Wegen einer Dummheit.‹

Sie zog das Taschentuch und gleichzeitig den Spiegel aus dem Handtäschchen.

›Wann denn?‹ fragte ich.

›Vor zwei Jahren!‹

›Und wie lange sind Sie schon gesund?‹

› Anderthalb Jahre!‹

›Und ist das Ihr neuer Mann, mit dem Sie hier sind?‹

›Mein Bräutigam, Herr Lakatos, ein Ungar, famoser Tänzer, wie Sie vielleicht gesehen haben.‹

Ach, der Bandwurm! dachte ich und rief: ›Zahlen!‹ und bezahlte schnell und ließ die Frau sitzen, und ohne von ihr Abschied zu nehmen, ging ich hinaus.

Viele, viele Frauen gingen an mir vorüber, manche lächelten mir zu. Lächelt nur, dachte ich, lächelt nur, dreht euch, wiegt euch, kauft euch Hütchen, Strümpfchen, Sächelchen! Rasch naht euch das Alter! Noch ein Jährchen, noch zwei! Kein Chirurg hilft euch, kein Perückenmacher. Entstellt, vergrämt, verbittert sinkt ihr bald ins Grab, und noch tiefer, in die Hölle. Lächelt nur, lächelt nur! ...

Die Büste des Kaisers
Novelle
|1935|

I

Im früheren Ostgalizien, im heutigen Polen, sehr ferne der einzigen Eisenbahnlinie, der Przemysl und Brody verbindet, liegt das Dörfchen Lopatyny, von dem ich im Folgenden eine merkwürdige Geschichte zu erzählen gedenke.

Mögen die Leser freundlicherweise dem Erzähler nachsehen, daß er den Tatsachen, die er mitzuteilen hat, eine historisch-politische Erläuterung vorausschickt. Die unnatürlichen Launen, welche die Weltgeschichte in der letzten Zeit gezeigt hat, zwingen ihn zu dieser Erläuterung.

Denn die Jüngeren unter seinen Lesern bedürfen vielleicht der Erklärung, daß ein Teil des Gebietes im Osten, das heute zur polnischen Republik gehört, bis zum Ende des großen Krieges, den man den Weltkrieg nennt, eines der vielen Kronländer der alten österreichisch-ungarischen Monarchie gewesen ist.

In dem Dorfe Lopatyny also lebte der Nachkomme eines alten polnischen Geschlechts, der Graf Franz Xaver Morstin – eines Geschlechtes, das (nebenbei gesagt) aus Italien stammte und im sechzehnten Jahrhundert nach Polen gekommen war. Der Graf Morstin hatte als junger Mann bei den Neuner-Dragonern gedient. Er betrachtete sich weder als einen Polen noch als einen Italiener, weder als einen polnischen Aristokraten noch als einen Aristokraten italienischer Abkunft. Nein: Wie so viele seiner Standesgenossen in den früheren Kronländern der österreichisch-ungarischen Monarchie war er einer der edelsten und reinsten Typen des Österreichers schlechthin, das heißt also: ein übernationaler Mensch und also ein Adeliger echter Art. Hätte man ihn zum Beispiel gefragt – aber wem wäre eine so sinnlose Frage eingefallen?–, welcher »Nation« oder welchem Volke er sich zugehörig fühle: der Graf wäre ziemlich verständnislos, sogar verblüfft vor dem Frager geblieben und wahrscheinlich auch gelangweilt und etwas indigniert. Nach welchen Anzeichen auch hätte er seine Zugehörigkeit zu dieser oder jener Nation bestimmen sollen? – Er sprach fast alle europäischen Sprachen gleich gut, er war fast in allen europäischen Ländern heimisch, seine Freunde und Verwandten lebten verstreut in der weiten und bunten Welt. Ein kleineres Abbild der bunten Welt war eben die kaiser- und königliche Monarchie, und deshalb war sie die einzige Heimat des Grafen. Einer seiner Schwäger war Bezirkshauptmann in Sarajevo, ein anderer Statthaltereirat in Prag, einer seiner Brüder diente als Oberleutnant der Artillerie in Bosnien, einer seiner Vettern war Botschaftsrat in Paris, ein anderer Grundbesitzer im ungarischen Banat, ein dritter stand in diplomatischen Diensten Italiens, ein vierter lebte aus purer Neigung zum Fernen Osten seit Jahren in Peking. Von Zeit zu Zeit pflegte Franz Xaver seine Verwandten zu besuchen, häufiger natürlich jene, die innerhalb der Monarchie wohnten. Es waren, wie er zu sagen pflegte, seine privaten »Inspektionsreisen«. Sie waren nicht nur den Verwandten, sondern auch den Freunden zugedacht, einigen früheren Mitschülern der Theresianischen Akademie, die in Wien lebten. Hier hielt sich der Graf Morstin zweimal im Jahr, Sommer und Winter, (zwei Wochen und länger) auf. Wenn er so kreuz und quer durch die Mitte seines vielfältigen Vaterlandes fuhr, so behagten ihm vor allem jene ganz spezifischen Kennzeichen, die sich in ihrer ewig gleichen und dennoch bunten Art an allen Stationen, an allen Kiosken, in allen

öffentlichen Gebäuden, Schulen und Kirchen aller Kronländer des Reiches wiederholten. Überall trugen die Gendarmen den gleichen Federhut oder den gleichen lehm-
farbenen Helm mit goldenem Knauf und dem blinkenden
Doppeladler der Habsburger; überall waren die hölzernen Türen der k. u. k. Tabaktrafiken mit schwarz-gelben
Diagonalstreifen bemalt; überall trugen die Finanzer die
gleichen grünen (beinahe blühenden) Portepees an den
blanken Säbeln; in jeder Garnison gab es die gleichen
blauen Uniformblusen und die schwarzen Salonhosen der
flanierenden Infanterieoffiziere auf dem Korso, die gleichen roten Hosen der Kavalleristen, die gleichen kaffee-
braunen Röcke der Artillerie; überall in diesem großen
und bunten Reich wurde jeden Abend gleichzeitig, wenn
die Uhren von den Kirchtürmen neun schlugen, der gleiche Zapfenstreich geblasen, bestehend aus heiter tönen-
den Fragen und wehmütigen Antworten. Überall gab es
die gleichen Kaffeehäuser mit den verrauchten Wölbun-
gen, den dunklen Nischen, in denen Schachspieler wie
merkwürdige Vögel hockten, mit den Büffets voll farbiger
Flaschen und glitzernder Gläser, die von goldblonden
und vollbusigen Kassiererinnen verwaltet wurden. Fast
überall, in allen Kaffeehäusern des Reiches, schlich, die
Knie schon etwas zittrig, auf aufwärts gestreckten Füßen,
die Serviette im Arm, der backenbärtige Zahlkellner, fernes, demütiges Abbild der alten Diener Seiner Majestät,
des hohen backenbärtigen Herrn, dem alle Kronländer, all
die Gendarmen, all die Finanzer, all die Tabaktrafiken, all
die Schlagbäume, all die Eisenbahnen, all die Völker gehörten. Und man sang in jedem Land andere Lieder; und
in jedem Land trugen die Bauern eine andere Kleidung;
und in jedem Land sprach man eine andere und einige
verschiedene Sprachen. Und was den Grafen so entzück-
te, war das feierliche und gleichzeitig fröhliche Schwarz-
Gelb, das mitten unter den verschiedenen Farben traulich

leuchtete; das ebenfalls feierliche und heitere »Gott erhalte«, das heimisch war unter allen Volksliedern, das ganz besondere, nasale, nachlässige, weiche und an die Sprache des Mittelalters erinnernde Deutsch des Österreichers, das immer wieder hörbar wurde unter den verschiedenen Idiomen und Dialekten der Völker. Wie jeder Österreicher jener Zeit liebte Morstin das Bleibende im unaufhörlich Wandelbaren, das Gewohnte im Wechsel und das Vertraute inmitten des Ungewohnten. So wurde ihm das Fremde heimisch, ohne seine Farbe zu verlieren, und so hatte die Heimat den ewigen Zauber der Fremde.

In seinem Dorf Lopatyny war der Graf mehr als jede amtliche Instanz, die die Bauern und die Juden kannten und fürchteten, mehr als der Richter im nächsten Kreisstädtchen, mehr als der Bezirkshauptmann dortselbst, mehr als einer der höheren Offiziere, die jedes Jahr bei den Manövern die Truppen befehligten, Hütten und Häuser zu Quartieren machten und überhaupt jene besondere kriegerische Macht des Manövers repräsentierten, die imposanter ist als die kriegerische Macht im wirklichen Krieg. Es schien den Leuten in Lopatyny, daß ein »Graf« nicht etwa nur ein Adelstitel sei, sondern auch ein ganz hoher Amtstitel. Die Wirklichkeit gab ihnen auch nicht unrecht. Denn der Graf Morstin konnte vermöge seines selbstverständlichen Ansehens Steuern ermäßigen, die kränklichen Söhne mancher Juden vom Militärdienst befreien, Gnadengesuche befördern, unschuldig oder zu hart Verurteilten die Strafe erleichtern, Fahrpreisermäßigungen für Arme auf der Eisenbahn durchsetzen, Gendarmen, Polizisten und Beamte, die ihre Befugnisse überschritten, einer gerechten Strafe zuführen, Lehramtskandidaten, die auf eine Stellung warteten, zu Gymnasialsupplenten machen, ausgediente Unteroffiziere zu Trafikanten, Geldbriefträgern und Telegraphisten, studierende Söhne armer Bauern und Juden zu »Stipendiaten«. Wie gerne erledigte er dies alles! Er war in der Tat eine vom Staat nicht vorgesehene Instanz, die gewiß mehr beschäftigt war als die meisten staatlichen Ämter, bei denen er vorzusprechen und zu vermitteln hatte. Um seinen Pflichten zu genügen, beschäftigte er zwei Sekretäre und drei Schreiber. Außerdem, der Tradition seines Hauses getreu, übte er »herrschaftliche Wohltätigkeit« – wie man im Dorfe sagte. Seit mehr als hundert Jahren versammelten sich jeden Freitag vor dem Balkon des Hauses Morstin Landstreicher und Bettler aus der Gegend, um von den Lakaien in Papier gewickelte Kupfermünzen entgegenzunehmen. Gewöhnlich erschien der Graf auf dem Balkon und begrüßte die Armen. Und es war, als dankte er den Bettlern, die ihm dankten; als tauschten Geber und Nehmer Dankbarkeit aus.

Nebenbei gesagt: Es war nicht immer die Güte des Herzens, die alle diese Wohltätigkeit gebar, sondern eines jener ungeschriebenen Gesetze so mancher noblen Familien. Ihre Urahnen mochten noch vor Jahrhunderten aus purer Liebe zum Volk Wohltaten, Hilfe und Unterstützung ausgeübt haben. Allmählich aber, im Wandel der Geschlechter, war diese Güte gewissermaßen zu Pflicht und Überlieferung gefroren und erstarrt. Im übrigen war die heftige Hilfsbereitschaft des Grafen Morstin seine einzige Tätigkeit und seine Zerstreuung. Sie gab seinem ziemlich müßigen Leben eines Grandseigneurs, den, zum Unterschied von seinen Nachbarn und Standesgenossen, nicht einmal die Jagd interessierte, ein Ziel und einen Inhalt und eine ständig wohltuende Bestätigung seiner Macht. Hatte er diesem eine Tabaktrafik, jenem eine Lizenz, dem dritten einen Posten, dem vierten eine Audienz verschafft, so fühlte er sein Gewissen, aber auch seinen Stolz befriedigt. Mißlang ihm aber eine Vermittlung für den und jenen seiner Schutzbefohlenen, so war sein Gewissen unruhig und sein Stolz verletzt. Und er gab nicht nach, und er appellierte an alle Instanzen, bis er seinen

Willen, das heißt: den seiner Protektionskinder, durch-
gesetzt hatte. Deswegen liebte und verehrte ihn die Bevölkerung. Denn das Volk hat keine richtige Vorstellung
von den Beweggründen, die einen mächtigen Mann dazu
führen, den Kleinen und Ohnmächtigen zu helfen. Es will
einfach einen »guten Herrn« sehn – und es ist oft edel-
mütiger in seinem kindlichen Vertrauen zum Mächtigen
als dieser, in dem es immer gläubig den Edelmütigen sieht.
Es ist der tiefste und edelste Wunsch des Volkes, den
Mächtigen gerecht und adelig zu wissen. Darum rächt es
sich so grausam, wenn die Herren es enttäuschen – einem
Kinde gleich, das zum Beispiel seine Spielzeuglokomotive
vollends zerbricht, wenn sie einmal versagt hat. Deshalb
gebe man dem Volk stabile Spielzeuge wie den Kindern
und gerechte Mächtige.

Derlei Erwägungen hatte der Graf Morstin gewiß nicht,
wenn er Protektion, Güte und Gerechtigkeit übte. Aber
diese Erwägungen, die vielleicht den und jenen seiner
Vorfahren zur Ausübung der Güte, Barmherzigkeit und
Gerechtigkeit geführt hatten, wirkten lebendig im Blut
– oder, wie man heutzutage sagt: im »Unterbewußtsein«
des Enkels.

Und ebenso wie er den Schwächeren zu helfen sich ver-
pflichtet fühlte, ebenso empfand er Hochachtung, Respekt und Gehorsam gegenüber denjenigen, die höher-
gestellt waren als er. Die Person Seiner kaiser- und
königlichen Majestät, der er gedient hatte, war für ihn immer eine außerhalb alles Gewöhnlichen bleibende Erscheinung. Es wäre dem Grafen zum Beispiel unmöglich
gewesen, den Kaiser als einen Menschen schlechthin zu
sehn. Der Glaube an die überlieferte Hierarchie war so
seßhaft und stark in der Seele Franz Xavers, daß er den
Kaiser nicht etwa wegen seiner menschlichen, sondern
wegen seiner kaiserlichen Eigenschaften liebte. Er gab jeden Verkehr mit Freunden, Bekannten und Verwandten

auf, wenn sie in seiner Anwesenheit ein seiner Ansicht
nach respektloses Wort über den Kaiser fallenließen. Vielleicht ahnte er damals schon, lange vor dem Untergang der
Monarchie, daß leichtfertige Witze tödlicher sein können
als die Attentate der Verbrecher und die feierlichen Reden
ehrgeiziger und rebellischer Weltverbesserer. Dann hätte
allerdings die Weltgeschichte den Ahnungen des Grafen
Morstin recht gegeben. Denn die alte österreichisch-
ungarische Monarchie starb keineswegs an dem hohlen
Pathos der Revolutionäre, sondern an der ironischen Un-
gläubigkeit derer, die ihre gläubigen Stützen hätten sein
sollen.

II

Eines Tages, es war ein paar Jahre vor dem großen Krieg,
den man den Weltkrieg nennt, wurde dem Grafen Morstin
»vertraulich« mitgeteilt, daß die nächsten Kaisermanöver
in Lopatyny und Umgebung stattfinden würden. Ein paar
Tage, eine Woche oder länger, sollte der Kaiser in seinem
Hause wohnen. Und Morstin geriet in eine wahre Aufregung, fuhr zum Bezirkshauptmann, verhandelte mit den
zivilen politischen Behörden und den Gemeindebehörden
des nächsten Städtchens, ließ den Polizisten und Nacht-
wächtern der ganzen Umgebung neue Uniformen und
Säbel anschaffen, unterhielt sich mit den Geistlichen aller
drei Konfessionen, dem griechisch-katholischen und dem
römisch-katholischen Pfarrer und dem Rabbiner der Juden, schrieb dem ruthenischen Bürgermeister des Städtchens eine Rede auf, die dieser nicht lesen konnte, aber mit
Hilfe des Lehrers auswendig lernen mußte, kaufte weiße
Kleidchen für die kleinen Mädchen des Dorfes, alarmierte
die Kommandanten der umliegenden Regimenter und all
das »im Vertrauen« – dermaßen, daß man im Vorfrühling

schon, lange noch vor den Manövern, weit und breit in der Gegend wußte, daß der Kaiser selbst zu den Manövern kommen würde. Um jene Zeit war der Graf Morstin nicht mehr jung, früh ergraut und hager, Junggeselle, ein Hagestolz, etwas seltsam in den Augen seiner robusteren Standesgenossen, ein wenig »komisch« und »wie aus einer anderen Welt«. Niemals hatte man in der Gegend eine Frau in seiner Nähe gesehn. Niemals auch hatte er den Versuch gemacht, sich zu verheiraten. Niemals hatte man ihn trinken gesehn, niemals spielen, niemals lieben. Er hatte keine andere sichtbare Leidenschaft als die, die »Nationalitätenfrage« zu bekämpfen. Um jene Zeit begann nämlich in der Monarchie diese sogenannte »Nationalitätenfrage« heftig zu werden. Alle Leute bekannten sich – ob sie wollten oder so tun mußten, als wollten sie – zu irgendeiner der vielen Nationen, die es auf dem Gebiete der alten Monarchie gab. Man hatte im neunzehnten Jahrhundert bekanntlich entdeckt, daß jedes Individuum einer bestimmten Nation oder Rasse angehören müsse, wollte es wirklich als bürgerliches Individuum anerkannt werden. »Von der Humanität durch Nationalität zur Bestialität«, hatte der österreichische Dichter Grillparzer gesagt. Man begann just damals mit der »Nationalität«, der Vorstufe zu jener Bestialität, die wir heute erleben. Nationale Gesinnung: Man sah um jene Zeit deutlich, daß sie der vulgären Gemütsart all jener entsprang und entsprach, die den vulgärsten Stand einer neuzeitlichen Nation ausmachen. Es waren Photographen gewöhnlich, im Nebenberuf bei der freiwilligen Feuerwehr, sogenannte Kunstmaler, die aus Mangel an Talent in der Akademie der bildenden Künste keine Heimat gefunden hatten und infolgedessen Schildermaler oder Tapezierer geworden waren, unzufriedene Volksschullehrer, die gerne Mittelschullehrer, Apothekergehilfen, die gerne Doktoren geworden wären, Dentisten, die nicht Zahnärzte werden konnten, niedere Post- und Eisenbahnbeamte, Bankdiener, Förster und überhaupt innerhalb jeder der österreichischen Nationen all jene, die einen vergeblichen Anspruch auf ein unbeschränktes Ansehen innerhalb der bürgerlichen Gesellschaft erhoben. Allmählich gaben auch die sogenannten höheren Stände nach. Und all die Menschen, die niemals etwas anderes gewesen waren als Österreicher, in Tarnopol, in Sarajevo, in Wien, in Brunn, in Prag, in Czernowitz, in Oderburg, in Troppau, niemals etwas anderes als Österreicher: sie begannen nun, der »Forderung der Zeit« gehorchend, sich zur polnischen, tschechischen, ukrainischen, deutschen, rumänischen, slowenischen, kroatischen »Nation« zu bekennen – und so weiter.

Um diese Zeit ungefähr wurde auch das »allgemeine, geheime und direkte Wahlrecht« in der Monarchie eingeführt. Graf Morstin haßte es, ebenso wie die moderne Auffassung von der »Nation«. Dem jüdischen Schankwirt Salomon Piniowsky, dem einzigen Menschen weit und breit, dem er einigermaßen Vernunft zutraute, pflegte er zu sagen: »Hör mich an, Salomon! Dieser ekelhafte Darwin, der da sagt, die Menschen stammten von den Affen ab, scheint doch recht zu haben. Es genügt den Menschen nicht mehr, in Völker geteilt zu sein, nein! – sie wollen bestimmten Nationen angehören. National – hörst du, Salomon?! – Auf solch eine Idee kommen selbst die Affen nicht. Die Theorie von Darwin scheint mir noch unvollständig. Vielleicht stammen aber die Affen von den Nationalisten ab, denn die Affen bedeuten einen Fortschritt. Du kennst die Bibel, Salomon, du weißt, daß da geschrieben steht, daß Gott am sechsten Tag den Menschen geschaffen hat, nicht den nationalen Menschen. Nicht wahr, Salomon?«

»Ganz recht, Herr Graf!« sagte der Jude Salomon.

»Aber«, fuhr der Graf fort, »etwas anderes: Wir haben

diesen Sommer den Kaiser zu erwarten. Ich werde dir Geld geben. Du wirst deinen Laden ausschmücken und das Fenster illuminieren. Du wirst das Kaiserbild säubern und es ins Fenster stellen. Ich werde dir eine schwarz-gelbe Fahne mit Doppeladler schenken, die wirst du vom Dach flattern lassen. Verstanden?«

Ja, der Jude Salomon Piniowsky verstand, wie übrigens alle, mit denen der Graf von der Ankunft des Kaisers gesprochen hatte.

III

Im Sommer fanden die Kaisermanöver statt, und Seine kaiser- und königliche Apostolische Majestät nahm Aufenthalt im Schloß des Grafen Morstin. Man sah den Kaiser jeden Morgen, wenn er ausritt, die Übungen zu besichtigen, und die Bauern und die jüdischen Händler aus der Umgebung versammelten sich, um ihn zu sehn, den Alten, der sie regierte. Und sobald er mit seiner Suite erschien, riefen sie: Hoch und Hurra und niech zyje – jeder in seiner Sprache.

Einige Tage nach der Abreise des Kaisers meldete sich beim Grafen Morstin der Sohn eines Bauern aus der Umgebung. Dieser junge Mensch, der den Ehrgeiz besaß, ein Bildhauer zu werden, hatte eine Büste des Kaisers aus Sandstein verfertigt. Der Graf Morstin war begeistert. Er versprach, dem jungen Bildhauer eine freie Stelle an der Akademie der Künste in Wien zu verschaffen.

Die Büste des Kaisers ließ er vor dem Eingang zu seinem Schlößchen aufstellen.

Hier blieb sie jahrelang, bis zum Ausbruch des großen Krieges, den man den Weltkrieg nennt.

Bevor er freiwillig einrückte, alt, hager, kahlköpfig und hohläugig, wie er im Laufe der Jahre geworden war, ließ der Graf Morstin die Kaiserbüste abnehmen, in Stroh verpacken und im Keller verbergen.

Dort ruhte sie nun, bis zum Ende des Krieges und der Monarchie, der Heimkehr des Grafen Morstin und der Errichtung der neuen polnischen Republik.

IV

Der Graf Franz Xaver Morstin war also heimgekehrt. Aber konnte man das eine Heimkehr nennen? Gewiß, es waren noch die gleichen Felder, die gleichen Wälder, die gleichen Hütten, die gleiche Art der Bauern – die gleiche Art, sagen wir –, denn viele von jenen, die der Graf noch gekannt hatte, waren gefallen.

Es war Winter, man fühlte schon die nahenden Weihnachten. Wie immer um diese Zeit, wie einst lange noch vor dem Krieg, war die Lopatinka gefroren, auf den nackten Kastanien hockten reglos die Krähen, und über die Felder, auf die die westlichen Fenster des Hauses gingen, wehte der ewige sachte Wind des östlichen Winters. Es gab (infolge des Krieges) Witwen und Waisen im Dorf: genug Material für die Wohltätigkeit des heimgekehrten Herrn. Aber statt die Heimat Lopatyny als wiedergefundene Heimat zu begrüßen, begann der Graf Morstin, sich rätselhaften und ungewohnten Überlegungen über das Problem der Heimat überhaupt hinzugeben. Nunmehr, dachte er sich, da dieses Dorf Polen gehört und nicht Österreich: Ist es noch meine Heimat? Was ist überhaupt Heimat? Ist die bestimmte Uniform des Gendarmen und des Zollwächters, der uns in unserer Kindheit begegnet ist, nicht ebenso Heimat wie die Fichte und die Tanne, der Sumpf und die Wiese, die Wolke und der Bach? Verändern sich aber Gendarmen und Finanzwächter und bleiben auch Fichte und Tanne und Bach und Sumpf das gleiche:

Ist das noch Heimat? War ich nicht – fragte sich der Graf
weiter – nur deshalb heimisch in diesem Ort, weil er einem
Herrn gehörte, dem ebenso viele unzählige andersartige
Örter gehörten, die ich liebte? Kein Zweifel! Die unna-
türliche Laune der Weltgeschichte hat auch meine private
Freude an dem, was ich Heimat nannte, zerstört. Jetzt
sprechen sie ringsherum und allerorten vom neuen Vaterland. In ihren Augen bin ich ein sogenannter Vaterlands-
loser. Ich bin es immer gewesen. Ach! Es gab einmal ein
Vaterland, ein echtes, nämlich eines für die »Vaterlands-
losen«, das einzig mögliche Vaterland. Das war die alte
Monarchie. Nun bin ich ein Heimatloser, der die wahre
Heimat der ewigen Wanderer verloren hat.

In der trügerischen Hoffnung, außerhalb des Landes
diesen Zustand vergessen zu können, beschloß der Graf,
ehestens zu verreisen. Doch erfuhr er zu seinem Erstaunen, daß man eines Passes und einiger sogenannter Visen
bedurfte, um in die Länder zu gelangen, die er zu seinen
Reisezielen erwählt hatte. Schon war er alt genug, um Paß
und Visen und all die Formalitäten, welche die ehernen
Gesetze des Verkehrs zwischen Mensch und Mensch nach
dem Kriege geworden waren, für phantastische und kindliche Träume zu halten. Aber ergeben in das Schicksal, den
Rest seines Lebens in einem wüsten Traum zu verbringen,
und dennoch in der Hoffnung, draußen, in andern Ländern, einen Teil jener alten Wirklichkeit zu finden, in der
er vor dem Kriege gelebt hatte, fügte er sich den Anfor-
derungen der gespenstischen Welt, nahm einen Paß, besorgte sich Visen und fuhr zuerst in die Schweiz, in das
Land, von dem er glaubte, daß in ihm allein noch der alte
Friede zu finden wäre, einfach weil es nicht den Krieg
mitgemacht hatte.

Nun, er kannte die Stadt Zürich seit vielen Jahren. Wohl
an die zwölf Jahre hatte er sie nicht mehr gesehn. Er glaubte, daß sie ihm nichts Besonderes zu geben haben würde,

weder Gutes noch Böses. Sein Eindruck entsprach der nicht ganz unberechtigten Meinung der etwas verwöhnteren, um nicht zu sagen, abenteuersüchtigeren Welt über die braven Städte der braven Schweiz. Was sollte sich schon in ihnen ereignen können? Immerhin: Für einen Mann, der aus dem Krieg und aus dem Osten der früheren österreichischen Monarchie kam, war die Friedlichkeit einer Stadt, die lediglich die vor dem Kriege Geflüchteten gekannt hatte, bereits so etwas wie ein Abenteuer. Franz Xaver Morstin ergab sich in diesen Tagen der lang entbehrten Friedlichkeit. Er aß, trank und schlief.

Eines Tages aber ereignete sich jener häßliche Vorfall in einer nächtlichen Bar in Zürich, der den Grafen Morstin in der Folge zwang, sofort das Land zu verlassen.

In jener Zeit war in den Zeitungen aller Länder oftmals die Rede von einem reichen Bankier gewesen, der nicht nur den größten Teil der habsburgischen Kronjuwelen als Pfänder gegen ein Darlehen an die kaiserliche Familie Österreichs genommen haben sollte, sondern auch die alte Krone der Habsburger. Kein Zweifel, daß diese Nachrichten den Mündern und Federn der leichtfertigen Kundschafter entstammten, die man Journalisten nennt; und mochte vielleicht auch die Nachricht, daß ein bestimmter Teil des Vermögens der kaiserlichen Familie in die Hände eines gewissenlosen Bankiers geraten sei, wahr sein, so gewiß doch nicht die alte Krone der Habsburger, wie Franz Xaver Morstin zu wissen glaubte.

Nun gelangte er eines Nachts in eine der wenigen und nur Kennern zugänglichen nächtlichen Bars der sittsamen Stadt Zürich, in der, wie man weiß, die Prostitution verboten ist, die Sittenlosigkeit verpönt und die Sünde ebenso langweilig wie kostspielig. Nicht etwa, daß der Graf nach ihr gesucht hätte! Nein: Die pure Friedlichkeit hatte begonnen, ihn zu langweilen und ihm schlaflose Nächte zu bereiten, und er hatte beschlossen, die Nächte sei es wo immer zu verbringen.

Er begann zu trinken. Er saß in einem der wenigen friedlichen Winkel, die es in diesem Lokal gab. Zwar störten ihn die amerikanischen neumodischen, rötlichen Lämpchen, das hygienische Weiß des Barmixers, der an einen Operateur erinnerte, das künstliche Blondhaar der Mädchen, das die Assoziation an Apotheken unmittelbar wachrief: Aber woran war er nicht schon alles gewöhnt, der arme, alte Österreicher? Immerhin schrak er aus der Ruhe auf, die er sich selbst mühsam in dieser Umgebung abgerungen hatte, als er eine knarrende Stimme rufen hörte: »Und hier, meine Damen und Herren, ist die Krone der Habsburger!«

Franz Xaver erhob sich. Er sah in der Mitte der länglichen Bar eine größere, heitere Gesellschaft. Sein erster Blick verriet ihm, daß alle Typen, die er haßte, obwohl er bis jetzt keinem einzigen ihrer Vertreter näher begegnet war, an jenem Tisch vertreten waren: blondgefärbte Frauen in kurzen Röcken und mit schamlosen (übrigens häßlichen) Knien, schlanke und biegsame Jünglinge von olivenfarbenem Teint, lächelnd mit tadellosen Zähnen wie die Propagandabüsten mancher Dentisten, gefügig, tänzerisch, feige, elegant und lauernd, eine Art tückischer Barbiere; ältere Herren mit sorgfältig, aber vergeblich verheimlichten Bäuchen und Glatzen, gutmütig, geil, jovial und krummbeinig, kurz und gut: eine Auslese jener Art von Menschen, die das Erbe der untergegangenen Welt vorläufig verwalteten, um es ein paar Jahre später an die noch moderneren und mörderischen Erben mit Gewinn abzugeben.

An jenem Tisch erhob sich nun einer der ältlichen Herren, schwenkte zuerst eine Krone in der Hand, setzte sie sich dann auf den kahlen Kopf, ging um den Tisch, trat in die Mitte der Bar, tänzelte, wackelte mit dem Kopf und mit der auf ihm sitzenden Krone und sang dabei nach der Melodie eines um jene Zeit populären Schlagers:

»Die heilige Krone trägt man so!«

Franz Xaver verstand zuerst keineswegs den Sinn dieses widerlichen Spektakels. Er empfand nur, daß die Gesellschaft aus würdelosen Greisen (betört von kurzgeschürzten Mannequins) bestand, aus Stubenmädchen, die ihren freien Tag feierten, aus Bardamen, die den Erlös für den Champagner und den eigenen Körper mit den Kellnern teilten, aus nichtsnutzigen Stutzern, die mit Frauen und Devisen handelten, breit wattierte Schultern trugen und flatternde Hosen, die wie Weiberröcke aussahen, ekelhaften Maklern, die Häuser, Läden, Staatsbürgerschaften, Reisepässe, Konzessionen, gute Ehepartien, Taufscheine, Glaubensbekenntnisse, Adelstitel, Adoptionen, Bordelle und geschmuggelte Zigaretten vermittelten. Es war die Gesellschaft, die in allen Hauptstädten der allgemein besiegten europäischen Welt, unwiderruflich entschlossen, vom Leichenfraß zu leben, mit satten und dennoch unersättlichen Mäulern das Vergangene lästerte, die Gegenwart ausbeutete und das Zukünftige preisend verkündete. Dies waren nach dem Weltkrieg die Herren der Welt. Der Graf Morstin kam sich selbst wie sein eigener Leichnam vor. Auf seinem Grab tanzten jene nun. Um den Sieg dieser Menschen vorzubereiten, waren Hunderttausende unter Qualen gestorben – und Hunderte durchaus ehrlicher Sittenprediger hatten den Untergang der alten Monarchie vorbereitet, ihren Zerfall herbeigesehnt und die Befreiung der Nationen! Nun aber, siehe da: Auf dem Grabe der alten Welt und rings um die Wiegen der neugeborenen Nationen und Sezessionsstaaten tanzten die Gespenster der nächtlichen *American Bar*.

Morstin rückte näher, um besser zu sehn. Die schattenhafte Natur dieser wohlgenährten, fleischlichen Gespenster weckte seine Neugier. Und er erkannte auf dem kahlen Schädel des krummbeinigen tänzelnden Mannes das Abbild – gewiß war es das Abbild – der Stephanskrone. Der Kellner, beflissen, seinen Gästen alles Bemerkens-

werte mitzuteilen, kam zu Franz Xaver und sagte: »Das ist
der Bankier Walakin, ein Russe. Er behauptet, alle Kronen
der entthronten Monarchen zu besitzen. Jeden Abend
kommt er mit einer anderen. Gestern war's die Zaren-
krone. Heute ist es die Stephanskrone.«

Der Graf Morstin fühlte sein Herz stocken, eine Sekunde nur. In dieser einzigen Sekunde aber – es schien ihm
später, daß sie zumindest eine Stunde gedauert hatte
– erlebte er eine völlige Verwandlung seiner selbst. Es war,
als wüchse in seinem Innern ein ihm unbekannter, erschreckender, fremder Morstin, stieg und wuchs, breitete
sich aus, nahm Besitz vom Körper des alten, wohlbekann-
ten und, weiter noch, vom ganzen Raum der *American
Bar*. Nie in seinem Leben, seit seiner Kindheit nicht, hatte
Franz Xaver Morstin den Zorn gekannt. Er besaß ein wei-
ches Gemüt, und die Geborgenheit, die ihm sein Stand,
seine Wohlhabenheit, der Glanz seines Namens, seine Bedeutung sicherten, hatte ihn bis jetzt gleichsam abgeschlossen von aller Roheit dieser Welt, vor jeder Begegnung mit ihrer Niedrigkeit. Gewiß hätte er sonst den Zorn
früher kennengelernt. Es war, als fühlte er selbst in dieser
einzigen Sekunde, in der sich seine Verwandlung vollzog,
daß sich, lange schon vor ihm, die Welt verwandelt hatte.
Es war, als erführe er jetzt, daß die eigene Verwandlung
lediglich eine notwendige Folge der allgemeinen Verwandlung war. Viel größer noch als der ihm unbekannte
Zorn, der jetzt in ihm aufstieg und wuchs und über die
Grenzen seiner Persönlichkeit schäumte, mußte die Gemeinheit gewachsen sein, die Gemeinheit dieser Welt, die
Niedertracht, die sich so lange geduckt hatte und verborgen unter dem Kleide der schmeichelnden »Loyalität«
und der sklavischen Untertänigkeit. Es war, als erführe er,
der allen Menschen, ohne sie zu prüfen, von vornherein
die selbstverständliche Eigenschaft, Anstand zu besitzen,
zugetraut hatte, in dieser Sekunde erst den Irrtum seines

Lebens, den Irrtum jedes noblen Herzens: nämlich den, Kredit zu gewähren, schrankenlosen Kredit. Und seine plötzliche Erkenntnis erfüllte ihn mit jener vornehmen Scham, die eine treue Schwester des vornehmen Zornes ist. Im Anblick der Niedrigkeit schämt sich der Vornehme doppelt: einmal, weil allein schon ihre Existenz ihn beschämt, dann auch, weil er sofort einsieht, daß sein Herz betört wurde. Er kommt sich betrogen vor – und sein Stolz rebelliert dagegen, daß man sein Herz hatte betrügen können.

Er war nicht mehr imstande, zu messen, zu wägen und zu überlegen. Es schien ihm, daß kaum irgendeine Art der Gewalttätigkeit bestialisch genug sein könnte, die Niedrigkeit jenes Mannes, der mit den Kronen auf dem kahlen Schädel eines Maklers tanzte, jeden Abend mit einer anderen, zu strafen und zu rächen. Ein Grammophon grölte das Lied vom »Hans, der was mit dem Knie macht«; die Barmädchen kreischten; die jungen Männer klatschten in die Hände; der Barmann, ganz in chirurgischem Weiß, klirrte mit Gläsern, Löffeln, Flaschen, schüttete und mixte, braute und zauberte aus metallenen Gefäßen die geheimnisvollen Zaubertränke der neuen Zeit, schepperte, rasselte und blickte von Zeit zu Zeit mit einem wohlwollenden Aug', das zugleich schon den Konsum kalkulierte, auf das Schauspiel des Bankiers. Die rötlichen Lämpchen zitterten bei jedem stampfenden Schritt des Glatzköpfigen. Das Licht, das Grammophon, die Geräusche, die der Mixer verursachte, das Gurren und Kreischen der Frauen versetzten den Grafen Morstin in eine verwunderliche Raserei. Es geschah das Unglaubliche: Er wurde zum erstenmal in seinem Leben lächerlich und kindisch. Er bewaffnete sich mit der halbgeleerten Sektflasche und mit einem blauen Siphon, trat nahe an die Fremden heran; während er mit der Linken das Sodawasser gegen die Tischgesellschaft verspritzte, als gälte es, einen häßlichen

Brand zu löschen, hieb er mit der Rechten die Flasche gegen den Kopf des Tänzers. Der Bankier fiel zu Boden. Die Krone fiel ihm vom Kopf. Und während sich der Graf bückte, um sie aufzuheben, als gälte es, eine wirkliche Krone und alles, was sie darstellte, zu retten, stürzten sich über ihn Kellner, Mädchen und Stutzer. Betäubt von dem starken Parfüm der Mädchen, den Schlägen der jungen Männer, wurde der Graf Morstin schließlich auf die Straße gebracht. Dort, vor der Tür der *American Bar,* präsentierte ihm der beflissene Kellner die Rechnung, auf silbernem Tablett, unter freiem Himmel, sozusagen in Anwesenheit aller gleichgültigen, fernen Sterne: Denn es war eine heitere Winternacht.

Am nächsten Tag kehrte der Graf nach Lopatyny zurück.

V

Warum – sagte er sich unterwegs – nicht nach Lopatyny zurückkehren? Da meine Welt endgültig besiegt zu sein scheint, habe ich keine ganze Heimat mehr. Und es ist besser, ich suche noch die Trümmer meiner alten Heimat auf!

Er dachte an die Büste des Kaisers Franz Joseph, die in seinem Keller ruhte, und an den Leichnam dieses seines Kaisers, der längst in der Kapuzinergruft lag.

Ich war immer ein Sonderling – so dachte er weiter – in meinem Dorfe und in der Umgebung. Ich werde ein Sonderling bleiben.

Er telegraphierte an seinen Hausverwalter den Tag seiner Ankunft.

Und als er ankam, erwartete man ihn, wie immer, wie in früheren Zeiten, als hätte es keinen Krieg gegeben, keine Auflösung der Monarchie, keine neue polnische Republik.

Denn es ist einer der größten Irrtümer der neuen – oder, wie sie sich gerne nennen: modernen – Staatsmänner, daß das Volk (die »Nation«) sich ebenso leidenschaftlich für die Weltpolitik interessiert wie sie selber.

Das Volk lebt keineswegs von der Weltpolitik – und unterscheidet sich dadurch angenehm von den Politikern. Das Volk lebt von der Erde, die es bebaut, vom Handel, den es treibt, vom Handwerk, das es versteht. (Es wählt trotzdem bei den öffentlichen Wahlen, es stirbt in den Kriegen, es zahlt Steuern den Finanzämtern.) Jedenfalls war es so in dem Dorfe des Grafen Morstin, in dem Dorf Lopatyny. Und der ganze Weltkrieg und die ganze Veränderung der europäischen Landkarte hatten die Gesinnung des Volkes von Lopatyny nicht verändert. Wie? – Warum? – Der gesunde Menschenverstand der jüdischen Schankwirte, der ruthenischen und der polnischen Bauern wehrte sich gegen die unbegreiflichen Launen der Weltgeschichte. Ihre Launen sind abstrakt: die Neigungen und Abneigungen des Volkes aber sind konkret. Das Volk von Lopatyny zum Beispiel kannte seit Jahren die Grafen Morstin, die Vertreter des Kaisers und des Hauses Habsburg. Es kamen neue Gendarmen, und ein Steuersequester ist ein Steuersequester, und der Graf Morstin ist der Graf Morstin. Unter der Herrschaft der Habsburger waren die Menschen von Lopatyny glücklich und unglücklich gewesen – je nach dem Willen Gottes. Immer gibt es, unabhängig von allem Wechsel der Weltgeschichte, von Republik und Monarchie, von sogenannter nationaler Selbständigkeit oder sogenannter nationaler Unterdrückung im Leben des Menschen eine gute oder eine schlechte Ernte, gesundes und faules Obst, fruchtbares und kränkliches Vieh, die satte und die magere Weide, den Regen zu Zeit und Unzeit, die fruchtbare Sonne und jene, die Dürre und Unheil brachte; für den jüdischen Händler bestand die Welt aus guten und aus schlechten Kunden; für den

Schankwirt aus guten und aus schwachen Trinkern; für den Handwerker wieder war es wichtig, ob die Leute neue Dächer, neue Stiefel, neue Hosen, neue Öfen, neue Schornsteine, neue Fässer brauchten oder nicht. So war es wenigstens, wie gesagt, in Lopatyny. Und was unsere besondere Meinung betrifft, so geht sie dahin, daß sich die ganze große Welt gar nicht so sehr von dem kleinen Dörfchen Lopatyny unterscheidet, wie es die Volksführer und Politiker wissen wollen. Nachdem sie Zeitungen gelesen, Reden gehört, Abgeordnete gewählt, selber mit Freunden die Vorgänge in der Welt besprochen haben, kehren die braven Bauern, Handwerker und Kaufleute – und in den großen Städten auch die Arbeiter – in ihre Häuser und Werkstätten zurück. Und Kummer oder Glück erwarten sie zu Hause: kranke oder gesunde Kinder, zänkische oder friedliche Weiber, zahlende oder säumige Kunden, zudringliche oder geduldige Gläubiger, ein gutes oder ein schlechtes Essen, ein sauberes oder ein schmutziges Bett. Ja, es ist unsere Überzeugung, daß sich die einfachen Menschen gar nicht um die Weltgeschichte kümmern, mögen sie auch an Sonntagen ein langes und breites von ihr reden. Aber dies mag, wie gesagt, unsere private Anschauung sein. Wir haben hier lediglich vom Dorfe Lopatyny zu berichten. Und dort war es so, wie wir es eben beschrieben haben.

Als der Graf Morstin heimgekehrt war, begab er sich sofort zu Salomon Piniowsky, dem klugen Juden, bei dem, wie bei keinem zweiten Menschen in Lopatyny, die Einfalt und die Klugheit einträchtig nebeneinander lebten, als wären sie Schwestern. Und der Graf fragte den Juden: »Salomon, was hältst du von dieser Erde?« »Herr Graf«, sagte Piniowsky, »nicht das geringste mehr. Die Welt ist zugrunde gegangen, es gibt keinen Kaiser mehr, man wählt Präsidenten, und das ist so, wie wenn ich mir einen tüchtigen Advokaten suche, wenn ich einen Prozeß habe. Das ganze Volk wählt sich also einen Advokaten, der es verteidigt. Aber – frage ich, Herr Graf, vor welchem Gericht? – Vor dem Gericht anderer Advokaten wiederum. Und hat das Volk selbst keinen Prozeß und hat es auch nicht nötig, sich zu verteidigen, so wissen wir doch alle, daß die Existenz des Advokaten allein uns schon Prozesse an den Hals schafft. Und so wird es jetzt fortwährend Prozesse geben. Ich habe noch die schwarz-gelbe Fahne, Herr Graf, die Sie mir geschenkt haben. Was soll ich mit ihr? Sie liegt auf dem Dachboden. Ich hab' noch das Bild des alten Kaisers. Was soll ich nun? Ich lese Zeitungen, ich kümmere mich ein bißchen ums Geschäft, ein bißchen um die Welt, Herr Graf. Ich weiß, was sie für Dummheiten machen. Aber unsere Bauern haben keine Ahnung. Sie glauben einfach, der alte Kaiser hätte neue Uniformen eingeführt und Polen befreit. Er residiert nicht mehr in Wien, sondern in Warschau.«

»Laß sie nur«, sagte der Graf Morstin.

Und er ging nach Hause und ließ die Büste des Kaisers Franz Joseph aus dem Keller holen, und er stellte sie auf, vor dem Eingang zu seinem Haus.

Und vom nächsten Tage an – als hätte es keinen Krieg gegeben – als gäbe es keine neue polnische Republik – als ruhte der alte Kaiser nicht längst schon in der Kapuzinergruft – als gehörte dieses Dorf Lopatyny noch zu dem Gebiet der alten Monarchie: zog jeder Bauer, der des Weges vorbeizog, den Hut vor der sandsteinernen Büste des alten Kaisers, und jeder Jude, der mit seinem Päckchen vorbeizog, murmelte das Gebet, das der fromme Jude zu sagen hat beim Anblick eines Kaisers. Und die unscheinbare Büste, hergestellt in billigem Sandstein, von der unbeholfenen Hand eines Bauernjungen, die Büste im alten Waffenrock des toten Kaisers, mit Sternen, Abzeichen, goldenem Vlies, festgehalten im Stein, so wie das kindliche Auge des Burschen den Kaiser gesehen und geliebt hatte,

gewann mit der Zeit auch einen besonderen, einen ganz
eigenen künstlerischen Wert – selbst in den Augen des
Grafen Morstin. Es war, als wollte der erhabene Gegenstand, je mehr Zeit verging, das Werk, das ihn darstellte,
verbessern und veredeln. Wind und Wetter arbeiteten, wie
mit künstlerischem Bewußtsein, an dem naiven Stein. Es
war, als arbeiteten auch Verehrung und Erinnerung an
diesem Standbild und als veredelte jeder Gruß der Bauern,
jedes Gebet eines gläubigen Juden bis zu künstlerischer
Vollkommenheit das hilflose Werk der jungen Bauern-
hand.

So stand das Bild jahrelang vor dem Hause des Grafen
Morstin, das einzige Denkmal, das es im Dorf Lopatyny
jemals gegeben hatte und auf das alle Einwohner des Dorfes mit Recht stolz waren.

Dem Grafen selbst aber, der das Dorf niemals mehr
verließ, bedeutete dieses Denkmal mehr: Es gab ihm, verließ er das Haus, die Vorstellung, daß sich nichts geändert
hatte. Allmählich – er wurde früh alt – ertappte er sich von
Zeit zu Zeit auf ganz törichten Gedanken. Stundenlang
verharrte er – obwohl er ja den gewaltigsten aller Kriege
mitgemacht hatte – in der Vorstellung, dieser sei nur ein
wüster Traum gewesen, und alle Veränderungen, die ihm
gefolgt waren, seien noch wüstere Träume. Zwar sah er,
jede Woche fast, daß seine Fürsprache bei Ämtern und
Gerichten für seine Schutzbefohlenen nichts mehr nutzte,
ja, daß sich neue Beamte über ihn lustig machten. Er war
eher entsetzt als beleidigt. Schon war es allgemein bekannt
in dem nächsten Städtchen wie in der Umgebung und auf
den Gütern der Nachbarn, daß der »alte Morstin halb verrückt« sei. Man erzählte sich, daß er zu Hause die alte
Uniform eines Rittmeisters der Dragoner trage, mit allen
alten Orden und Auszeichnungen. Eines Tages fragte ihn
ein Gutsbesitzer der Umgebung – ein gewisser Graf Walewski – geradeheraus, ob es wahr sei.

»Bis jetzt noch nicht«, erwiderte Morstin, »aber Sie bringen mich auf eine gute Idee. Ich werde meine Uniform anziehn – und zwar nicht zu Hause. Ich werde sie auch draußen tragen.«

Und also geschah es auch.

Von nun an sah man den Grafen Morstin in der Uniform eines österreichischen Rittmeisters der Dragoner – und die Einwohner verwunderten sich durchaus nicht darüber. Trat der Rittmeister aus dem Hause, so salutierte er vor seinem Allerhöchsten Kriegsherrn, vor der Büste des toten Kaisers Franz Joseph. Dann ging er den gewohnten Weg zwischen den zwei Tannenwäldchen, die sandige Straße entlang, die zum nächsten Städtchen führte. Die Bauern, die ihm begegneten, zogen die Hüte und sagten: »Gelobt sei Jesus Christus«, und sie fügten noch die Anrede »Herr Graf« dazu – als glaubten sie, der Herr Graf sei eine Art näherer Verwandter des Erlösers und zwei Titel wären besser. Ach! – seit langem nicht mehr konnte er ihnen helfen, wie er ihnen früher geholfen hatte! Zwar waren die kleinen Bauern immer noch ohnmächtig. Er aber, der Herr Graf, war kein Mächtiger mehr! – Und wie alle, die einst mächtig gewesen waren, galt er nunmehr noch weniger als die Ohnmächtigen: Fast gehörte er schon zu der Kaste der Lächerlichen in den Augen der Beamten. Aber das Volk von Lopatyny und Umgebung glaubte an ihn, immer noch, wie es an den Kaiser Franz Joseph glaubte, dessen Büste es zu grüßen pflegte. Den Bauern und den Juden von Lopatyny und Umgebung erschien der Graf Morstin keineswegs lächerlich, sondern ehrfurchtsvoll. Man verehrte seine hagere, dürre Gestalt, sein graues Haar, sein aschfarbenes, verfallenes Gesicht, seine Augen, die in eine Weite ohne Grenze zu blicken schienen; kein Wunder: Sie blickten nämlich in die verlorene Vergangenheit.

Da ereignete es sich eines Tages, daß der Woiwode von

Lwow, das früher Lemberg hieß, eine Inspektionsreise
unternahm und sich aus irgendeinem Grunde in Lopatyny aufhalten mußte. Man bezeichnete ihm das Haus des
Grafen Morstin, zu dem er sich auch sofort aufmachte. Zu
seinem Erstaunen erblickte er vor dem Hause des Grafen,
mitten in einem Boskett, die Büste des Kaisers Franz Joseph. Er betrachtete sie lange, beschloß endlich, das Haus
zu betreten und den Grafen selbst nach dem Sinn dieses
Denkmals zu fragen. Aber er erstaunte noch mehr – ja, er
erschrak beim Anblick des Grafen Morstin, der dem Woiwoden in der Uniform eines österreichischen Rittmeisters
der Dragoner entgegenkam. Der Woiwode war selbst ein
»Kleinpole«, daß heißt: Er stammte aus dem früheren Galizien. Er selbst hatte in der österreichischen Armee gedient. Der Graf Morstin erschien ihm wie ein Gespenst
aus einem für ihn, den Woiwoden, längst abgelaufenen
Kapitel der Geschichte.

Er bezwang sich und fragte vorerst gar nicht. Dann
aber, als sie bei Tisch saßen, begann er, sich vorsichtig
nach dem Denkmal des Kaisers zu erkundigen. – »Ja«,
sagte der Graf, als ob es gar keine neue Welt gäbe, »Seine
hochselige Majestät war acht Tage hier. Ein sehr begabter
Bauernjunge hat die Büste gemacht. Sie hat immer hier
gestanden. Solange ich lebe, wird sie hier stehen.«

Der Woiwode verschwieg den Entschluß, den er eben
gefaßt hatte, und sagte lächelnd und wie nebenbei: »Sie
tragen immer noch die alte Uniform?«

»Ja«, erwiderte Morstin, »ich bin zu alt, um eine neue
anzulegen. Im Zivil, wissen Sie, fühle ich mich seit dieser
Veränderung der Verhältnisse nicht ganz wohl. Ich fürchte, man könnte mich dann mit manchen anderen verwechseln. – Auf Ihr Wohl«, fuhr der Graf fort – hob das Glas
und trank seinem Gast zu.

Der Woiwode saß noch eine Weile, verließ dann den
Grafen und das Dorf Lopatyny, setzte seine Inspektions-

reise fort, kam in seine Residenz zurück und gab Auftrag, die Kaiserbüste vor dem Hause des Grafen Morstin zu entfernen.

Dieser Auftrag gelangte schließlich an den Bürgermeister (»Wojt« genannt) des Dörfchens Lopatyny und also unmittelbar hierauf zur Kenntnis des Grafen Morstin.

Zum erstenmal befand sich also der Graf im offenen Konflikt mit der neuen Macht, deren Dasein er bis jetzt kaum zur Kenntnis genommen hatte. Er sah ein, daß er zu schwach war, sich gegen sie aufzulehnen. Er erinnerte sich an die nächtliche Szene in der Züricher *American Bar.* Ach! Es hatte keinen Sinn mehr, die Augen vor der neuen Welt der neuen Republiken, der neuen Bankiers und Kronenträger, der neuen Damen und Herren, der neuen Herrscher der Welt zu schließen. Man mußte die alte Welt begraben. Aber man mußte sie würdig begraben. Und der Graf Franz Xaver Morstin berief zehn der ältesten Einwohner des Dorfes Lopatyny in sein Haus – und darunter befand sich der kluge und zugleich einfältige Jude Salomon Piniowsky. Es kamen ferner: der griechisch-katholische Pfarrer, der römisch-katholische und der Rabbiner.

Und als sie alle versammelt waren, begann der Graf Morstin folgende Rede:

»Meine lieben Mitbürger,

ihr alle habt noch die alte Monarchie gekannt, euer altes Vaterland. Seit Jahren ist es tot – und ich habe eingesehen –, es hat keinen Sinn, nicht einzusehn, daß es tot sei. Vielleicht wird es einmal auferstehn, wir Alten werden es kaum noch erleben. Man hat uns aufgetragen, die Büste Seiner hochseligen Majestät, des Kaisers Franz Joseph des Ersten, ehestens wegzuschaffen.

Wir wollen sie nicht wegschaffen, meine Freunde!

Wenn die alte Zeit tot sein soll, so wollen wir mit ihr verfahren, wie man eben mit Toten verfährt: Wir wollen sie begraben.

Infolgedessen bitte ich euch, meine Lieben, mir zu helfen, daß wir den toten Kaiser, das heißt seine Büste, mit aller Feierlichkeit und Ehrfurcht, die einem toten Kaiser gebühren, von heute in drei Tagen auf dem Friedhof bestatten.«

VI

Der ukrainische Schreiner Nikita Kolohin zimmerte einen großartigen Sarg aus Eichenholz. Drei tote Kaiser hätten in ihm Platz gefunden.

Der polnische Schmied Jaroslaw Wojciechowski schmiedete einen gewaltigen Doppeladler aus Messing, der auf den Deckel des Sarges genietet wurde.

Der jüdische Thoraschreiber Nuchim Kapturak schrieb mit seinem Gänsekiel auf eine kleine Pergamentrolle den Segen, den die gläubigen Juden zu sprechen haben beim Anblick eines gekrönten Hauptes, wickelte sie in gehämmertes Blech und legte es in den Sarg.

Am frühen Vormittag – es war ein heißer Sommertag – zahllose unsichtbare Lerchen trillerten unter dem Himmel, und zahllose unsichtbare Grillen wisperten ihnen Antwort aus den Wiesen – versammelten sich die Bewohner von Lopatyny um das Denkmal Franz Josephs des Ersten. Graf Morstin und der Bürgermeister betteten die Büste in den prachtvollen, großen Sarg. In diesem Augenblick begannen die Glocken der Kirche auf dem Hügel zu läuten. Alle drei Geistlichen stellten sich an die Spitze des Zuges. Den Sarg nahmen vier alte, kräftige Bauern auf die Schultern. Hinter ihm, mit gezogenem Säbel, im feldgrau verdeckten Dragonerhelm, ging der Graf Franz Xaver Morstin, in diesem Dorfe dem toten Kaiser der Nächste, ganz allein in jener Einsamkeit, welche die Trauer gebietet, und hinter ihm, mit rundem schwarzem Käppchen auf dem silbrigen Kopf, der Jude Salomon Piniowsky, den runden Samthut in der Linken, die große schwarz-gelbe Fahne mit dem Doppeladler in der erhobenen rechten Hand. Und hinter ihm das ganze Dorf, die Männer und die Frauen.

Die Kirchenglocken dröhnten, die Lerchen trillerten, die Grillen wisperten unaufhörlich.

Das Grab war bereit. Man ließ den Sarg hinab, breitete die Fahne uber ihn – und Franz Xaver Morstin grüßte zum letztenmal mit dem Säbel den Kaiser.

Da erhob sich ein Schluchzen in der Menge, als hätte man jetzt erst den Kaiser Franz Joseph begraben, die alte Monarchie und die alte Heimat.

Die drei Geistlichen beteten.

Also begrub man den alten Kaiser zum zweitenmal im Dorfe Lopatyny, im ehemaligen Galizien.

Ein paar Wochen später geriet die Kunde von diesem Vorfall in die Zeitungen. Diese schrieben ein paar witzige Worte über den Vorfall, unter der Rubrik »Glossen«.

VII

Der Graf Morstin aber verließ das Land. Er lebt jetzt an der Riviera, ein alter, verbrauchter Mann, der am Abend mit alten russischen Generälen Schach und Skat spielt. Ein paar Stunden am Tage schreibt er an seinen Erinnerungen. Wahrscheinlich werden sie keinen bedeutenden literarischen Wert besitzen: denn der Graf Morstin hat keine literarische Übung und auch keinen schriftstellerischen Ehrgeiz. Da er aber ein Mann von besonderer Gnade und Art ist, gelingen ihm zuweilen ein paar denkwürdige Sätze, wie, zum Beispiel, die folgenden, die ich mit seiner Erlaubnis hierhersetze:

»Ich habe erlebt«, schreibt der Graf, »daß die Klugen

dumm werden können, die Weisen töricht, die echten Pro-
pheten Lügner, die Wahrheitsliebenden falsch. Keine
menschliche Tugend hat in dieser Welt Bestand, außer einer einzigen: der echten Frömmigkeit. Der Glaube kann
uns nicht enttäuschen, da er uns nichts auf Erden ver-
spricht. Der wahre Gläubige enttäuscht uns nicht, weil er
auf Erden keinen Vorteil sucht. Auf das Leben der Völker
angewandt, heißt das: Sie suchen vergeblich nach sogenannten nationalen Tugenden, die noch fraglicher sind als
die individuellen. Deshalb hasse ich Nationen und Natio-
nalstaaten. Meine alte Heimat, die Monarchie, allein war
ein großes Haus mit vielen Türen und vielen Zimmern, für
viele Arten von Menschen. Man hat das Haus verteilt, ge-
spalten, zertrümmert. Ich habe dort nichts mehr zu suchen. Ich bin gewohnt, in einem Haus zu leben, nicht in
Kabinen.«

So stolz und so traurig schreibt der alte Graf. Gefaßt
und friedvoll wartet er auf seinen Tod. Wahrscheinlich
sehnt er sich auch nach ihm. Denn er hat in seinem Testament bestimmt, daß er im Dorfe Lopatyny bestattet
werde – und zwar nicht in der Familiengruft, sondern neben dem Grab, in dem der Kaiser Franz Joseph liegt, die
Büste des Kaisers.

Die Legende vom heiligen Trinker
Novelle
|1939|

I

An einem Frühlingsabend des Jahres 1934 stieg ein Herr gesetzten Alters die steinernen Stufen hinunter, die von einer der Brücken über die Seine zu deren Ufern führen. Dort pflegen, wie fast aller Welt bekannt ist und was dennoch bei dieser Gelegenheit in das Gedächtnis der Menschen zurückgerufen zu werden verdient, die Obdachlosen von Paris zu schlafen, oder besser gesagt: zu lagern.

Einer dieser Obdachlosen nun kam dem Herrn gesetzten Alters, der übrigens wohlgekleidet war und den Eindruck eines Reisenden machte, der die Sehenswürdigkeiten fremder Städte in Augenschein zu nehmen gesonnen war, von ungefähr entgegen. Dieser Obdachlose sah zwar genauso verwahrlost und erbarmungswürdig aus wie alle die anderen, mit denen er sein Leben teilte, aber er schien dem wohlgekleideten Herrn gesetzten Alters einer besonderen Aufmerksamkeit würdig; warum, wissen wir nicht.

Es war, wie gesagt, bereits Abend, und unter den Brücken an den Ufern des Flusses dunkelte es stärker als oben auf dem Kai und auf den Brücken. Der obdachlose und sichtlich verwahrloste Mann schwankte ein wenig. Er schien den älteren, wohlangezogenen Herrn nicht zu bemerken. Dieser aber, der gar nicht schwankte, sondern sicher und geradewegs seine Schritte dahinlenkte, hatte schon offenbar von weitem den Schwankenden bemerkt. Der Herr gesetzten Alters vertrat geradezu dem verwahrlosten Mann den Weg. Beide blieben sie einander gegenüber stehen.

»Wohin gehen Sie, Bruder?« fragte der ältere, wohlgekleidete Herr.

Der andere sah ihn einen Augenblick an, dann sagte er: »Ich wüßte nicht, daß ich einen Bruder hätte, und ich weiß nicht, wo mich der Weg hinführt.«

»Ich werde versuchen, Ihnen den Weg zu zeigen«, sagte der Herr. »Aber Sie sollen mir nicht böse sein, wenn ich Sie um einen ungewöhnlichen Gefallen bitte.«

»Ich bin zu jedem Dienst bereit«, antwortete der Verwahrloste.

»Ich sehe zwar, daß Sie manche Fehler machen. Aber Gott schickt Sie mir in den Weg. Gewiß brauchen Sie Geld, nehmen Sie mir diesen Satz nicht übel! Ich habe zuviel. Wollen Sie mir aufrichtig sagen, wieviel Sie brauchen? Wenigstens für den Augenblick?«

Der andere dachte ein paar Sekunden nach, dann sagte er: »Zwanzig Francs.«

»Das ist gewiß zu wenig«, erwiderte der Herr. »Sie brauchen sicherlich zweihundert.«

Der Verwahrloste trat einen Schritt zurück, und es sah aus, als ob er fallen sollte, aber er blieb dennoch aufrecht, wenn auch schwankend. Dann sagte er: »Gewiß sind mir zweihundert Francs lieber als zwanzig, aber ich bin ein Mann von Ehre. Sie scheinen mich zu verkennen. Ich kann das Geld, das Sie mir anbieten, nicht annehmen, und zwar aus folgenden Gründen: erstens, weil ich nicht die Freude habe, Sie zu kennen; zweitens, weil ich nicht weiß, wie und wann ich es Ihnen zurückgeben könnte; drittens, weil Sie auch nicht die Möglichkeit haben, mich zu mahnen. Denn ich habe keine Adresse. Ich wohne fast jeden Tag unter einer anderen Brücke dieses Flusses. Dennoch bin ich, wie ich schon einmal betont habe, ein Mann von Ehre, wenn auch ohne Adresse.«

»Auch ich habe keine Adresse«, antwortete der Herr gesetzten Alters, »auch ich wohne jeden Tag unter einer anderen Brücke, und ich bitte Sie dennoch, die zweihundert Francs – eine lächerliche Summe übrigens für einen

Mann wie Sie – freundlich anzunehmen. Was nun die Rückzahlung betrifft, so muß ich weiter ausholen, um Ihnen erklärlich zu machen, weshalb ich Ihnen etwa keine Bank angeben kann, wo Sie das Geld zurückgeben könnten. Ich bin nämlich ein Christ geworden, weil ich die Geschichte der kleinen heiligen Therese von Lisieux gelesen habe. Und nun verehre ich insbesondere jene kleine Statue der Heiligen, die sich in der Kapelle Ste Marie des Batignolles befindet und die Sie leicht sehen werden. Sobald Sie also die armseligen zweihundert Francs haben und Ihr Gewissen Sie zwingt, diese lächerliche Summe nicht schuldig zu bleiben, gehen Sie bitte in die Ste Marie des Batignolles und hinterlegen Sie dort zu Händen des Priesters, der die Messe gerade gelesen hat, dieses Geld. Wenn Sie es überhaupt jemandem schulden, so ist es die kleine heilige Therese. Aber vergessen Sie nicht: in der Ste Marie des Batignolles.«

»Ich sehe«, sagte da der Verwahrloste, »daß sie mich und meine Ehrenhaftigkeit vollkommen begriffen haben. Ich gebe Ihnen mein Wort, daß ich mein Wort halten werde. Aber ich kann nur sonntags in die Messe gehen.«

»Bitte, sonntags«, sagte der ältere Herr. Er zog zweihundert Francs aus der Brieftasche, gab sie dem Schwankenden und sagte: »Ich danke Ihnen!«

»Es war mir ein Vergnügen«, antwortete dieser und verschwand alsbald in der tiefen Dunkelheit.

Denn es war inzwischen unten finster geworden, indes oben, auf den Brücken und an den Kais, sich die silbernen Laternen entzündeten, um die fröhliche Nacht von Paris zu verkünden.

II

Auch der wohlgekleidete Herr verschwand in der Finsternis. Ihm war in der Tat das Wunder der Bekehrung zuteil geworden. Und er hatte beschlossen, das Leben der Ärmsten zu führen. Und er wohnte deshalb unter der Brücke.

Aber was den anderen betrifft, so war er ein Trinker, geradezu ein Säufer. Er hieß Andreas. Und er lebte von Zufällen, wie viele Trinker. Lange war es her, daß er zweihundert Francs besessen hatte. Und vielleicht deshalb, weil es so lange her war, zog er beim kümmerlichen Schein einer der seltenen Laternen unter einer der Brücken ein Stückchen Papier hervor und den Stumpf von einem Bleistift und schrieb sich die Adresse der kleinen heiligen Therese auf und die Summe von zweihundert Francs, die er ihr von dieser Stunde an schuldete. Er ging eine der Treppen hinauf, die von den Ufern der Seine zu den Kais hinaufführen. Dort, das wußte er, gab es ein Restaurant. Und er trat ein, und er aß und trank reichlich, und er gab viel Geld aus, und er nahm noch eine ganze Flasche mit, für die Nacht, die er unter der Brücke zu verbringen gedachte, wie gewöhnlich. Ja, er klaubte sich sogar noch eine Zeitung aus einem Papierkorb auf. Aber nicht, um in ihr zu lesen, sondern um sich mit ihr zuzudecken. Denn Zeitungen halten warm, das wissen alle Obdachlosen.

III

Am nächsten Morgen stand Andreas früher auf, als er gewohnt war, denn er hatte ungewöhnlich gut geschlafen. Er erinnerte sich nach langer Überlegung, daß er gestern ein Wunder erlebt hatte, ein Wunder. Und da er in dieser letzten warmen Nacht, zugedeckt von der Zeitung, besonders gut geschlafen zu haben glaubte, wie seit langem nicht, beschloß er auch, sich zu waschen, was er seit vielen Monaten, nämlich in der kälteren Jahreszeit, nicht getan hatte. Bevor er aber seine Kleider ablegte, griff er noch einmal in die innere linke Rocktasche, wo, seiner Erinnerung nach, der greifbare Rest des Wunders sich befinden mußte. Nun suchte er eine besonders abgelegene Stelle an der Böschung der Seine, um sich zumindest Gesicht und Hals zu waschen. Da es ihm aber schien, daß überall Menschen, armselige Menschen seiner Art eben (verkommen, wie er sie auf einmal selbst im stillen nannte), seiner Waschung zusehen könnten, verzichtete er schließlich auf sein Vorhaben und begnügte sich damit, nur die Hände ins Wasser zu tauchen. Hierauf zog er sich den Rock wieder an, griff noch einmal nach dem Schein in der linken inneren Tasche und kam sich vollständig gesäubert und geradezu verwandelt vor.

Er ging in den Tag hinein, in einen seiner Tage, die er seit undenklichen Zeiten zu vertun gewohnt war, entschlossen, sich auch heute in die gewohnte Rue des Quatre Vents zu begeben, wo sich das russisch-armenische Restaurant Tari-Bari befand und wo er das kärgliche Geld, das ihm der tägliche Zufall beschied, in billigen Getränken anlegte.

Allein an dem ersten Zeitungskiosk, an dem er vorbeikam, blieb er stehen, angezogen von den Illustrationen mancher Wochenschriften, aber auch plötzlich von der Neugier erfaßt, zu wissen, welcher Tag heute sei, welches Datum und welchen Namen dieser Tag trage. Er kaufte also eine Zeitung und sah, daß es ein Donnerstag war, und erinnerte sich plötzlich, daß er an einem Donnerstag geboren worden war, und ohne nach dem Datum zu sehen, beschloß er, *diesen* Donnerstag gerade für seinen Geburtstag zu halten. Und da er schon von einer kindlichen Feiertagsfreude ergriffen war, zögerte er auch nicht mehr einen Augenblick, sich guten, ja edlen Vorsätzen hinzugeben und nicht in das Tari-Bari einzutreten, sondern, die Zeitung in der Hand, in eine bessere Taverne, um dort einen Kaffee, allerdings mit Rum arrosiert, zu nehmen und ein Butterbrot zu essen.

Er ging also, selbstbewußt, trotz seiner zerlumpten Kleidung, in ein bürgerliches Bistro, setzte sich an einen Tisch, er, der seit so langer Zeit nur an der Theke zu stehen gewohnt war, das heißt: an ihr zu lehnen. Er setzte sich also. Und da sich seinem Sitz gegenüber ein Spiegel befand, konnte er auch nicht umhin, sein Angesicht zu betrachten, und es war ihm, als machte er jetzt aufs neue mit sich selbst Bekanntschaft. Da erschrak er allerdings. Er wußte auch zugleich, weshalb er sich in den letzten Jahren vor Spiegeln so gefürchtet hatte. Denn es war nicht gut, die eigene Verkommenheit mit eigenen Augen zu sehen. Und solange man es nicht anschauen mußte, war es beinahe so, als hätte man entweder überhaupt kein Angesicht oder noch das alte, das herstammte aus der Zeit *vor* der Verkommenheit.

Jetzt aber erschrak er, wie gesagt, insbesondere, da er seine Physiognomie mit jenen der wohlanständigen Männer verglich, die in seiner Nachbarschaft saßen. Vor acht Tagen hatte er sich rasieren lassen, schlecht und recht, wie es eben ging, von einem seiner Schicksalsgenossen, die hie und da bereit waren, einen Bruder zu rasieren, gegen ein geringes Entgelt. Jetzt aber galt es, da man beschlossen hatte, ein neues Leben zu beginnen, sich wirklich, sich endgültig rasieren zu lassen. Er beschloß, in einen richtigen Friseurladen zu gehen, bevor er noch etwas bestellte.

Gedacht, getan – und er ging in einen Friseurladen.

Als er in die Taverne zurückkam, war der Platz, den er vorher eingenommen hatte, besetzt, und er konnte sich also nur von ferne im Spiegel sehn. Aber es reichte vollkommen, damit er erkenne, daß er verändert sei, verjüngt und verschönt. Ja, es war, als ginge von seinem Angesicht ein Glanz aus, der die Zerlumptheit der Kleider unbedeutend machte und die sichtlich zerschlissene Hemdbrust – und die rot-weiß gestreifte Krawatte, geschlungen um den Kragen mit rissigem Rand.

Also setzte er sich, unser Andreas, und im Bewußtsein seiner Erneuerung bestellte er mit jener sicheren Stimme, die er dereinst besessen hatte und die ihm jetzt wieder, wie eine alte liebe Freundin, zurückgekommen schien, einen »café, arrosé rhum«. Diesen bekam er auch, und, wie er zu bemerken glaubte, mit allem gehörigen Respekt, wie er sonst von Kellnern ehrwürdigen Gästen gegenüber bezeugt wird. Dies schmeichelte unserm Andreas besonders, es erhöhte ihn auch, und es bestätigte ihm seine Annahme, daß er gerade heute Geburtstag habe.

Ein Herr, der allein in der Nähe des Obdachlosen saß, betrachtete ihn längere Zeit, wandte sich um und sagte: »Wollen Sie Geld verdienen? Sie können bei mir arbeiten. Ich übersiedle nämlich morgen. Sie könnten meiner Frau und auch den Möbelpackern helfen. Mir scheint, Sie sind kräftig genug. Sie können doch? Sie wollen doch?«

»Gewiß will ich«, antwortete Andreas.

»Und was verlangen Sie«, fragte der Herr, »für eine Arbeit von zwei Tagen? Morgen und Samstag? Denn ich habe eine ziemlich große Wohnung, müssen Sie wissen, und ich beziehe eine noch größere. Und viele Möbel habe ich auch. Und ich selbst habe in meinem Geschäft zu tun.«

»Bitte, ich bin dabei!« sagte der Obdachlose.

»Trinken Sie?« fragte der Herr.

Und er bestellte zwei Pernods, und sie stießen an, der Herr und der Andreas, und sie wurden miteinander auch über den Preis einig: Er betrug zweihundert Francs.

»Trinken wir noch einen?« fragte der Herr, nachdem er den ersten Pernod geleert hatte.

»Aber jetzt werde ich zahlen«, sagte der obdachlose

Andreas. »Denn Sie kennen mich nicht: Ich bin ein Ehrenmann. Ein ehrlicher Arbeiter. Sehen Sie meine Hände!« – Und er zeigte seine Hände her. – »Es sind schmutzige, schwielige, aber ehrliche Arbeiterhände.«.

»Das hab' ich gern!« sagte der Herr. Er hatte funkelnde Augen, ein rosa Kindergesicht und genau in der Mitte einen schwarzen, kleinen Schnurrbart. Es war, im ganzen genommen, ein ziemlich freundlicher Mann, und Andreas gefiel er gut.

Sie tranken also zusammen, und Andreas zahlte die zweite Runde. Und als sich der Herr mit dem Kindergesicht erhob, sah Andreas, daß er sehr dick war. Er zog seine Visitenkarte aus der Brieftasche und schrieb seine Adresse darauf. Und hierauf zog er noch einen Hundertfrancsschein aus der gleichen Brieftasche, überreichte beides dem Andreas und sagte dazu: »Damit Sie auch sicher morgen kommen! Morgen früh um acht! Vergessen Sie nicht! Und den Rest bekommen Sie! Und nach der Arbeit trinken wir wieder einen Aperitif zusammen. Auf Wiedersehn! lieber Freund!« – Dann ging der Herr, der dicke, mit dem Kindergesicht, und den Andreas verwunderte nichts mehr als dies, daß der dicke Mann die Adresse aus der gleichen Tasche gezogen hatte wie das Geld.

Nun, da er Geld besaß und noch Aussicht hatte, mehr zu verdienen, beschloß er, sich ebenfalls eine Brieftasche anzuschaffen. Zu diesem Zweck begab er sich auf die Suche nach einem Lederwarenladen. In dem ersten, der auf seinem Weg lag, stand eine junge Verkäuferin. Sie erschien ihm sehr hübsch, wie sie so hinter dem Ladentisch stand, in einem strengen schwarzen Kleid, ein weißes Lätzchen über der Brust, mit Löckchen am Kopf und einem schweren Goldreifen am rechten Handgelenk. Er nahm den Hut vor ihr ab und sagte heiter: »Ich suche eine Brieftasche.« Das Mädchen warf einen flüchtigen Blick auf seine schlechte Kleidung, aber es war nichts Böses in ihrem

Blick, sondern sie hatte den Kunden nur einfach abschätzen wollen. Denn es befanden sich in ihrem Laden teure, mittelteure und ganz billige Brieftaschen. Um überflüssige Fragen zu ersparen, stieg sie sofort eine Leiter hinauf und holte eine Schachtel aus der höchsten Etagere. Dort lagerten nämlich die Brieftaschen, die manche Kunden zurückgebracht hatten, um sie gegen andere einzutauschen. Hierbei sah Andreas, daß dieses Mädchen sehr schöne Beine und sehr schlanke Halbschuhe hatte, und er erinnerte sich jener halbvergessenen Zeiten, in denen er selbst solche Waden gestreichelt, solche Füße geküßt hatte; aber der Gesichter erinnerte er sich nicht mehr, der Gesichter der Frauen; mit Ausnahme eines einzigen, nämlich jenes, für das er im Gefängnis gesessen hatte.

Indessen stieg das Mädchen von der Leiter, öffnete die Schachtel, und er wählte eine der Brieftaschen, die zuoberst lagen, ohne sie näher anzusehen. Er zahlte und setzte den Hut wieder auf und lächelte dem Mädchen zu, und das Mädchen lächelte wieder. Zerstreut steckte er die neue Brieftasche ein, aber das Geld ließ er daneben liegen. Ohne Sinn erschien ihm plötzlich die Brieftasche. Hingegen beschäftigte er sich mit der Leiter, mit den Beinen, mit den Füßen des Mädchens. Deshalb ging er in die Richtung des Montmartre, jene Stätten zu suchen, an denen er früher Lust genossen hatte. In einem steilen und engen Gäßchen fand er auch die Taverne mit den Mädchen. Er setzte sich mit mehreren an einen Tisch, bezahlte eine Runde und wählte eines von den Mädchen, und zwar jenes, das ihm am nächsten saß. Hierauf ging er zu ihr. Und obwohl es erst Nachmittag war, schlief er bis in den grauenden Morgen – und weil die Wirte gutmütig waren, ließen sie ihn schlafen.

Am nächsten Morgen, am Freitag also, ging er zu der Arbeit, zu dem dicken Herrn. Dort galt es, der Hausfrau beim Einpacken zu helfen, und obwohl die Möbelpacker

bereits ihr Werk verrichteten, blieben für Andreas noch
genug schwierige und weniger harte Hilfeleistungen übrig. Doch spürte er im Laufe des Tages die Kraft in seine
Muskeln zurückkehren und freute sich der Arbeit. Denn
bei der Arbeit war er aufgewachsen, ein Kohlenarbeiter,
wie sein Vater, und noch ein wenig ein Bauer, wie sein
Großvater. Hätte ihn nur die Frau des Hauses nicht so
aufgeregt, die ihm sinnlose Befehle erteilte und ihn mit
einem einzigen Atemzug hierhin und dorthin beorderte,
so daß er nicht wußte, wo ihm der Kopf stand. Aber sie
selbst war aufgeregt, er sah es ein. Es konnte auch ihr nicht
leichtfallen, so mir nichts, dir nichts zu übersiedeln, und
vielleicht hatte sie auch Angst vor dem neuen Haus. Sie
stand angezogen, im Mantel, mit Hut und Handschuhen,
Täschchen und Regenschirm, obwohl sie doch hätte wissen müssen, daß sie noch einen Tag und eine Nacht und
auch morgen noch im Haus verbleiben müsse. Von Zeit zu
Zeit mußte sie sich die Lippen schminken, Andreas begriff
es vortrefflich. Denn sie war eine Dame.

Andreas arbeitete den ganzen Tag. Als er fertig war,
sagte die Frau des Hauses zu ihm: »Kommen Sie morgen
pünktlich um sieben Uhr früh.« Sie zog ein Beutelchen
aus ihrem Täschchen, Silbermünzen lagen darin. Sie suchte lange, ergriff ein Zehnfrancsstück, ließ es aber wieder
ruhen, dann entschloß sie sich, fünf Francs hervorzuzie-
hen. »Hier ein Trinkgeld!« sagte sie. »Aber«, so fügte sie
hinzu, »vertrinken Sie's nicht ganz, und seien Sie pünktlich morgen hier!«

Andreas dankte, ging, vertrank das Trinkgeld, aber
nicht mehr. Er verschlief diese Nacht in einem kleinen
Hotel.

Man weckte ihn um sechs Uhr morgens. Und er ging
frisch an seine Arbeit.

IV

So kam er am nächsten Morgen früher noch als die Möbelpacker. Und wie am vorigen Tage stand die Frau des Hauses schon da, angekleidet, mit Hut und Handschuhen, als hätte sie sich gar nicht schlafen gelegt, und sagte zu ihm freundlich: »Ich sehe also, daß Sie gestern meiner Mahnung gefolgt sind und wirklich nicht alles Geld vertrunken haben.«

Nun machte sich Andreas an die Arbeit. Und er begleitete noch die Frau in das neue Haus, in das sie übersiedelten, und wartete, bis der freundliche, dicke Mann kam, und der bezahlte ihm den versprochenen Lohn.

»Ich lade Sie noch auf einen Trunk ein«, sagte der dicke Herr.

»Kommen Sie mit.«

Aber die Frau des Hauses verhinderte es, denn sie trat dazwischen und verstellte geradezu ihrem Mann den Weg und sagte: »Wir müssen gleich essen.« Also ging Andreas allein weg, trank allein und aß allein an diesem Abend und trat noch in zwei Tavernen ein, um an den Theken zu trinken. Er trank viel, aber er betrank sich nicht und gab acht, daß er nicht zuviel Geld ausgäbe, denn er wollte morgen, eingedenk seines Versprechens, in die Kapelle Ste Marie des Batignolles gehen, um wenigstens einen Teil seiner Schuld an die kleine heilige Therese abzustatten. Allerdings trank er gerade so viel, daß er nicht mehr mit einem ganz sicheren Auge und mit dem Instinkt, den nur die Armut verleiht, das allerbilligste Hotel jener Gegend finden konnte.

Also fand er ein etwas teureres Hotel, und auch hier zahlte er im voraus, weil er zerschlissene Kleider und kein Gepäck hatte. Aber er machte sich gar nichts daraus und schlief ruhig, ja, bis in den Tag hinein. Er erwachte durch das Dröhnen der Glocken einer nahen Kirche und wußte

sofort, was heute für ein wichtiger Tag sei: ein Sonntag;
und daß er zur kleinen heiligen Therese müsse, um ihr
seine Schuld zurückzuzahlen. Flugs fuhr er nun in die
Kleider und begab sich schnellen Schrittes zu dem Platz,
wo sich die Kapelle befand. Er kam aber dennoch nicht
rechtzeitig zur Zehn-Uhr-Messe an, die Leute strömten
ihm gerade aus der Kirche entgegen. Er fragte, wann die
nächste Messe beginne, und man sagte ihm, sie fände um
zwölf Uhr statt. Er wurde ein wenig ratlos, wie er so vor
dem Eingang der Kapelle stand. Er hatte noch eine Stunde
Zeit, und diese wollte er keineswegs auf der Straße verbringen. Er sah sich also um, wo er am besten warten
könne, und erblickte rechts schräg gegenüber der Kapelle
ein Bistro, und dorthin ging er und beschloß, die Stunde,
die ihm übrigblieb, abzuwarten.

Mit der Sicherheit eines Menschen, der Geld in seiner
Tasche weiß, bestellte er einen Pernod, und er trank ihn
auch mit der Sicherheit eines Menschen, der schon viele in
seinem Leben getrunken hatte. Er trank noch einen zweiten und einen dritten, und er schüttete immer weniger
Wasser in sein Glas nach. Und als gar der vierte kam, wußte er nicht mehr, ob er zwei, fünf oder sechs Gläser getrunken hatte. Auch erinnerte er sich nicht mehr, weshalb
er in dieses Café und an diesen Ort geraten sei. Er wußte
lediglich noch, daß er hier einer Pflicht, einer Ehren-
pflicht, zu gehorchen hatte, und er zahlte, erhob sich,
ging, immerhin noch sicheren Schrittes, zur Tür hinaus,
erblickte die Kapelle schräg links gegenüber und wußte
sofort wiederum, wo, warum und wozu er sich hier befinde. Eben wollte er den ersten Schritt in die Richtung der
Kapelle lenken, als er plötzlich seinen Namen rufen hörte.
»Andreas!« rief eine Stimme, eine Frauenstimme. Sie kam
aus verschütteten Zeiten. Er hielt inne und wandte den
Kopf nach rechts, woher die Stimme gekommen war. Und
er erkannte sofort das Gesicht, dessentwegen er im Gefängnis gesessen war. Es war Karoline.

Karoline! Zwar trug sie Hut und Kleider, die er nie an ihr gekannt hatte, aber es war doch ihr Gesicht, und also zögerte er nicht, ihr in die Arme zu fallen, die sie im Nu ausgebreitet hatte. »Welch eine Begegnung«, sagte sie. Und es war wahrhaftig ihre Stimme, die Stimme der Karoline.

»Bist du allein?« fragte sie.

»Ja«, sagte er, »ich bin allein.«

»Komm, wir wollen uns aussprechen«, sagte sie.

»Aber, aber«, erwiderte er, »ich bin verabredet.«

»Mit einem Frauenzimmer?« fragte sie.

»Ja«, sagte er furchtsam.

»Mit wem?«

»Mit der kleinen Therese«, antwortete er.

»Sie hat nichts zu bedeuten«, sagte Karoline.

In diesem Augenblick fuhr ein Taxi vorbei, und Karoline hielt es mit ihrem Regenschirm auf. Und schon sagte sie eine Adresse dem Chauffeur, und ehe sich es noch Andreas versehen hatte, saß er drinnen im Wagen neben Karoline, und schon rollten sie, schon rasten sie dahin, wie es Andreas schien, durch teils bekannte, teils unbekannte Straßen, weiß Gott, in welche Gefilde!

Jetzt kamen sie in eine Gegend außerhalb der Stadt; lichtgrün, vorfrühlingsgrün war die Landschaft, in der sie hielten, das heißt der Garten, hinter dessen spärlichen Bäumen sich ein verschwiegenes Restaurant verbarg.

Karoline stieg zuerst aus; mit dem Sturmesschritt, den er an ihr gewohnt war, stieg sie zuerst aus, über seine Knie hinweg. Sie zahlte, und er folgte ihr. Und sie gingen ins Restaurant und saßen nebeneinander auf einer Banquette aus grünem Plüsch, wie einst in jungen Zeiten, vor dem Kriminal. Sie bestellte das Essen, wie immer, und sie sah ihn an, und er wagte nicht, sie anzusehen.

»Wo bist du die ganze Zeit gewesen?« fragte sie.

»Überall, nirgends«, sagte er. »Ich arbeite erst seit zwei

Tagen wieder. Die ganze Zeit, seitdem wir uns nicht wiedergesehen haben, habe ich getrunken, und ich habe unter den Brücken geschlafen, wie alle unsereins, und du hast wahrscheinlich ein besseres Leben geführt. – Mit Männern«, fügte er nach einiger Zeit hinzu.

»Und du?« fragte sie. »Mittendrin, wo du versoffen bist und ohne Arbeit und wo du unter den Brücken schläfst, hast du noch Zeit und Gelegenheit, eine Therese kennenzulernen. Und wenn ich nicht gekommen wäre, zufällig, wärest du wirklich zu ihr hingegangen.«

Er antwortete nicht, er schwieg, bis sie beide das Fleisch gegessen hatten und der Käse kam und das Obst. Und wie er den letzten Schluck Wein aus seinem Glase getrunken hatte, überfiel ihn aufs neue jener plötzliche Schrecken, den er vor langen Jahren, während der Zeit seines Zusammenlebens mit Karoline, so oft gefühlt hatte. Und er wollte ihr wieder einmal entfliehen, und er rief: »Kellner, zahlen!« Sie aber fuhr ihm dazwischen: »Das ist meine Sache, Kellner!« Der Kellner, es war ein gereifter Mann mit erfahrenen Augen, sagte: »Der Herr hat zuerst gerufen.« Andreas war es also auch, der zahlte. Bei dieser Gelegenheit hatte er das ganze Geld aus der linken inneren Rocktasche hervorgeholt, und nachdem er gezahlt hatte, sah er mit einigem, allerdings durch Weingenuß gemildertem Schrecken, daß er nicht mehr die ganze Summe besaß, die er der kleinen Heiligen schuldete. Aber es geschehen, sagte er sich im stillen, mir heutzutage so viele Wunder hintereinander, daß ich wohl sicherlich die nächste Woche noch das schuldige Geld aufbringen und zurückzahlen werde.

»Du bist also ein reicher Mann«, sagte Karoline auf der Straße. »Von dieser kleinen Therese läßt du dich wohl aushalten.«

Er erwiderte nichts, und also war sie dessen sicher, daß sie recht hatte. Sie verlangte, ins Kino geführt zu werden.

Und er ging mit ihr ins Kino. Nach langer Zeit sah er
wieder ein Filmstück. Aber es war schon so lange her, daß
er eines gesehen hatte, daß er dieses kaum mehr verstand
und an der Schulter der Karoline einschlief. Hierauf gingen sie in ein Tanzlokal, wo man Ziehharmonika spielte,
und es war schon so lange her, seitdem er zuletzt getanzt
hatte, daß er gar nicht mehr recht tanzen konnte, als er es
mit Karoline versuchte. Also nahmen sie ihm andere Tänzer weg, sie war immer noch recht frisch und begehrenswert. Er saß allein am Tisch und trank wieder Pernod, und
es war ihm wie in alten Zeiten, wo Karoline auch mit anderen getanzt und er allein am Tisch getrunken hatte. Infolgedessen holte er sie auch plötzlich und gewaltsam aus
den Armen eines Tänzers weg und sagte: »Wir gehen nach
Hause!« Faßte sie am Nacken und ließ sie nicht mehr los,
zahlte und ging mit ihr nach Hause. Sie wohnte in der
Nähe.

Und so war alles wie in alten Zeiten, in den Zeiten vor
dem Kriminal.

V

Sehr früh am Morgen erwachte er. Karoline schlief noch.
Ein einzelner Vogel zwitscherte vor dem offenen Fenster.
Eine Zeitlang blieb er mit offenen Augen liegen und nicht
länger als ein paar Minuten. In diesen wenigen Minuten
dachte er nach. Es kam ihm vor, daß ihm seit langer Zeit
nicht so viel Merkwürdiges passiert sei wie in dieser einzigen Woche. Auf einmal wandte er sein Gesicht um und
sah Karoline zu seiner Rechten. Was er gestern bei der
Begegnung mit ihr nicht gesehen hatte, bemerkte er jetzt:
Sie war alt geworden: blaß, aufgedunsen und schwer atmend schlief sie den Morgenschlaf alternder Frauen. Er
erkannte den Wandel der Zeiten, die an ihm selbst vor-

beigegangen waren. Und er erkannte auch den Wandel seiner selbst, und er beschloß, sofort aufzustehen, ohne Karoline zu wecken, und ebenso zufällig, oder besser gesagt, schicksalshaft wegzugehen, so wie sie beide, Karoline und er, gestern zusammengekommen waren. Verstohlen zog er sich an und ging davon, in einen neuen Tag hinein, in einen seiner gewohnten neuen Tage.

Das heißt, eigentlich in einen seiner ungewohnten. Denn als er in die linke Brusttasche griff, wo er das erst seit einiger Zeit erworbene oder gefundene Geld aufzuheben gewohnt war, bemerkte er, daß ihm nur noch mehr ein Schein von fünfzig Francs verblieben war und ein paar kleine Münzen dazu. Und er, der schon seit langen Jahren nicht gewußt hatte, was Geld bedeute, und auf dessen Bedeutung keineswegs mehr achtgegeben hatte, erschrak nunmehr, so wie einer zu erschrecken pflegt, der gewohnt ist, immer Geld in der Tasche zu haben, und auf einmal in die Verlegenheit gerät, sehr wenig noch in ihr zu finden. Auf einmal schien es ihm, inmitten der morgengrauen, verlassenen Gasse, daß er, der seit unzähligen Monaten Geldlose, plötzlich arm geworden sei, weil er nicht mehr so viele Scheine in der Tasche verspürte, wie er sie in den letzten Tagen besessen hatte. Und es kam ihm vor, daß die Zeit seiner Geldlosigkeit sehr, sehr weit hinter ihm zurückläge und daß er eigentlich den Betrag, welcher den ihm gebührenden Lebensstandard aufrechterhalten sollte, übermütiger sowie auch leichtfertiger Weise für Karoline ausgegeben hatte.

Er war also böse auf Karoline. Und auf einmal begann er, der niemals auf Geldbesitz Wert gelegt hatte, den Wert des Geldes zu schätzen. Auf einmal fand er, daß der Besitz eines Fünfzigfrancsscheins lächerlich sei für einen Mann von solchem Wert und daß er überhaupt, um auch nur über den Wert seiner Persönlichkeit sich selbst klarzuwerden, es unbedingt nötig habe, über sich selbst in Ruhe bei einem Glas Pernod nachzudenken.

Nun suchte er sich unter den nächstliegenden Gaststätten eine aus, die ihm am gefälligsten schien, setzte sich dorthin und bestellte einen Pernod. Während er ihn trank, erinnerte er sich daran, daß er eigentlich ohne Aufenthaltserlaubnis in Paris lebte, und er sah seine Papiere nach. Und hierauf fand er, daß er eigentlich ausgewiesen sei, denn er war als Kohlenarbeiter nach Frankreich gekommen, und er stammte aus Olschowice, aus dem polnischen Schlesien.

VI

Hierauf, während er seine halbzerfetzten Papiere vor sich auf dem Tisch ausbreitete, erinnerte er sich daran, daß er eines Tages, vor vielen Jahren, hierhergekommen war, weil man in der Zeitung kundgemacht hatte, daß man in Frankreich Kohlenarbeiter suche. Und er hatte sich sein Lebtag nach einem fernen Lande gesehnt. Und er hatte in den Gruben von Quebecque gearbeitet, und er war einquartiert gewesen bei seinen Landsleuten, dem Ehepaar Schebiec. Und er liebte die Frau, und da der Mann sie eines Tages zu Tode schlagen wollte, schlug er, Andreas, den Mann tot. Dann saß er zwei Jahre im Kriminal.

Diese Frau war eben Karoline.

Und dieses alles dachte Andreas im Betrachten seiner bereits ungültig gewordenen Papiere. Und hierauf bestellte er noch einen Pernod, denn er war ganz unglücklich.

Als er sich endlich erhob, verspürte er zwar eine Art von Hunger, aber nur jenen, von dem lediglich Trinker befallen werden können. Es ist dies nämlich eine besondere Art von Begehrlichkeit (nicht nach Nahrung), die lediglich ein paar Augenblicke dauert und sofort gestillt wird, sobald derjenige, der sie verspürt, sich ein bestimmtes Getränk vorstellt, das ihm in diesem bestimmten Moment zu behagen scheint. Lange schon hatte Andreas vergessen, wie er mit Vatersnamen hieß. Jetzt aber, nachdem er soeben seine ungültigen Papiere noch einmal gesehen hatte, erinnerte er sich daran, daß er Kartak hieße: Andreas Kartak. Und es war ihm, als entdeckte er sich selbst erst seit langen Jahren wieder.

Immerhin grollte er einigermaßen dem Schicksal, das ihm nicht wieder, wie das letztemal, einen dicken, schnurrbärtigen, kindergesichtigen Mann in dieses Caféhaus geschickt hatte, der es ihm möglich gemacht hätte, neues Geld zu verdienen. Denn an nichts gewöhnen sich die Menschen so leicht wie an Wunder, wenn sie ihnen ein-, zwei-, dreimal widerfahren sind. Ja! Die Natur der Menschen ist derart, daß sie sogar böse werden, wenn ihnen nicht unaufhörlich all jenes zuteil wird, was ihnen ein zufälliges und vorübergehendes Geschick versprochen zu haben scheint. So sind die Menschen – – und was wollten wir anderes von Andreas erwarten? Den Rest des Tages verbrachte er also in verschiedenen anderen Tavernen, und er gab sich bereits damit zufrieden, daß die Zeit der Wunder, die er erlebt hatte, vorbei sei, endgültig vorbei sei, und seine alte Zeit nun wieder begonnen habe. Und zu jenem langsamen Untergang entschlossen, zu dem Trinker immer bereit sind – Nüchterne werden das nie erfahren! –, begab sich Andreas wieder an die Ufer der Seine unter die Brücken.

Er schlief dort, halb bei Tag und halb bei Nacht, so wie er es gewohnt gewesen war seit einem Jahr, hier und dort eine Flasche Schnaps ausleihend bei dem und jenem seiner Schicksalsgenossen – – bis zur Nacht des Donnerstags auf Freitag.

In jener Nacht nämlich träumte ihm, daß die kleine Therese in der Gestalt eines blondgelockten Mädchens zu ihm käme und ihm sagte: »Warum bist du letzten Sonntag nicht bei mir gewesen?« Und die kleine Heilige sah genauso aus, wie er sich vor vielen Jahren seine eigene Tochter vorgestellt hatte. Und er hatte gar keine Tochter! Und im Traum sagte er zu der kleinen Therese: »Wie sprichst du zu mir? Hast du vergessen, daß ich dein Vater bin?« Die Kleine antwortete: »Verzeih, Vater, aber tu mir den Gefallen und komm übermorgen, Sonntag, zu mir in die Ste Marie des Batignolles.«

Nach dieser Nacht, in der er diesen Traum geträumt hatte, erhob er sich erfrischt und wie vor einer Woche, als ihm noch die Wunder geschehen waren, so als nähme er den Traum für ein wahres Wunder. Noch einmal wollte er sich am Flusse waschen. Aber bevor er seinen Rock zu diesem Zweck ablegte, griff er in die linke Brusttasche in der vagen Hoffnung, es könnte sich dort noch irgend etwas Geld befinden, von dem er vielleicht gar nichts gewußt hätte. Er griff in die linke innere Brusttasche seines Rockes, und seine Hand fand dort zwar keinen Geldschein, wohl aber jene lederne Brieftasche, die er vor ein paar Tagen gekauft hatte. Diese zog er hervor. Es war eine äußerst billige, bereits verbrauchte, umgetauschte, wie nicht anders zu erwarten. Spaltleder. Rindsleder. Er betrachtete sie, weil er sich nicht mehr erinnerte, daß, wo und wann er sie gekauft hatte. Wie kommt das zu mir? fragte er sich. Schließlich öffnete er das Ding und sah, daß es zwei Fächer hatte. Neugierig sah er in beide hinein, und in einem von ihnen war ein Geldschein. Und er zog ihn hervor, es war ein Tausendfrancsschein.

Hierauf steckte er die tausend Francs in die Hosentasche und ging an das Ufer der Seine, und ohne sich um seine Unheilsgenossen zu kümmern, wusch er sich Gesicht und den Hals sogar, und dies beinahe fröhlich. Hierauf zog er sich den Rock wieder an und ging in den Tag hinein, und er begann den Tag damit, daß er in ein Tabac eintrat, um Zigaretten zu kaufen.

Nun hatte er zwar Kleingeld genug, um die Zigaretten

bezahlen zu können, aber er wußte nicht, bei welcher Gelegenheit er den Tausendfrancsschein, den er so wunderbarerweise in der Brieftasche gefunden hatte, wechseln
könnte. Denn so viel Welterfahrung besaß er schon, daß er
ahnte, es bestünde in den Augen der Welt, das heißt in den
Augen der maßgebenden Welt, ein bedeutender Gegensatz zwischen seiner Kleidung, seinem Aussehen und einem Schein von tausend Francs. Immerhin beschloß er,
mutig, wie er durch das erneuerte Wunder geworden war,
die Banknote zu zeigen. Allerdings, den Rest der Klugheit
noch gebrauchend, der ihm verblieben war, um dem
Herrn an der Kasse des Tabacs zu sagen: »Bitte, wenn Sie
tausend Francs nicht wechseln können, gebe ich Ihnen
auch Kleingeld. Ich möchte sie aber gerne gewechselt haben.«

Zum Erstaunen Andreas' sagte der Herr vom Tabac:
»Im Gegenteil! Ich brauche einen Tausendfrancsschein,
Sie kommen mir sehr gelegen.« Und der Besitzer wechselte den Tausendfrancsschein. Hierauf blieb Andreas ein
wenig an der Theke stehen und trank drei Gläser Weiß-
wein; gewissermaßen aus Dankbarkeit gegenüber dem
Schicksal.

VII

Indes er so an der Theke stand, fiel ihm eine eingerahmte
Zeichnung auf, die hinter dem breiten Rücken des Wirtes
an der Wand hing, und diese Zeichnung erinnerte ihn an
einen alten Schulkameraden aus Olschowice. Er fragte
den Wirt: »Wer ist das? Den kenne ich, glaube ich.« Darauf
brachen sowohl der Wirt als auch sämtliche Gäste, die an
der Theke standen, in ein ungeheures Gelächter aus. Und
sie riefen alle: »Wie, er kennt ihn nicht!«

Denn es war in der Tat der große Fußballspieler Kanjak,

schlesischer Abkunft, allen normalen Menschen wohlbe-
kannt. Aber woher sollten ihn Alkoholiker, die unter den
Seine-Brücken schliefen, kennen, und wie, zum Beispiel,
unser Andreas? Da er sich aber schämte, und insbesondere deshalb, weil er soeben einen Tausendfrancsschein
gewechselt hatte, sagte Andreas: »Oh, natürlich kenne ich
ihn, und es ist sogar mein Freund. Aber die Zeichnung
schien mir mißraten.« Hierauf, und damit man ihn nicht
weiter fragte, zahlte er schnell und ging.

Jetzt verspürte er Hunger. Er suchte also das nächste
Gasthaus auf und aß und trank einen roten Wein und nach
dem Käse einen Kaffee und beschloß, den Nachmittag in
einem Kino zu verbringen. Er wußte nur noch nicht, in
welchem. Er begab sich also im Bewußtsein dessen, daß er
im Augenblick so viel Geld besäße, wie jeder der wohlhabenden Männer, die ihm auf der Straße entgegenkom-
men mochten, auf die großen Boulevards. Zwischen der
Oper und dem Boulevard des Capucines suchte er nach
einem Film, der ihm wohl gefallen möchte, und schließlich fand er einen. Das Plakat, das diesen Film ankündigte,
stellte nämlich einen Mann dar, der in einem fernen Abenteuer offenbar unterzugehen gedachte. Er schlich, wie das
Plakat vorgab, durch eine erbarmungslose, sonnverbrannte Wüste. In dieses Kino trat nun Andreas ein. Er sah den
Film vom Mann, der durch die sonnverbrannte Wüste
geht. Und schon war Andreas im Begriffe, den Helden des
Films sympathisch und ihn sich selbst verwandt zu fühlen, als plötzlich das Kinostück eine unerwartet glückliche
Wendung nahm und der Mann in der Wüste von einer
vorbeiziehenden wissenschaftlichen Karawane gerettet
und in den Schoß der europäischen Zivilisation zurück-
geführt wurde. Hierauf verlor Andreas jede Sympathie
für den Helden des Films. Und schon war er im Begriff,
sich zu erheben, als auf der Leinwand das Bild jenes Schulkameraden erschien, dessen Zeichnung er vor einer Weile,

an der Theke stehend, hinter dem Rücken des Wirtes der Taverne gesehen hatte. Es war der große Fußballspieler Kanjak. Hierauf erinnerte sich Andreas, daß er einmal, vor zwanzig Jahren, mit Kanjak zusammen in der gleichen Schulbank gesessen hatte, und er beschloß, sich morgen sofort zu erkundigen, ob sein alter Schulkollege sich in Paris aufhielte.

Denn er hatte, unser Andreas, nicht weniger als neunhundertachtzig Francs in der Tasche.

Und dies ist nicht wenig.

VIII

Bevor er aber das Kino verließ, fiel es ihm ein, daß er es gar nicht nötig hätte, bis morgen früh auf die Adresse seines Freundes und Schulkameraden zu warten; insbesondere in Anbetracht der ziemlich hohen Summe, die er in der Tasche liegen hatte.

Er war jetzt, in Anbetracht des Geldes, das ihm verblieb, so mutig geworden, daß er beschloß, sich an der Kasse nach der Adresse seines Freundes zu erkundigen, des berühmten Fußballspielers Kanjak. Er hatte gedacht, man müßte zu diesem Zweck den Direktor des Kinos persönlich fragen. Aber nein! Wer war in ganz Paris so bekannt wie der Fußballspieler Kanjak? Der Türsteher schon kannte seine Adresse. Er wohnte in einem Hotel in den Champs-Élysées. Der Türsteher sagte ihm auch den Namen des Hotels; und sofort begab sich unser Andreas auf den Weg dorthin.

Es war ein vornehmes, kleines und stilles Hotel, gerade eines jener Hotels, in denen Fußballspieler und Boxer, die Elite unserer Zeit, zu wohnen pflegen. Andreas kam sich in der Vorhalle etwas fremd vor, und auch den Angestellten des Hotels kam er etwas fremd vor. Immerhin sagten sie, der berühmte Fußballspieler Kanjak sei zu Hause und bereit, jeden Moment in die Vorhalle zu kommen.

Nach ein paar Minuten kam er auch herunter, und sie erkannten sich beide sofort. Und sie tauschten im Stehen noch alte Schulerinnerungen aus, und hierauf gingen sie zusammen essen, und es herrschte große Fröhlichkeit zwischen beiden. Sie gingen zusammen essen, und es ergab sich also infolgedessen, daß der berühmte Fußballspieler seinen verkommenen Freund folgendes fragte:

»Warum schaust du so verkommen aus, was trägst du überhaupt für Lumpen an deinem Leib?«

»Es wäre schrecklich«, antwortete Andreas, »wenn ich erzählen wollte, wie das alles gekommen ist. Und es würde auch die Freude an unserem glücklichen Zusammentreffen bedeutsam stören. Laß uns darüber lieber kein Wort verlieren. Reden wir von was Heiterem.«

»Ich habe viele Anzüge«, sagte der berühmte Fußballspieler Kanjak.

»Und es wird mir eine Freude sein, dir den einen oder den anderen davon abzugeben. Du hast neben mir in der Schulbank gesessen, und du hast mich abschreiben lassen. Was bedeutet schon ein Anzug für mich! Wo soll ich ihn dir hinschicken?«

»Das kannst du nicht«, erwiderte Andreas, »und zwar einfach deshalb, weil ich keine Adresse habe. Ich wohne nämlich seit einiger Zeit unter den Brücken an der Seine.«

»So werde ich dir also«, sagte der Fußballspieler Kanjak, »ein Zimmer mieten, einfach zu dem Zweck, dir einen Anzug schenken zu können. Komm!«

Nachdem sie gegessen hatten, gingen sie hin, und der Fußballspieler Kanjak mietete ein Zimmer, und dieses kostete fünfundzwanzig Francs pro Tag und war gelegen in der Nähe der großartigen Kirche von Paris, die unter dem Namen »Madeleine« bekannt ist.

IX

Das Zimmer war im fünften Stock gelegen, und Andreas und der Fußballspieler mußten den Lift benützen. Andreas besaß selbstverständlich kein Gepäck. Aber weder der Portier noch der Liftboy noch sonst irgendeiner von dem Personal des Hotels verwunderte sich darüber.

Denn es war einfach ein Wunder, und innerhalb des Wunders gibt es nichts Verwunderliches. Als sie beide im Zimmer oben standen, sagte der Fußballspieler Kanjak zu seinem Schulbankgenossen Andreas: »Du brauchst wahrscheinlich eine Seife.«

»Unsereins«, erwiderte Andreas, »kann auch ohne Seife leben. Ich gedenke hier acht Tage ohne Seife zu wohnen, und ich werde mich trotzdem waschen. Ich möchte aber, daß wir uns zur Ehre dieses Zimmers sofort etwas zum Trinken bestellen.«

Und der Fußballspieler bestellte eine Flasche Cognac. Diese tranken sie bis zur Neige. Hierauf verließen sie das Zimmer und nahmen ein Taxi und fuhren auf den Montmartre, und zwar in jenes Café, wo die Mädchen saßen und wo Andreas erst ein paar Tage vorher gewesen war. Nachdem sie dort zwei Stunden gesessen und Erinnerungen aus der Schulzeit ausgetauscht hatten, führte der Fußballspieler Andreas nach Hause, das heißt in das Hotelzimmer, das er ihm gemietet hatte, und sagte zu ihm: »Jetzt ist es spät. Ich lasse dich allein. Ich schicke dir morgen zwei Anzüge. Und – brauchst du Geld?«

»Nein«, sagte Andreas, »ich habe neunhundertachtzig Francs, und das ist nicht wenig. Geh nach Hause!«

»Ich komme in zwei oder drei Tagen«, sagte der Freund, der Fußballspieler.

X

Das Hotelzimmer, in dem Andreas nunmehr wohnte, hatte die Nummer neunundachtzig. Sobald Andreas sich allein in diesem Zimmer befand, setzte er sich in den bequemen Lehnstuhl, der mit rosa Rips überzogen war, und begann, sich umzusehn. Er sah zuerst die rotseidene Tapete, unterbrochen von zartgoldenen Papageienköpfen, an den Wänden drei elfenbeinerne Knöpfe, rechts an der Türleiste und in der Nähe des Bettes den Nachttisch und die Lampe darüber mit dunkelgrünem Schirm und ferner eine Tür mit einem weißen Knauf, hinter der sich etwas Geheimnisvolles, jedenfalls für Andreas Geheimnisvolles, zu verbergen schien. Ferner gab es in der Nähe des Bettes ein schwarzes Telephon, dermaßen angebracht, daß auch ein im Bett Liegender das Hörrohr ganz leicht mit der rechten Hand erfassen kann.

Andreas, nachdem er lange das Zimmer betrachtet hatte und darauf bedacht gewesen war, sich auch mit ihm vertraut zu machen, wurde plötzlich neugierig. Denn die Tür mit dem weißen Knauf irritierte ihn, und trotz seiner Angst und obwohl er der Hotelzimmer ungewohnt war, erhob er sich und beschloß nachzusehen, wohin die Tür führe. Er hatte gedacht, sie sei selbstverständlich verschlossen. Aber wie groß war sein Erstaunen, als sie sich freiwillig, beinahe zuvorkommend, öffnete!

Er sah nunmehr, daß es ein Badezimmer war, mit glänzenden Kacheln und mit einer Badewanne, schimmernd und weiß, und mit einer Toilette, und kurz und gut, das, was man in seinen Kreisen eine Bedürfnisanstalt hätte nennen können.

In diesem Augenblick auch verspürte er das Bedürfnis, sich zu waschen, und er ließ heißes und kaltes Wasser aus den beiden Hähnen in die Wanne rinnen. Und wie er sich auszog, um in sie hineinzusteigen, bedauerte er auch, daß

er keine Hemden habe, denn wie er sich das Hemd auszog,
sah er, daß es sehr schmutzig war, und von vornherein
schon hatte er Angst vor dem Augenblick, in dem er wieder aus dem Bad gestiegen und dieses Hemd anziehen
müßte.

Er stieg in das Bad, er wußte wohl, daß es eine lange Zeit
her war, seitdem er sich gewaschen hatte. Er badete geradezu mit Wollust, erhob sich, zog sich wieder an und
wußte nun nicht mehr, was er mit sich anfangen sollte.

Mehr aus Ratlosigkeit als aus Neugier öffnete er die Tür
des Zimmers, trat in den Korridor und erblickte hier eine
junge Frau, die aus ihrem Zimmer gerade herauskam, wie
er eben selbst. Sie war schön und jung, wie ihm schien. Ja,
sie erinnerte ihn an die Verkäuferin in dem Laden, wo er
die Brieftasche erstanden hatte, und ein bißchen auch an
Karoline, und infolgedessen verneigte er sich leicht vor ihr
und grüßte sie, und da sie ihm antwortete, mit einem
Kopfnicken, faßte er sich ein Herz und sagte ihr geradewegs: »Sie sind schön.«

»Auch Sie gefallen mir«, antwortete sie, »einen Augenblick! Vielleicht sehen wir uns morgen.« – Und sie ging
dahin im Dunkel des Korridors. Er aber, liebebedürftig,
wie er plötzlich geworden war, sah nach der Nummer
ihrer Tür, hinter der sie wohnte.

Und es war die Nummer siebenundachtzig. Diese
merkte er sich in seinem Herzen.

XI

Er kehrte wieder in sein Zimmer zurück, wartete, lauschte
und war schon entschlossen, nicht erst den Morgen abzuwarten, um mit dem schönen Mädchen zusammenzu-
kommen. Denn, obwohl er durch die fast ununterbro-
chene Reihe der Wunder in den letzten Tagen bereits

überzeugt war, daß sich die Gnade auf ihn niedergelassen
hatte, glaubte er doch gerade deswegen, zu einer Art
Übermut berechtigt zu sein, und er nahm an, daß er gewissermaßen aus Höflichkeit der Gnade noch zuvorkommen müßte, ohne sie im geringsten zu kränken. Wie er
nun also die leisen Schritte des Mädchens von Nummer
siebenundachtzig zu vernehmen glaubte, öffnete er vorsichtig die Tür seines Zimmers einen Spaltbreit und sah,
daß sie es wirklich war, die in ihr Zimmer zurückkehrte.
Was er aber freilich infolge seiner langjährigen Unerfah-
renheit nicht bemerkte, war der nicht geringzuschätzende
Umstand, daß auch das schöne Mädchen sein Spähen
bemerkt hatte. Infolgedessen machte sie, wie sie es Beruf
und Gewohnheit gelehrt hatten, hastig und hurtig eine
scheinbare Ordnung in ihrem Zimmer und löschte die
Deckenlampe aus und legte sich aufs Bett und nahm beim
Schein der Nachttischlampe ein Buch in die Hand und las
darin; aber es war ein Buch, das sie bereits längst gelesen
hatte.

Eine Weile später klopfte es auch zage an ihrer Tür, wie
sie es auch erwartet hatte, und Andreas trat ein. Er blieb an
der Schwelle stehen, obwohl er bereits die Gewißheit hatte, daß er im nächsten Augenblick die Einladung bekommen würde, näher zu treten. Denn das hübsche Mädchen
rührte sich nicht aus ihrer Stellung, sie legte nicht einmal
das Buch aus der Hand, sie fragte nur: »Und was wünschen Sie?«

Andreas, sicher geworden durch Bad, Seife, Lehnstuhl,
Tapete, Papageienköpfe und Anzug, erwiderte: »Ich kann
nicht bis morgen warten, Gnädige.« Das Mädchen
schwieg.

Andreas trat näher an sie heran, fragte sie, was sie lese,
und sagte aufrichtig: »Ich interessiere mich nicht für
Bücher.«

»Ich bin nur vorübergehend hier«, sagte das Mädchen

auf dem Bett, »ich bleibe nur bis Sonntag hier. Am Montag muß ich nämlich in Cannes wieder auftreten.«

»Als was?« fragte Andreas.

»Ich tanze im Kasino. Ich heiße Gabby. Haben Sie den Namen noch nie gehört?«

»Gewiß, ich kenne ihn aus den Zeitungen«, log Andreas – und er wollte hinzufügen: mit denen ich mich zudecke. Aber er vermied es.

Er setzte sich an den Rand des Bettes, und das schöne Mädchen hatte nichts dagegen. Sie legte sogar das Buch aus der Hand, und Andreas blieb bis zum Morgen in Zimmer siebenundachtzig.

XII

Am Samstagmorgen erwachte er mit dem festen Entschluß, sich von dem schönen Mädchen bis zu ihrer Abreise nicht mehr zu trennen. Ja, in ihm blühte sogar der zarte Gedanke an eine Reise mit der jungen Frau nach Cannes, denn er war, wie alle armen Menschen, geneigt, kleine Summen, die er in der Tasche hatte (und insbesondere die trinkenden armen Menschen neigen dazu), für große zu halten. Er zählte also am Morgen seine neunhundertachtzig Francs noch einmal nach. Und da sie in einer Brieftasche lagen und da diese Brieftasche in einem neuen Anzug steckte, hielt er die Summe um das Zehnfache vergrößert. Infolgedessen war er auch keineswegs erregt, als eine Stunde später, nachdem er es verlassen hatte, das schöne Mädchen bei ihm eintrat, ohne anzuklopfen, und da sie ihn fragte, wie sie beide den Samstag zu verbringen hätten, vor ihrer Abreise nach Cannes, sagte er aufs Geratewohl: »Fontainebleau.« Irgendwo, halb im Traum, hatte er es vielleicht gehört. Er wußte jedenfalls nicht mehr, warum und wieso ihm dieser Ortsname auf die Zunge gekommen war.

Sie mieteten also ein Taxi, und sie fuhren nach Fontainebleau, und dort erwies es sich, daß das schöne Mädchen ein gutes Restaurant kannte, in dem man gute Speisen speisen und guten Trank trinken konnte. Und auch den Kellner kannte sie, und sie nannte ihn beim Vornamen. Und wenn unser Andreas eifersüchtig von Natur gewesen wäre, so hätte er wohl auch böse werden können. Aber er war nicht eifersüchtig, und also wurde er auch nicht böse. Sie verbrachten eine Zeitlang beim Essen und Trinken und fuhren hierauf, noch einmal im Taxi, zurück nach Paris, und auf einmal lag der strahlende Abend von Paris vor ihnen, und sie wußten nichts mit ihm anzufangen, eben wie Menschen nicht wissen, die nicht zueinander gehören und die nur zufällig zueinander gestoßen sind. Die Nacht breitete sich vor ihnen aus wie eine allzu lichte Wüste.

Und sie wußten nicht mehr, was miteinander anzufangen, nachdem sie leichtfertigerweise das wesentliche Erlebnis vergeudet hatten, das Mann und Frau gegeben ist. Also beschlossen sie, was den Menschen unserer Zeit vorbehalten bleibt, sobald sie nicht wissen, was anzufangen, ins Kino zu gehen. Und sie saßen da, und es war keine Finsternis, nicht einmal ein Dunkel, und knapp konnte man es noch ein Halbdunkel nennen. Und sie drückten einander die Hände, das Mädchen und unser Freund Andreas. Aber sein Händedruck war gleichgültig, und er litt selber darunter. Er selbst. Hierauf, als die Pause kam, beschloß er, mit dem schönen Mädchen in die Halle zu gehen und zu trinken, und sie gingen auch beide hin, und sie tranken. Und das Kino interessierte ihn keineswegs mehr. Sie gingen in einer ziemlichen Beklommenheit ins Hotel.

Am nächsten Morgen, es war Sonntag, erwachte Andreas in dem Bewußtsein seiner Pflicht, daß er das Geld zurückzahlen müsse. Er erhob sich schneller als am letz-

ten Tag und so schnell, daß das schöne Mädchen aus dem
Schlaf aufschrak und ihn fragte: »Warum so schnell, Andreas?«

»Ich muß eine Schuld bezahlen«, sagte Andreas.

»Wie? Heute am Sonntag?« fragte das schöne Mädchen.

»Ja, heute am Sonntag«, erwiderte Andreas.

»Ist es eine Frau oder ein Mann, dem du Geld schuldig
bist?«

»Eine Frau«, sagte Andreas zögernd.

»Wie heißt sie?«

»Therese.«

Daraufhin sprang das schöne Mädchen aus dem Bett,
ballte die Fäuste und schlug sie auch beide Andreas ins
Gesicht.

Und daraufhin floh er aus dem Zimmer, und er verließ
das Hotel. Und ohne sich weiter umzusehn, ging er in die
Richtung der Ste Marie des Batignolles, in dem sicheren
Bewußtsein, daß er heute endlich der kleinen Therese die
zweihundert Francs zurückzahlen könnte.

XIII

Nun wollte es die Vorsehung – oder wie weniger gläubige
Menschen sagen würden: der Zufall –, daß Andreas wieder einmal knapp nach der Zehn-Uhr-Messe ankam. Und
es war selbstverständlich, daß er in der Nähe der Kirche
das Bistro erblickte, in dem er zuletzt getrunken hatte,
und dort trat er auch wieder ein.

Er bestellte also zu trinken. Aber vorsichtig, wie er war
und wie es alle Armen dieser Welt sind, selbst wenn sie
Wunder über Wunder erlebt haben, sah er zuerst nach, ob
er wirklich auch Geld genug besäße, und er zog seine
Brieftasche heraus. Und da sah er, daß von seinen neunhundertachtzig Francs kaum noch mehr etwas übrig war.

Es blieben ihm nämlich nur zweihundertfünfzig. Er dachte nach und erkannte, daß ihm das schöne Mädchen im Hotel das Geld genommen hatte. Aber unser Andreas machte sich gar nichts daraus. Er sagte sich, daß er für jede Lust zu zahlen habe, und er hatte Lust genossen, und er hatte also auch zu bezahlen.

Er wollte hier abwarten, so lange, bis die Glocken läuteten, die Glocken der nahen Kapelle, um zur Messe zu gehen und um dort endlich die Schuld der kleinen Heiligen abzustatten. Inzwischen wollte er trinken, und er bestellte zu trinken. Er trank. Die Glocken, die zur Messe riefen, begannen zu dröhnen, und er rief: »Zahlen, Kellner!«, zahlte, erhob sich, ging hinaus und stieß knapp vor der Tür mit einem sehr großen breitschultrigen Mann zusammen. Den nannte er sofort: »Woitech.« Und dieser rief zu gleicher Zeit: »Andreas!« Sie sanken einander in die Arme, denn sie waren beide zusammen Kohlenarbeiter gewesen in Quebecque, zuammen beide in einer Grube.

»Wenn du mich hier erwarten willst«, sagte Andreas, »zwanzig Minuten nur, so lange, wie die Messe dauert, nicht einen Moment länger!«

»Grad nicht«, sagte Woitech. »Seit wann gehst du überhaupt in die Messe? Ich kann die Pfaffen nicht leiden und noch weniger die Leute, die zu den Pfaffen gehn.«

»Aber ich gehe zur kleinen Therese«, sagte Andreas, »ich bin ihr Geld schuldig.«

»Meinst du die kleine heilige Therese?« fragte Woitech.

»Ja, die meine ich«, erwiderte Andreas.

»Wieviel schuldest du ihr?« fragte Woitech.

»Zweihundert Francs!« sagte Andreas.

»Dann begleite ich dich!« sagte Woitech.

Die Glocken dröhnten immer noch. Sie gingen in die Kirche, und wie sie drinnen standen und die Messe gerade begonnen hatte, sagte Woitech mit flüsternder Stimme: »Gib mir sofort hundert Francs! Ich erinnere mich eben, daß mich drüben einer erwartet, ich komme sonst ins Kriminal!«

Unverzüglich gab ihm Andreas die ganzen zwei Hundertfrancsscheine, die er noch besaß, und sagte: »Ich komme sofort nach.«

Und wie er nun einsah, daß er kein Geld mehr hatte, um es der Therese zurückzuzahlen, hielt er es auch für sinnlos, noch länger der Messe beizuwohnen. Nur aus Anstand wartete er noch fünf Minuten und ging dann hinüber in das Bistro, wo Woitech auf ihn wartete.

Von nun an blieben sie Kumpane, denn das versprachen sie einander gegenseitig.

Freilich hatte Woitech keinen Freund gehabt, dem er Geld schuldig gewesen wäre. Den einen Hundertfrancsschein, den ihm Andreas geborgt hatte, verbarg er sorgfältig im Taschentuch und machte einen Knoten darum. Für die andern hundert Francs lud er Andreas ein, zu trinken und noch einmal zu trinken und noch einmal zu trinken, und in der Nacht gingen sie in jenes Haus, wo die gefälligen Mädchen saßen, und dort blieben sie auch alle beide drei Tage, und als sie wieder herauskamen, war es Dienstag, und Woitech trennte sich von Andreas mit den Worten: »Sonntag sehen wir uns wieder, um dieselbe Zeit und an der gleichen Stelle und am selben Ort.«

»Servus!« sagte Andreas.

»Servus!« sagte Woitech und verschwand.

XIV

Es war ein regnerischer Dienstagnachmittag, und es regnete so dicht, daß Woitech im nächsten Augenblick tatsächlich verschwunden war. Jedenfalls schien es Andreas also.

Es schien ihm, daß sein Freund verlorengegangen war

im Regen, genauso, wie er ihn zufällig getroffen hatte, und da er kein Geld mehr in der Tasche besaß, ausgenommen fünfunddreißig Francs, und verwöhnt vom Schicksal, wie er sich glaubte, und der Wunder sicher, die ihm gewiß noch geschehen würden, beschloß er, wie alle Armen und des Trunkes Gewohnten es tun, sich wieder dem Gott anzuvertrauen, dem einzigen, an den er glaubte. Also ging er zur Seine und die gewohnte Treppe hinunter, die zu der Heimstätte der Obdachlosen führt.

Hier stieß er auf einen Mann, der eben im Begriffe war, die Treppe hinaufzusteigen, und der ihm sehr bekannt vorkam. Infolgedessen grüßte Andreas ihn höflich. Es war ein etwas älterer, gepflegt aussehender Herr, der stehenblieb, Andreas genau betrachtete und schließlich fragte: »Brauchen Sie Geld, lieber Herr?«

An der Stimme erkannte Andreas, daß es jener Herr war, den er drei Wochen vorher getroffen hatte. Also sagte er: »Ich erinnere mich wohl, daß ich Ihnen noch Geld schuldig bin, ich sollte es der heiligen Therese zurückbringen. Aber es ist allerhand dazwischengekommen, wissen Sie. Und ich bin schon das dritte Mal daran verhindert gewesen, das Geld zurückzugeben.«

»Sie irren sich«, sagte der ältere, wohlangezogene Herr, »ich habe nicht die Ehre, Sie zu kennen. Sie verwechseln mich offenbar, aber es scheint mir, daß Sie in einer Verlegenheit sind. Und was die heilige Therese betrifft, von der Sie eben gesprochen haben, bin ich ihr dermaßen menschlich verbunden, daß ich selbstverständlich bereit bin, Ihnen das Geld vorzustrecken, das Sie ihr schuldig sind. Wieviel macht es denn?«

»Zweihundert Francs«, erwiderte Andreas, »aber verzeihen Sie, Sie kennen mich ja nicht! Ich bin ein Ehrenmann, und Sie können mich kaum mahnen. Ich habe nämlich wohl meine Ehre, aber keine Adresse. Ich schlafe unter einer dieser Brücken.«

»Oh, das macht nichts!« sagte der Herr. »Auch ich pflege da zu schlafen. Und Sie erweisen mir geradezu einen Gefallen, für den ich nicht genug dankbar sein kann, wenn Sie mir das Geld abnehmen. Denn auch ich bin der kleinen Therese soviel schuldig!«

»Dann«, sagte Andreas, »allerdings stehe ich zu Ihrer Verfügung.«

Er nahm das Geld, wartete eine Weile, bis der Herr die Stufen hinaufgeschritten war, und ging dann selber die gleichen Stufen hinauf und geradewegs in die Rue des Quatre Vents in sein altes Restaurant, in das russisch-armenische Tari-Bari, und dort blieb er bis zum Samstagabend. Und da erinnerte er sich, daß morgen Sonntag sei und daß er in die Kapelle Ste Marie des Batignolles zu gehen habe.

XV

Im Tari-Bari waren viele Leute, denn manche schliefen dort, die kein Obdach hatten, tagelang, nächtelang, des Tags hinter der Theke und des Nachts auf den Banquetten. Andreas erhob sich am Sonntag sehr früh, nicht so sehr wegen der Messe, die er zu versäumen gefürchtet hätte, wie aus Angst vor dem Wirt, der ihn mahnen würde, Trank und Speise und Quartier für so viele Tage zu bezahlen.

Er irrte sich aber, denn der Wirt war bereits viel früher aufgestanden als er. Denn der Wirt kannte ihn schon seit langem und wußte, daß unser Andreas dazu neigte, jede Gelegenheit wahrzunehmen, um Zahlungen auszuweichen. Infolgedessen mußte unser Andreas bezahlen, von Dienstag bis Sonntag, reichlich Speise und Getränke und viel mehr noch, als er gegessen und getrunken hatte. Denn der Wirt vom Tari-Bari wußte zu unterscheiden, welche

von seinen Kunden rechnen konnten und welche nicht.
Aber unser Andreas gehörte zu jenen, die nicht rechnen
konnten, wie viele Trinker. Andreas zahlte also einen großen Teil des Geldes, das er bei sich hatte, und begab sich
dennoch in die Richtung der Kapelle Ste Marie des Batignolles. Aber er wußte wohl schon, daß er nicht mehr
genügend Geld hatte, um der heiligen Therese alles zurückzuzahlen. Und er dachte ebenso an seinen Freund
Woitech, mit dem er sich verabredet hatte, genau in dem
gleichen Maße wie an seine kleine Gläubigerin.

Nun also kam er in der Nähe der Kapelle an, und es war
wieder leider nach der Zehn-Uhr-Messe, und noch einmal
strömten ihm die Menschen entgegen, und wie er so gewohnt den Weg zum Bistro einschlug, hörte er hinter sich
rufen, und plötzlich fühlte er eine derbe Hand auf seiner
Schulter. Und wie er sich umwandte, war es ein Polizist.

Unser Andreas, der, wie wir wissen, keine Papiere hatte,
wie so viele seinesgleichen, erschrak und griff schon in die
Tasche, einfach um sich den Anschein zu geben, er hätte
etwelche Papiere, die richtig seien. Der Polizist aber sagte:
»Ich weiß schon, was Sie suchen. In der Tasche suchen Sie
es vergeblich! Ihre Brieftasche haben Sie eben verloren.
Hier ist sie und«, so fügte er noch scherzhaft hinzu, »das
kommt davon, wenn man Sonntag am frühen Vormittag
schon so viele Aperitifs getrunken hat! …«

Andreas ergriff schnell die Brieftasche, hatte kaum Ge-
lassenheit genug, den Hut zu lüften, und ging stracks ins
Bistro hinüber.

Dort fand er den Woitech bereits vor und erkannte ihn
nicht auf den ersten Blick, sondern erst nach einer längeren Weile. Dann aber begrüßte ihn unser Andreas um so
herzlicher. Und sie konnten gar nicht aufhören, beide einander wechselseitig einzuladen, und Woitech, höflich, wie
die meisten Menschen es sind, stand von der Banquette
auf und bot Andreas den Ehrenplatz an und ging, so

schwankend er auch war, um den Tisch herum, setzte sich gegenüber auf einen Stuhl und redete Höflichkeiten. Sie tranken lediglich Pernod.

»Mir ist wieder etwas Merkwürdiges geschehen«, sagte Andreas. »Wie ich da zu unserem Rendezvous herübergehen will, faßt mich ein Polizist an der Schulter und sagt: ›Sie haben Ihre Brieftasche verloren.‹ Und gibt mir eine, die mir gar nicht gehört, und ich stecke sie ein, und jetzt will ich nachschauen, was es eigentlich ist.«

Und damit zieht er die Brieftasche heraus und sieht nach, und es liegen darin mancherlei Papiere, die ihn nicht das geringste angehen, und er sieht auch Geld darin und zählt die Scheine, und es sind genau zweihundert Francs. Und da sagt Andreas: »Siehst du! Das ist ein Zeichen Gottes. Jetzt gehe ich hinüber und zahle endlich mein Geld!«

»Dazu«, antwortet Woitech, »hast du ja Zeit, bis die Messe zu Ende ist. Wozu brauchst du denn die Messe? Während der Messe kannst du nichts zurückzahlen. Nach der Messe gehst du in die Sakristei, und inzwischen trinken wir!«

»Natürlich, wie du willst«, antwortete Andreas.

In diesem Augenblick tat sich die Tür auf, und während Andreas ein unheimliches Herzweh verspürte und eine große Schwäche im Kopf, sah er, daß ein junges Mädchen hereinkam und sich genau ihm gegenüber auf die Banquette setzte. Sie war sehr jung, so jung, wie er noch nie ein Mädchen gesehen zu haben glaubte, und sie war ganz himmelblau angezogen. Sie war nämlich blau, wie nur der Himmel blau sein kann, an manchen Tagen, und auch nur an gesegneten.

So schwankte er also hinüber, verbeugte sich und sagte zu dem jungen Kind: »Was machen Sie hier?«

»Ich warte auf meine Eltern, die eben aus der Messe kommen; die wollen mich hier abholen. Jeden vierten Sonntag«, sagte sie und war ganz verschüchtert vor dem älteren Mann, der sie so plötzlich angesprochen hatte. Sie fürchtete sich ein wenig vor ihm.

Andreas fragte darauf: »Wie heißen Sie?«

»Therese«, sagte sie.

»Ah«, rief Andreas darauf, »das ist reizend! Ich habe nicht gedacht, daß eine so große, eine so kleine Heilige, eine so große und so kleine Gläubigerin mir die Ehre erweist, mich aufzusuchen, nachdem ich so lange nicht zu ihr gekommen war.«

»Ich verstehe nicht, was Sie reden«, sagte das kleine Fräulein ziemlich verwirrt.

»Das ist nur Ihre Feinheit«, erwiderte hier Andreas. »Das ist nur Ihre Feinheit, aber ich weiß sie zu schätzen. Ich bin Ihnen seit langem zweihundert Francs schuldig, und ich bin nicht mehr dazu gekommen, sie Ihnen zurückzugeben, heiliges Fräulein!«

»Sie sind mir kein Geld schuldig, aber ich habe welches im Täschchen, hier, nehmen Sie und gehen Sie. Denn meine Eltern kommen bald.«

Und somit gab sie ihm einen Hundertfrancsschein aus ihrem Täschchen.

All dies sah Woitech im Spiegel, und er schwankte auf aus seinem Sessel und bestellte zwei Pernods und wollte eben unseren Andreas an die Theke schleppen, damit er mittrinke. Aber wie Andreas sich eben anschickt, an die Theke zu treten, fällt er um wie ein Sack, und alle Menschen im Bistro erschrecken und Woitech auch. Und am meisten das Mädchen, das Therese heißt. Und man schleppt ihn, weil in der Nähe kein Arzt und keine Apotheke ist, in die Kapelle, und zwar in die Sakristei, weil Priester doch etwas von Sterben und Tod verstehen, wie die ungläubigen Kellner trotzdem glaubten; und das Fräulein, das Therese heißt, kann nicht umhin und geht mit.

Man bringt also unsern armen Andreas in die Sakristei, und er kann leider nichts mehr reden, er macht nur eine

Bewegung, als wollte er in die linke innere Rocktasche greifen, wo das Geld, das er der kleinen Gläubigerin schuldig ist, liegt, und er sagt: »Fräulein Therese!« – und tut seinen letzten Seufzer und stirbt.

Gebe Gott uns allen, uns Trinkern, einen so leichten und so schönen Tod!

Der Leviathan
Novelle
|1940|

I

In dem kleinen Städtchen Progrody lebte einst ein Korallenhändler, der wegen seiner Redlichkeit und wegen seiner guten, zuverlässigen Ware weit und breit in der Umgebung bekannt war. Aus den fernen Dörfern kamen die Bäuerinnen zu ihm, wenn sie zu besonderen Anlässen einen Schmuck brauchten. Leicht hätten sie in ihrer Nähe schon noch andere Korallenhändler gefunden, aber sie wußten, daß sie dort nur alltäglichen Tand und billigen Flitter bekommen konnten. Deshalb legten sie in ihren kleinen, ratternden Wägelchen manchmal viele Werst zurück, um nach Progrody zu gelangen, zu dem berühmten Korallenhändler Nissen Piczenik.

Gewöhnlich kamen sie an jenen Tagen, an denen der Jahrmarkt stattfand. Am Montag war Pferdemarkt, am Donnerstag Schweinemarkt. Die Männer betrachteten und prüften die Tiere, die Frauen gingen in unregelmäßigen Gruppen, barfuß und die Stiefel über die Schultern gehängt, mit den bunten, auch an trüben Tagen leuchtenden Kopftüchern in das Haus Nissen Piczeniks. Die harten, nackten Sohlen trommelten gedämpft und fröhlich auf den hohlen Brettern des hölzernen Bürgersteigs und in dem weiten, kühlen Flur des alten Hauses, in dem der Händler wohnte. Aus dem gewölbten Flur gelangte man in einen stillen Hof, wo zwischen den unregelmäßigen Pflastersteinen sanftes Moos wucherte und in der warmen Jahreszeit einzelne Gräslein sprossen. Hier kamen den Bäuerinnen schon die Hühner Piczeniks freundlich entgegen, voran die Hähne mit den stolzen Kämmen, die so rot waren wie die rötesten Korallen.

Man mußte dreimal an die eiserne Tür klopfen, an der
ein eiserner Klöppel hing. Dann öffnete Piczenik eine
kleine Luke, die in die Tür eingeschnitten war, sah die
Leute, die Einlaß heischten, schob den Riegel zurück und
ließ die Bäuerinnen eintreten. Bettlern, wandernden Sän-
gern, Zigeunern und den Männern mit den tanzenden Bären pflegte er durch die Luke ein Almosen zu reichen. Er
mußte recht vorsichtig sein, denn auf allen Tischen in seiner geräumigen Küche wie im Wohnzimmer lagen die
edlen Korallen in großen, kleinen, mittleren Haufen, verschiedene Völker und Rassen von Korallen durcheinan-
dergemischt oder auch bereits nach ihrer Eigenart und
Farbe geordnet. Man hatte nicht zehn Augen im Kopf, um
jeden Bettler zu beobachten, und Piczenik wußte, daß die
Armut die unwiderstehliche Verführerin zur Sünde ist.
Zwar stahlen manchmal auch wohlhabende Bäuerinnen;
denn die Frauen erliegen leicht der Lust, sich den
Schmuck, den sie bequem kaufen könnten, heimlich und
unter Gefahr anzueignen. Aber bei den Kunden drückte
der Händler eines seiner wachsamen Augen zu, und ein
paar Diebstähle kalkulierte er auch in die Preise ein, die er
für seine Ware forderte.

Er beschäftigte nicht weniger als zehn Fädlerinnen,
hübsche junge Mädchen, mit guten, sicheren Augen und
feinen Händen. Die Mädchen saßen in zwei Reihen an
einem langen Tisch und angelten mit zarten Nadeln nach
den Korallen. Also entstanden die schönen, regelmäßigen
Schnüre, an deren Enden die kleinsten Korallen, in deren
Mitte die größten und leuchtendsten steckten. Bei dieser
Arbeit sangen die Mädchen im Chor. Und im Sommer, an
heißen, blauen und sonnigen Tagen, war im Hof der lange
Tisch aufgestellt, an dem die fädelnden Frauen saßen, und
ihren sommerlichen Gesang hörte man im ganzen Städtchen, und er übertönte die schmetternden Lerchen unter
dem Himmel und die zirpenden Grillen in den Gärten.

Es gibt viel mehr Arten von Korallen, als die gewöhnlichen Leute wissen, die sie nur aus den Schaufenstern oder Läden kennen. Es gibt geschliffene und ungeschliffene vor allem; ferner flach an den Rändern geschnittene und kugelrunde; dornen- und stäbchenartige, die wie Stacheldraht aussehn; gelblich leuchtende, fast weißrote Korallen von der Farbe, wie sie manchmal die oberen Ränder der Teerosenblätter zeigen, gelblichrosa, rosa, ziegelrote, rübenrote, zinnoberfarbene und schließlich die Korallen, die aussehen wie feste, runde Blutstropfen. Es gibt ganz- und halbrunde; Korallen, die wie kleine Fäßchen, andere, die wie Zylinderchen aussehen; es gibt gerade, schiefgewachsene und sogar bucklige Korallen. Es gibt Sterne, Stacheln, Zinken, Blüten. Denn die Korallen sind die edelsten Pflanzen der ozeanischen Unterwelt, Rosen für die launischen Göttinnen der Meere, so reich an Formen und Farben wie die Launen dieser Göttinnen selbst.

Wie man sieht, hielt Nissen Piczenik keinen offenen Laden. Er betrieb das Geschäft in seiner Wohnung, das heißt: er lebte mit den Korallen, Tag und Nacht, Sommer und Winter, und da in seiner Stube wie in seiner Küche die Fenster in den Hof gingen und obendrein von dichten, eisernen Gittern geschützt waren, herrschte in dieser Wohnung eine schöne, geheimnisvolle Dämmerung, die an Meeresgrund erinnerte, und es war, als wüchsen dort die Korallen, und nicht, als würden sie gehandelt. Ja, dank einer besonderen, geradezu geflissentlichen Laune der Natur war Nissen Piczenik, der Korallenhändler, ein rothaariger Jude, dessen kupferfarbenes Ziegenbärtchen an eine Art rötlichen Tangs erinnerte und dem ganzen Mann eine frappante Ähnlichkeit mit einem Meergott verlieh. Es war, als schüfe oder pflanzte und pflückte er selbst die Korallen, mit denen er handelte. Und so stark war die Beziehung seiner Ware zu seinem Aussehen, daß man ihn nicht nach seinem Namen im Städtchen Progrody nannte, mit der Zeit diesen sogar vergaß und ihn lediglich nach seinem Beruf bezeichnete. Man sagte zum Beispiel: Hier kommt der Korallenhändler – als gäbe es in der ganzen Welt außer ihm keinen anderen.

Nissen Piczenik hatte in der Tat eine familiäre Zärtlichkeit für Korallen. Von den Naturwissenschaften weit entfernt, ohne lesen und schreiben zu können – denn er hatte niemals eine Schule besucht, und er konnte nur unbeholfen seinen Namen zeichnen –, lebte er in der Überzeugung, daß die Korallen nicht etwa Pflanzen seien, sondern lebendige Tiere, eine Art winziger roter Seetiere – – und kein Professor der Meereskunde hätte ihn eines Besseren belehren können. Ja, für Nissen Piczenik lebten die Korallen noch, nachdem sie gesägt, zerschnitten, geschliffen, sortiert und gefädelt worden waren. Und er hatte vielleicht recht. Denn er sah mit eigenen Augen, wie seine rötlichen Korallenschnüre an den Busen kranker oder kränklicher Frauen allmählich zu verblassen begannen, an den Busen gesunder Frauen aber ihren Glanz behielten. Im Verlauf seiner langen Korallenhändlerpraxis hatte er oft bemerkt, wie Korallen, die blaß – trotz ihrer Röte – und immer blasser in seinen Schränken gelegen waren, plötzlich zu leuchten begannen, wenn sie um den Hals einer schönen, jungen und gesunden Bäuerin gehängt wurden, als nährten sie sich von dem Blut der Frauen. Manchmal brachte man dem Händler Korallenschnüre zum Rückkauf, er erkannte sie, die Kleinodien, die er einst selbst gefädelt und behütet hatte – und er erkannte sofort, ob sie von gesunden oder kränklichen Frauen getragen worden waren.

Er hatte eine eigene, ganz besondere Theorie von den Korallen. Seiner Meinung nach waren sie, wie gesagt, Tiere des Meeres, die gewissermaßen nur aus kluger Bescheidenheit Bäume und Pflanzen spielten, um nicht von den Haifischen angegriffen oder gefressen zu werden. Es

war die Sehnsucht der Korallen, von den Tauchern ge-
pflückt und an die Oberfläche der Erde gebracht, ge-
schnitten, geschliffen und aufgefädelt zu werden, um endlich ihrem eigentlichen Daseinszweck zu dienen: nämlich
der Schmuck schöner Bäuerinnen zu werden. Hier erst, an
den weißen, festen Hälsen der Weiber, in innigster Nachbarschaft mit der lebendigen Schlagader, der Schwester
der weiblichen Herzen, lebten sie auf, gewannen sie Glanz
und Schönheit und übten die ihnen angeborene Zauber-
kraft aus, Männer anzuziehen und deren Liebeslust zu
wecken. Zwar hatte der alte Gott Jehovah alles selbst geschaffen, die Erde und ihr Getier, die Meere und alle ihre
Geschöpfe. Dem Leviathan aber, der sich auf dem Ur-
grund aller Wasser ringelte, hatte Gott selbst für eine
Zeitlang, bis zur Ankunft des Messias nämlich, die Verwaltung über die Tiere und Gewächse des Ozeans, insbesondere über die Korallen, anvertraut.

Nach all dem, was hier erzählt ist, könnte man glauben,
daß der Händler Nissen Piczenik als eine Art Sonderling
bekannt war. Dies war keineswegs der Fall. Piczenik lebte
in dem Städtchen Progrody als ein unauffälliger, beschei-
dener Mensch, dessen Erzählungen von den Korallen und
dem Leviathan ganz ernst genommen wurden, als Mittei-
lungen eines Mannes vom Fach nämlich, der sein Ge-
werbe ja kennen mußte, wie der Tuchhändler Manche-
sterstoffe von deutschem Perkal unterschied und der
Teehändler den russischen Tee der berühmten Firma Po-
poff von dem englischen Tee, den der ebenso berühmte
Lipton aus London lieferte. Alle Einwohner von Progrody und Umgebung waren überzeugt, daß die Korallen
lebendige Tiere sind und daß sie von dem Urfisch Leviathan in ihrem Wachstum und Benehmen unter dem Meere bewacht werden. Es konnte nicht daran gezweifelt werden, da es ja Nissen Piczenik selbst erzählt hatte.

Die schönen Fädlerinnen arbeiteten oft bis spät in die

Nacht und manchmal sogar nach Mitternacht im Hause Nissen Piczeniks. Nachdem sie sein Haus verlassen hatten, begann der Händler selbst, sich mit seinen Steinen, will sagen: Tieren, zu beschäftigen. Zuerst prüfte er die Ketten, die seine Mädchen geschaffen hatten, hierauf zählte er die Häufchen der noch nicht und der schon nach ihrer Rasse und Größe geordneten Korallen, dann begann er, selbst zu sortieren und mit seinen rötlich behaarten, starken und feinfühligen Fingern jede einzelne Koralle zu befühlen, zu glätten, zu streicheln. Es gab wurmstichige Korallen. Sie hatten Löcher an den Stellen, an denen Löcher keineswegs zu brauchen waren. Da hatte der sorglose Leviathan einmal nicht aufgepaßt. Und um ihn zurechtzuweisen, zündete Nissen Piczenik eine Kerze an, hielt ein Stück roten Wachses über die Flamme, bis es heiß und flüssig ward, und verstopfte mittels einer feinen Nadel, deren Spitze er in das Wachs getaucht hatte, die Wurmbohrungen im Stein. Dabei schüttelte er den Kopf, als begriffe er nicht, daß ein so mächtiger Gott wie Jehovah einem so leichtsinnigen Fisch wie dem Leviathan die Obhut über die Korallen hatte überlassen können.

Manchmal, aus purer Freude an den Steinen, fädelte er selbst Korallen, bis der Morgen graute und die Zeit gekommen war, das Morgengebet zu sagen. Die Arbeit ermüdete ihn keineswegs, er fühlte keinerlei Schwäche. Seine Frau schlief noch unter der Decke. Er warf einen kurzen, gleichgültigen Blick auf sie. Er haßte sie nicht, er liebte sie nicht, sie war eine der vielen Fädlerinnen, die bei ihm arbeiteten, weniger hübsch und reizvoll als die meisten. Zehn Jahre war er schon mit ihr verheiratet, sie hatte ihm keine Kinder geschenkt – und das allein wäre ihre Aufgabe gewesen. Eine fruchtbare Frau hätte er gebraucht, fruchtbar wie die See, auf deren Grund so viele Korallen wuchsen. Seine Frau aber war wie ein trockener Teich. Mochte sie schlafen, allein, so viele Nächte sie wollte! Das Gesetz hätte ihm erlaubt, sich von ihr scheiden zu lassen. Aber inzwischen waren ihm Kinder und Frauen gleichgültig geworden. Er liebte die Korallen. Und ein unbestimmtes Heimweh war in seinem Herzen, er hätte sich nicht getraut, es bei Namen zu nennen: Nissen Piczenik, geboren und aufgewachsen mitten im tiefsten Kontinent, sehnte sich nach dem Meere.

Ja, er sehnte sich nach dem Meere, auf dessen Grund die Korallen wuchsen, vielmehr, sich tummelten – nach seiner Überzeugung. Weit und breit gab es keinen Menschen, mit dem er von seiner Sehnsucht hätte sprechen können, in sich verschlossen mußte er es tragen, wie die See die Korallen trug. Er hatte von Schiffen gehört, von Tauchern, von Kapitänen, von Matrosen. Seine Korallen kamen in wohlverpackten Kisten, an denen noch der Seegeruch haftete, aus Odessa, Hamburg oder Triest. Der öffentliche Schreiber in der Post erledigte ihm seine Geschäftskorrespondenz. Die bunten Marken auf den Briefen der fernen Lieferanten betrachtete er ausführlich, bevor er die Umschläge wegwarf. Nie in seinem Leben hatte er Progrody verlassen. In diesem kleinen Städtchen gab es keinen Fluß, nicht einmal einen Teich, nur Sümpfe ringsherum, und man hörte wohl unter der grünen Oberfläche das Wasser glucksen, aber man sah es niemals. Nissen Piczenik bildete sich ein, daß es einen geheimen Zusammenhang zwischen dem verborgenen Gewässer der Sümpfe und den gewaltigen Wassern der großen Meere gebe – und daß auch tief unten, in den Sümpfen, Korallen vorhanden sein könnten. Er wußte, daß er, wenn er diese Ansicht jemals geäußert hätte, zum Gespött des Städtchens geworden wäre. Er schwieg daher und erwähnte seine Ansicht nicht. Er träumte manchmal davon, daß das große Meer – er wußte nicht welches, er hatte niemals eine Landkarte gesehen, und alle Meere der Welt waren für ihn einfach *das* große Meer – eines Tages Rußland über-

schwemmen würde, und zwar just jene Hälfte, auf der er
lebte. Dann wäre also die See, zu der er niemals zu gelangen hoffte, zu ihm gekommen, die gewaltige, unbekannte
See mit dem unmeßbaren Leviathan auf ihrem Grunde
und mit all ihren süßen und herben und salzigen Geheimnissen.

Der Weg von dem Städtchen Progrody zum kleinen
Bahnhof, in dem nur dreimal in der Woche die Züge an-
kamen, führte zwischen den Sümpfen vorbei. Und immer,
auch wenn Nissen Piczenik keine Korallensendungen zu
erwarten hatte, und selbst an den Tagen, an denen keine
Züge kamen, ging er zum Bahnhof, das heißt zu den
Sümpfen. Am Rande des Sumpfes stand er eine Stunde
und länger und hörte das Quaken der Frösche andächtig,
als könnten sie ihm vom Leben auf dem Grunde der
Sümpfe berichten, und glaubte manchmal in der Tat, allerhand Berichte empfangen zu haben. Im Winter, wenn
die Sümpfe gefroren waren, wagte er sogar, seinen Fuß auf
sie zu setzen, und das bereitete ihm ein sonderbares Vergnügen. Am faulen Geruch des Sumpfes erkannte er ah-
nungsvoll den gewaltig herben Duft des großen Meeres,
und das leise, kümmerliche Glucksen der unterirdischen
Gewässer verwandelte sich in seinen hellhörigen Ohren in
ein Rauschen der riesigen grünblauen Wogen. Im Städtchen Progrody aber wußte kein Mensch, was alles sich in
der Seele des Korallenhändlers abspielte. Alle Juden hielten ihn für ihresgleichen. Der handelte mit Stoffen und
jener mit Petroleum; einer verkaufte Gebetmäntel, der andere Wachskerzen und Seife, der dritte Kopftücher für
Bäuerinnen und Taschenmesser; einer lehrte die Kinder
beten, der andere rechnen, der dritte handelte mit Kwaß
und Kukuruz und gesottenen Saubohnen. Und ihnen allen schien es, Nissen Piczenik sei ihresgleichen – nur han-
dele er eben mit Korallen. Indessen war er – wie man sieht
– ein ganz Besonderer.

II

Er hatte arme und reiche Kunden, ständige und zufällige. Zu seinen reichen Kunden zählte er zwei Bauern aus der Umgebung, von denen der eine, nämlich Timon Semjonowitsch, Hopfen angepflanzt hatte und jedes Jahr, wenn die Kommissionäre aus Nürnberg, Saaz und Judenburg kamen, eine Menge glücklicher Abschlüsse machte. Der andere Bauer hieß Nikita Iwanowitsch. Der hatte nicht weniger als acht Töchter gezeugt, von denen eine nach der anderen heiratete und von denen jede Korallen brauchte. Die verheirateten Töchter – bis jetzt waren es vier – bekamen, kaum zwei Monate nach der Vermählung, Kinder – und es waren wieder Töchter – und auch diese brauchten Korallen; als Säuglinge schon, um den bösen Blick abzuwenden. Die Mitglieder dieser zwei Familien waren die vornehmsten Gäste im Hause Nissen Piczeniks. Für die Töchter beider Bauern, ihre Enkel und Schwiegersöhne hatte der Händler den guten Schnaps bereit, den er in seinem Kasten aufbewahrte, einen selbstgebrannten Schnaps, gewürzt mit Ameisen, trockenen Schwämmen, Petersilie und Tausendgüldenkraut. Die anderen, gewöhnlichen Kunden begnügten sich mit einem gewöhnlichen gekauften Wodka. Denn es gab in jener Gegend keinen richtigen Kauf ohne Trunk. Käufer und Verkäufer tranken, damit das Geschäft beiden Gewinn und Segen bringe. Auch Tabak lag in Haufen in der Wohnung des Korallenhändlers, vor dem Fenster, von feuchten Löschblättern überdeckt, damit er frisch bleibe. Denn die Kunden kamen zu Nissen Piczenik nicht, wie Menschen in einen Laden kommen, einfach, um die Ware zu kaufen, zu bezahlen und wieder wegzugehn. Die meisten Kunden hatten einen Weg von vielen Werst zurückgelegt, und sie waren nicht nur Kunden, sondern auch Gäste Nissen Piczeniks. Er gab ihnen zu trinken, zu rauchen und manch-

mal auch zu essen. Die Frau des Händlers kochte Kascha
mit Zwiebeln, Borschtsch mit Sahne, sie briet Äpfel am
Rost, Kartoffeln und im Herbst Kastanien. So waren die
Kunden nicht nur Kunden, sondern auch Gäste im Hause
Piczeniks. Manchmal mischten sich die Bäuerinnen, wäh-
rend sie nach passenden Korallen suchten, in den Gesang
der Fädlerinnen; alle sangen sie zusammen, und sogar
Nissen Piczenik begann, vor sich hinzusummen; und sei-
ne Frau rührte im Takt den Löffel am Herd. Kamen dann
die Bauern vom Markt oder aus der Schenke, um ihre
Frauen abzuholen und deren Einkäufe zu bezahlen, so
mußte der Korallenhändler auch mit ihnen Schnaps oder
Tee trinken und eine Zigarette rauchen. Und jeder alte
Kunde küßte sich mit dem Händler wie mit einem Bruder.

Denn wenn wir einmal getrunken haben, sind alle guten
und redlichen Männer unsere Brüder und alle lieben Frau-
en unsere Schwestern – und es gibt keinen Unterschied
zwischen Bauer und Händler, Jud' und Christ; und wehe
dem, der das Gegenteil behaupten wollte!

III

Jedes neue Jahr wurde Nissen Piczenik unzufriedener mit
seinem friedlichen Leben, ohne daß es jemand in dem
Städtchen Progrody gemerkt hätte. Wie alle Juden ging
auch der Korallenhändler zweimal jeden Tag, morgens
und abends, ins Bethaus, feierte die Feiertage, fastete an
den Fasttagen, legte Gebetriemen und Gebetmantel an,
schaukelte seinen Oberkörper, unterhielt sich mit den
Leuten, sprach von Politik, vom Russisch-Japanischen
Krieg, überhaupt von allem, was in den Zeitungen stand
und was die Welt bewegte. Aber die Sehnsucht nach dem
Meere, der Heimat der Korallen, trug er im Herzen, und
aus den Zeitungen, die zweimal in der Woche nach Pro-

grody kamen, ließ er sich, da er sie nicht entziffern konnte, etwaige maritime Nachrichten zuerst vorlesen. Ähnlich wie von den Korallen hatte er vom Meer eine ganz besondere Vorstellung. Zwar wußte er, daß es viele Meere in der Welt gab, das wirkliche, eigentliche Meer aber war jenes, das man durchqueren mußte, um nach Amerika zu gelangen.

Nun ereignete es sich eines Tages, daß der Sohn des Barchenthändlers Alexander Komrower, der vor drei Jahren eingerückt und zur Marine gekommen war, auf einen kurzen Urlaub heimkehrte. Kaum hatte der Korallenhändler von der Rückkehr des jungen Komrower gehört, da erschien er auch schon in dessen Hause und begann, den Matrosen nach allen Geheimnissen der Schiffe, des Wassers und der Winde auszufragen.

Während alle Welt in Progrody überzeugt war, daß sich der junge Komrower lediglich infolge seiner Dummheit auf die gefährlichen Ozeane hatte verschleppen lassen, betrachtete der Korallenhändler den Matrosen als einen begnadeten Jungen, dem die Ehre und das Glück zuteil geworden waren, gewissermaßen ein Vertrauter der Korallen zu werden, ja, ein Verwandter der Korallen. Und man sah den fünfundvierzigjährigen Nissen Piczenik mit dem zweiundzwanzigjährigen Komrower Arm in Arm über den Marktplatz des Städtchens streichen, stundenlang. Was will er vom Komrower? fragten sich die Leute. Was will er eigentlich von mir? fragte sich auch der Junge.

Während des ganzen Urlaubs, den der junge Mann in Progrody verbringen durfte, wich der Korallenhändler fast nicht von seiner Seite. Sonderbar erschienen dem Jungen die Fragen des Älteren, wie zum Beispiel diese:

»Kann man mit einem Fernrohr bis auf den Grund des Meeres sehen?«

»Nein«, sagte der Matrose, »mit dem Fernrohr schaut man nur in die Weite, nicht in die Tiefe.«

»Kann man«, fragte Nissen Piczenik weiter, »wenn man Matrose ist, sich auf den Grund des Meeres fallen lassen?«

»Nein«, sagte der junge Komrower, »wenn man ertrinkt, dann sinkt man wohl auf den Grund des Meeres.«

»Der Kapitän kann's auch nicht?«

»Auch der Kapitän kann es nicht.«

»Hast du schon einen Taucher gesehen?«

»Manchmal«, sagte der Matrose.

»Steigen die Tiere und Pflanzen des Meeres manchmal an die Oberfläche?«

»Nur die Fische und die Walfische, die eigentlich keine Fische sind.«

»Beschreibe mir«, sagte Nissen Piczenik, »wie das Meer aussieht.«

»Es ist voller Wasser«, sagte der Matrose Komrower.

»Und ist es so weit wie ein großes Land, eine weite Ebene zum Beispiel, auf der kein Haus steht?«

»So weit ist es – und noch weiter!« sagte der junge Matrose. »Und es ist so, wie Sie sagen: eine weite Ebene, und hier und da sieht man ein Haus, das ist aber sehr selten, und es ist gar kein Haus, sondern ein Schiff.«

»Wo hast du die Taucher gesehen?«

»Es gibt bei uns«, sagte der Junge, »bei der Militärmarine, Taucher. Aber sie tauchen nicht, um Perlen oder Austern oder Korallen zu fischen. Es ist eine militärische Übung, zum Beispiel für den Fall, daß ein Kriegsschiff untergeht, und dann müßte man wertvolle Instrumente oder Waffen herausholen.«

»Wieviel Meere gibt es in der Welt?«

»Das kann ich Ihnen nicht sagen«, erwiderte der Matrose, »wir haben es zwar in der Instruktionsstunde gelernt, aber ich habe nicht achtgegeben. Ich kenne nur das Baltische Meer, die Ostsee, das Schwarze Meer und den großen Ozean.«

»Welches Meer ist das tiefste?«

»Weiß ich nicht.«

»Wo finden sich die meisten Korallen?«

»Weiß ich auch nicht.«

»Hm, hm«, machte der Korallenhändler Piczenik, »schade, daß du es nicht weißt.«

Am Rande des Städtchens, dort, wo die Häuschen Progrodys immer kümmerlicher wurden, bis sie schließlich ganz aufhörten, und die weite, bucklige Straße zum Bahnhof begann, stand die Schenke Podgorzews, ein schlecht beleumundetes Haus, in dem Bauern, Taglöhner, Soldaten, leichtfertige Mädchen und nichtswürdige Burschen verkehrten. Eines Tages sah man dort den Korallenhändler Piczenik mit dem Matrosen Komrower eintreten. Man reichte ihnen kräftigen, dunkelroten Met und gesalzene Erbsen. »Trink, mein Junge! Trink und iß, mein Junge!« sagte Nissen Piczenik väterlich zu dem Matrosen. Dieser trank und aß fleißig, denn so jung er auch war, so hatte er doch schon einiges in den Häfen gelernt, und nach dem Met gab man ihm einen schlechten, sauren Wein und nach dem Wein einen neunziggrädigen Schnaps. Während er den Met trank, war er so schweigsam, daß der Korallenhändler fürchtete, er würde nie mehr etwas von dem Matrosen über die Wasser hören, sein Wissen sei einfach erschöpft. Nach dem Wein aber begann der kleine Komrower, sich mit dem Wirt Podgorzew zu unterhalten, und als der Neunziggrädige kam, sang er mit lauter Stimme ein Liedchen nach dem anderen, wie ein richtiger Matrose.

»Bist du aus unserem lieben Städtchen?« fragte der Wirt.

»Gewiß, ein Kind eures Städtchens – meines – unseres lieben Städtchens«, sagte der Matrose, ganz so, als wäre er nicht der Sohn des behäbigen Juden Komrower, sondern ein ganzer Bauernjunge. Ein paar Tagediebe und Landstreicher setzten sich an den Tisch neben Nissen Piczenik und den Matrosen, und als der Junge das Publikum sah,

fühlte er sich von einer fremdartigen Würde erfüllt, so
einer Würde, von der er gedacht hatte, nur Seeoffiziere
könnten sie besitzen. Und er munterte die Leute auf:
»Fragt, Kinderchen, fragt nur! Auf alles kann ich euch
antworten. Seht, diesem lieben Onkel hier, ihr kennt ihn
wohl, er ist der beste Korallenhändler im ganzen Gouver-
nement, ihm habe ich schon vieles erzählt!« Nissen Piczenik nickte. Und da es ihm nicht behaglich in dieser
fremdartigen Gesellschaft war, trank er einen Met und
noch einen. Allmählich kamen ihm all die verdächtigen
Gesichter, die er immer nur durch eine Türluke gesehen
hatte, ebenfalls menschlich vor wie sein eigenes. Da aber
die Vorsicht und das Mißtrauen tief in seiner Brust einge-
wurzelt waren, ging er in den Hof hinaus und barg das
Säckchen mit dem Silbergeld in der Mütze. Nur einige
Münzen behielt er lose in der Tasche. Befriedigt von seinem Einfall und von dem beruhigenden Druck, den das
Geldsäckchen unter der Mütze auf seinen Schädel ausüb-
te, kehrte er wieder an den Tisch zurück.

Dennoch gestand er sich, daß er eigentlich selber nicht
wußte, warum und wozu er hier in der Schenke mit dem
Matrosen und den unheimlichen Gesellen saß. Hatte er
doch sein ganzes Leben regelmäßig und unauffällig ver-
bracht, und seine geheimnisvolle Liebe zu den Korallen
und ihrer Heimat, dem Ozean, war bis zur Ankunft des
Matrosen und eigentlich bis zu dieser Stunde niemandem
und niemals offenbar geworden. Und es ereignete sich
noch etwas, was Nissen Piczenik aufs tiefste erschreckte.
Er, der keineswegs gewohnt war, in Bildern zu denken,
erlebte in dieser Stunde die Vorstellung, daß seine geheime
Sehnsucht nach den Wassern und allem, was auf und unter
ihnen lebte und geschah, auf einmal an die Oberfläche
seines eigenen Lebens gelangte, wie zuweilen ein kostba-
res und seltsames Tier, gewohnt und heimisch auf dem
Grunde des Meeres, aus unbekanntem Grunde an die

Oberfläche emporschießt. Wahrscheinlich hatten der ungewohnte Met und die durch die Erzählungen des Matrosen befruchtete Phantasie des Korallenhändlers dieses Bild in ihm geweckt. Aber er erschrak und wunderte sich darüber, daß ihm derlei verrückte Einfalle kommen konnten, noch mehr als über die Tatsache, daß er auf einmal imstande war, an einem Tisch in der Schenke mit wüsten Gesellen zu sitzen.

Diese Verwunderung und dieser Schrecken aber vollzogen sich gleichsam unter der Oberfläche seines Bewußtseins. Inzwischen hörte er sehr wohl mit eifrigem Vergnügen den märchenhaften Erzählungen des Matrosen Komrower zu. »Auf welchem Schiff dienst *du*?« fragten ihn die Tischgenossen. Er dachte eine Weile nach – sein Schiff hieß nach einem bekannten Admiral aus dem neunzehnten Jahrhundert, aber der Name schien ihm so gewöhnlich in diesem Augenblick wie sein eigener, Komrower war entschlossen, gewaltig zu imponieren –, und er sagte also: »Mein Kreuzer heißt ›Mütterchen Katharina‹. Und wißt ihr, wer das war? Ihr wißt es natürlich nicht – und deshalb werde ich es euch erzählen. Also, Katharina war die schönste und reichste Frau von ganz Rußland, und deshalb heiratete sie der Zar eines Tages im Kreml in Moskau und führte sie sofort mit Schlitten – es war ein Frost von 40 Grad –, mit einem Sechsgespann direkt nach Zarskoje Selo. Und hinter ihnen fuhr das ganze Gefolge in Schlitten – und es waren so viele, daß die ganze Landstraße drei Tage und drei Nächte verstopft war. Eine Woche nach dieser prächtigen Hochzeit kam der gewalttätige und ungerechte König von Schweden in den Hafen von Petersburg, mit seinen lächerlichen, hölzernen Kähnen, auf denen aber viele Soldaten standen – denn zu Lande sind die Schweden sehr tapfer –, und nichts weniger wollte dieser Schwede, als ganz Rußland erobern. Die Zarin Katharina aber bestieg unverzüglich ein Schiff, eben den

Kreuzer, auf dem ich diene, und beschoß eigenhändig die blödsinnigen Kähne des schwedischen Königs, daß sie untergingen. Und ihm selbst warf sie einen Rettungsgürtel zu und nahm ihn später gefangen. Sie ließ ihm die Augen herausnehmen, aß sie auf, und dadurch wurde sie noch klüger, als sie vorher gewesen war. Den König ohne Augen aber verschickte sie nach Sibirien.«

»Ei, ei«, sagte da ein Taugenichts und kratzte sich am Hinterkopf, »ich kann dir beim besten Willen nicht alles glauben.«

»Wenn du das noch einmal sagst«, erwiderte der Matrose Komrower, »so hast du die kaiserlich-russische Marine beleidigt, und ich muß dich mit meiner Waffe erschlagen. So wisse denn, daß ich diese ganze Geschichte gelernt habe in unserer Instruktionsstunde, und Seine Hochwohlgeboren, unser Kapitän Woroschenko selbst, hat sie uns erzählt.«

Man trank noch Met und mehrere Schnäpse, und der Korallenhändler Nissen Piczenik bezahlte. Auch er hatte einiges getrunken, wenn auch nicht soviel wie die anderen. Aber als er auf die Straße trat, Arm in Arm mit dem jungen Matrosen Komrower, schien es ihm, daß die Straßenmitte ein Fluß sei, die Wellen gingen auf und nieder, die spärlichen Petroleumlaternen waren Leuchttürme, und er mußte sich hart an den Rand halten, um nicht ins Wasser zu fallen. Der Junge schwankte fürchterlich. Ein Leben lang, fast seit seiner Kindheit, hatte Nissen Piczenik jeden Abend die vorgeschriebenen Abendgebete gesagt, das eine, das bei der Dämmerung zu beten ist, das andere, das den Einbruch der Dunkelheit begrüßt. Heute hatte er zum erstenmal beide versäumt. Vom Himmel glitzerten ihm die Sterne vorwurfsvoll entgegen, er wagte nicht, seinen Blick zu heben. Zu Hause erwartete ihn die Frau und das übliche Nachtmahl, Rettich mit Gurken und Zwiebeln und ein Schmalzbrot, ein Glas Kwaß und heißer Tee.

Er schämte sich mehr vor sich selbst als vor den andern. Es war ihm von Zeit zu Zeit, während er so dahinging, den schweren, torkelnden jungen Mann am Arm, als begegnete er sich selbst, der Korallenhändler Nissen Piczenik dem Korallenhändler Nissen Piczenik – und einer lachte den anderen aus. Immerhin vermied er außerdem noch, andern Menschen zu begegnen. Dieses gelang ihm. Er begleitete den jungen Komrower nach Hause, führte ihn ins Zimmer, wo die alten Komrowers saßen, und sagte: »Seid nicht böse mit ihm, ich war mit ihm in der Schenke, er hat ein wenig getrunken.«

»Ihr, Nissen Piczenik, der Korallenhändler, wart mit ihm in der Schenke?« fragte der alte Komrower.

»Ja, ich!« sagte Piczenik. »Guten Abend!« Und er ging nach Hause. Noch saßen alle seine schönen Fädlerinnen an den langen vier Tischen, singend und Korallen fischend mit ihren feinen Nadeln in den zarten Händen.

»Gib mir gleich den Tee«, sagte Nissen Piczenik zu seiner Frau, »ich muß arbeiten.«

Und er schlürfte den Tee, und während sich seine heißen Finger in die großen, noch nicht sortierten Korallenhaufen gruben und in ihrer wohltätigen, rosigen Kühle wühlten, wandelte sein armes Herz über die weiten und rauschenden Straßen der gewaltigen Ozeane.

Und es brannte und rauschte in seinem Schädel. Er nahm aber vernünftigerweise die Mütze ab, holte das Geldsäckchen heraus und barg es wieder an seiner Brust.

IV

Und es näherte sich der Tag, an dem der Matrose Komrower wieder auf seinen Kreuzer einrücken mußte, und zwar nach Odessa – und es war dem Korallenhändler weh und bang ums Herz. In ganz Progrody ist der junge Komrower der einzige Seemann, und Gott weiß, wann er wieder einen Urlaub erhalten wird. Fährt er einmal weg, so hört man weit und breit nichts mehr von den Wassern der Welt, es sei denn, es steht zufällig etwas in den Zeitungen.

Es war spät im Sommer, ein heiterer Sommer übrigens, ohne Wolke, ohne Regen, von dem ewig sanften Wind der wolynischen Ebene belebt und gekühlt. Zwei Wochen noch – und die Ernte begann, und die Bauern aus den Dörfern kamen nicht mehr zu den Markttagen, Korallen bei Nissen Piczenik einzukaufen. In diesen Wochen war die Saison der Korallen. In diesen Wochen pflegten die Kundinnen in Scharen und in Haufen zu kommen, die Fädlerinnen konnten mit der Arbeit kaum nachkommen, es gab nächtelang zu fädeln und zu sortieren. An den schönen Vorabenden, wenn die untergehende Sonne ihren goldenen Abschiedsgruß durch die vergitterten Fenster Piczeniks schickte und die Korallenhaufen jeder Art und Färbung, von ihrem wehmütigen und zugleich tröstlichen Glanz belebt, zu leuchten begannen, als trüge jedes einzelne Steinchen ein winziges Licht in seiner feinen Höhlung, kamen die Bauern heiter und angeheitert, um die Bäuerinnen abzuholen, die blauen und rötlichen Taschentücher gefüllt mit Silber- und Kupfermünzen, in schweren, genagelten Stiefeln, die auf den Steinen des Hofes knirschten. Die Bauern begrüßten Nissen Piczenik mit Umarmungen, Küssen, unter Lachen und Weinen, als fänden sie in ihm einen lang nicht mehr geschauten, langentbehrten Freund nach Jahrzehnten wieder. Sie meinten es gut mit ihm, sie liebten ihn sogar, diesen stillen, langaufgeschossenen, rothaarigen Juden mit den treuherzigen und manchmal verträumten, porzellanblauen Äuglein, in denen die Ehrlichkeit wohnte, die Redlichkeit des Handelns, die Klugheit des Fachmanns und zugleich die Torheit eines Menschen, der niemals das Städtchen Progrody verlassen hatte. Es war nicht leicht, mit den Bauern fertig zu werden. Denn obwohl sie den Korallenhändler als einen der seltenen ehrlichen Handelsleute der Gegend kannten, dachten sie doch immer daran, daß er ein Jude war. Auch machte ihnen das Feilschen einiges Vergnügen. Zuerst setzten sie sich behaglich auf die Stühle, das Kanapee, die zwei breiten hölzernen und mit hohen Polstern bedeckten Ehebetten. Manche lagerten sich auch mit den Stiefeln, an deren Rändern der silbergraue Schlamm klebte, auf die Betten, das Sofa und auch auf den Boden. Aus den weiten Taschen ihrer sackleinenen Hosen oder von den Vorräten auf dem Fensterbrett holten sie den losen Tabak, rissen die weißen Ränder alter Zeitungen ab, die im Zimmer Piczeniks herumlagen, und drehten Zigaretten – denn auch den Wohlhabenden unter ihnen schien Zigarettenpapier ein Luxus. Ein dichter blauer Rauch von billigem Tabak und grobem Papier erfüllte die Wohnung des Korallenhändlers, ein goldig durchsonnter, blauer Rauch, der in kleinen Wölkchen durch die Quadrate der vergitterten und geöffneten Fenster langsam in die Straße zog. In zwei kupfernen Samowaren – auch in ihnen spiegelte sich die untergehende Sonne – kochte heißes Wasser auf einem der Tische in der Mitte des Zimmers, und nicht weniger als fünfzig billige Gläser aus grünlichem Glas mit doppeltem Boden gingen reihum von Hand zu Hand, gefüllt mit dampfendem braungoldenem Tee und mit Schnaps. Längst, am Vormittag noch, hatten die Bäuerinnen stundenlang den Preis der Korallenketten ausgehandelt. Nun erschien der Schmuck ihren Männern noch zu teuer, und aufs neue begann das Feilschen. Es war ein hartnäckiger Kampf, den der magere Jude allein gegen eine gewaltige Mehrzahl geiziger und mißtrauischer, kräftiger und manchmal gefährlich betrunkener Männer auszufechten hatte. Unter dem seidenen schwarzen Käppchen, das Nissen Piczenik im Hause zu tragen pflegte, rann der Schweiß die spärlich bewachsenen, sommer-

sprossigen Wangen hinunter in den roten Ziegenbart, und
die Härchen des Bartes klebten aneinander, am Abend,
nach dem Gefecht, und er mußte sie mit seinem eisernen
Kämmchen strählen. Schließlich siegte er doch über alle
seine Kunden, trotz seiner Torheit. Denn er kannte von
der ganzen großen Welt nur die Korallen und die Bauern
seiner Heimat – und er wußte, wie man jene fädelt und
sortiert und wie man diese überzeugt. Den ganz und gar
Hartnäckigen schenkte er eine sogenannte »Draufgabe«
– das heißt: er gab ihnen, nachdem sie den von ihm zwar
nicht sofort genannten, aber im stillen ersehnten Preis gezahlt hatten, noch ein winziges Korallenschnürchen mit,
aus den billigen Steinen hergestellt, Kindern zugedacht,
um Ärmchen und Hälschen zu tragen und unbedingt
wirksam gegen den bösen Blick mißgünstiger Nachbarn
und schlechtgesinnter Hexen. Dabei mußte er genau auf
die Hände seiner Kunden achtgeben und die Höhe und
den Umfang der Korallenhaufen immer abschätzen. Ach,
es war kein leichter Kampf!

In diesem Spätsommer aber zeigte sich Nissen Piczenik
zerstreut, achtlos beinahe, ohne Interesse für die Kunden
und das Geschäft. Seine brave Frau, gewohnt an seine
Schweigsamkeit und sein merkwürdiges Wesen seit vielen
Jahren, bemerkte seine Zerstreutheit und machte ihm
Vorwürfe. Hier hatte er einen Bund Korallen zu billig verkauft, dort einen kleinen Diebstahl nicht bemerkt, heute
einem alten Kunden keine Draufgabe geschenkt; gestern
dagegen einem neuen und gleichgültigen eine ziemlich
wertvolle Kette. Niemals hatte es Streit im Hause Piczeniks gegeben. In diesen Tagen aber verließ die Ruhe den
Korallenhändler, und er fühlte selbst, wie die Gleichgültigkeit, die normale Gleichgültigkeit gegen seine Frau sich
jäh in Widerwillen gegen sie wandelte. Ja, er, der niemals
imstande gewesen wäre, eine der vielen Mäuse, die jede
Nacht in seine Fallen gingen, mit eigener Hand zu erträn-

ken – wie alle Welt es in Progrody zu tun pflegte –, sondern die gefangenen Tierchen dem Wasserträger Saul zur
endgültigen Vernichtung gegen ein Trinkgeld übergab: Er,
dieser friedliche Nissen Piczenik, warf an einem dieser
Tage seiner Frau, da sie ihm die üblichen Vorwürfe machte, einen schweren Bund Korallen an den Kopf, schlug die
Tür zu, verließ das Haus und ging an den Rand des großen
Sumpfes, des entfernten Vetters der großen Ozeane.

Knapp zwei Tage vor der Abreise des Matrosen tauchte
plötzlich in dem Korallenhändler der Wunsch auf, den
jungen Komrower nach Odessa zu begleiten. Solch ein
Wunsch kommt plötzlich, ein gewöhnlicher Blitz ist
nichts dagegen, und er trifft genau den Ort, von dem er
gekommen ist, nämlich das menschliche Herz. Er schlägt
sozusagen in seinem eigenen Geburtsort ein. Also war
auch der Wunsch Nissen Piczeniks. Und es ist kein weiter
Weg von solch einem Wunsch bis zu seinem Entschluß.

Und am Morgen des Tages, an dem der junge Matrose
Komrower abreisen sollte, sagte Nissen Piczenik zu seiner Frau: »Ich muß für ein paar Tage verreisen.«

Die Frau lag noch im Bett. Es war acht Uhr morgens,
der Korallenhändler war eben aus dem Bethaus vom Morgengebet gekommen.

Sie setzte sich auf. Mit ihren wirren, spärlichen Haaren,
ohne Perücke, gelbliche Reste des Schlafs in den Augenwinkeln, erschien sie ihm fremd und sogar feindlich. Ihr
Aussehn, ihre Überraschung, ihr Schrecken schienen seinen Entschluß, den er selbst noch für einen tollkühnen
gehalten hatte, vollends zu rechtfertigen.

»Ich fahre nach Odessa!« sagte er, mit aufrichtiger Ge-
hässigkeit. »In einer Woche bin ich zurück, so Gott will!«

»Jetzt? Jetzt?« stammelte die Frau zwischen den Kissen.
»Jetzt, wo die Bauern kommen?«

»Grade jetzt!« sagte der Korallenhändler. »Ich habe
wichtige Geschäfte. Pack mir meine Sachen!«

Und mit einer bösen und gehässigen Wollust, die er niemals früher gekannt hatte, sah er die Frau aus dem Bett steigen, sah ihre häßlichen Zehen, ihre fetten Beine unter dem langen Hemd, auf dem ein paar schwarze, unregelmäßige Punkte hingesprenkelt waren, Zeichen der Flöhe, und hörte er ihren altbekannten Seufzer, das gewohnte, beständige Morgenlied dieses Weibes, mit dem ihn nichts anderes verband als die ferne Erinnerung an ein paar zärtliche, nächtliche Stunden und die hergebrachte Angst vor einer Scheidung.

Im Innern Nissen Piczeniks aber jubelte gleichzeitig eine fremde und dennoch wohlvertraute Stimme: Piczenik geht zu den Korallen! Er geht zu den Korallen! In die Heimat der Korallen geht Nissen Piczenik! …

V

Er bestieg also mit dem Matrosen Komrower den Zug und fuhr nach Odessa. Es war eine ziemlich umständliche und lange Reise, man mußte in Kiew umsteigen. Der Korallenhändler saß zum erstenmal in seinem Leben in der Eisenbahn, aber ihm ging es nicht wie so vielen anderen, die zum erstenmal Eisenbahn fahren. Lokomotive, Signal, Glocken, Telegraphenstangen, Schienen, Schaffner und die flüchtige Landschaft hinter den Fenstern interessierten ihn nicht. Ihn beschäftigte das Wasser und der Hafen, denen er entgegenfuhr, und wenn er überhaupt etwas von den Eigenschaften und Begleiterscheinungen der Eisenbahn zur Kenntnis nahm, so tat er es lediglich im Hinblick auf die ihm noch unbekannten Eigenschaften und Begleiterscheinungen der Schiffahrt. »Gibt es bei euch auch Glocken?« fragte er den Matrosen. »Läutet man dreimal vor der Abfahrt eines Schiffes? Pfeifen und tuten die Schiffe wie die Lokomotiven? Muß das Schiff wenden,

wenn es zurückfahren will, oder kann es ganz einfach
rückwärts schwimmen?«

Gewiß traf man, wie es auf Reisen ja immer vorkommt,
unterwegs Passagiere, die sich unterhalten wollten und
mit denen man dies und jenes besprechen mußte. »Ich bin
Korallenhändler«, sagte Nissen Piczenik wahrheitsge-
mäß, wenn man ihn nach der Art seiner Geschäfte fragte.
Fragte man ihn aber weiter: »Was wollen Sie in Odessa?«,
so begann er zu lügen. »Ich habe dort größere Geschäfte
vor«, sagte er. »Das interessiert mich«, sagte plötzlich ein
Mitreisender, der bis jetzt geschwiegen hatte. »Auch ich
habe in Odessa größere Geschäfte vor, und die Ware, mit
der ich handle, ist sozusagen mit Korallen verwandt, wenn
auch viel feiner und teurer als Korallen!« »Teurer, das
kann sein«, sagte Nissen Piczenik, »aber feiner ist sie keineswegs.« »Wetten, daß sie feiner ist?« rief der andere.
»Ich sage Ihnen, es ist unmöglich. Da braucht man gar
nicht zu wetten!« »Nun«, triumphierte der andere, »ich
handle mit Perlen!« »Perlen sind gar nicht feiner«, sagte
Piczenik. »Außerdem bringen sie Unglück.« »Ja, wenn
man sie verliert«, sagte der Perlenhändler. Alle anderen
begannen, diesem sonderbaren Streit aufmerksam zuzuhören. Schließlich öffnete der Perlenhändler seine Hose
und zog ein Säckchen voller schimmernder, tadelloser
Perlen hervor. Er schüttete einige auf seine flache Hand
und zeigte sie allen Mitreisenden. »Hunderte von Austern
müssen aufgemacht werden«, sagte er, »ehe man eine Perle
findet. Die Taucher werden teuer bezahlt. Unter allen
Kaufleuten der Welt gehören wir Perlenhändler zu den
angesehensten. Ja, wir bilden sozusagen eine ganz eigene
Rasse. Sehen Sie mich zum Beispiel. Ich bin Kaufmann
erster Gilde, wohne in Petersburg, habe die vornehmste
Kundschaft, zwei Großfürsten zum Beispiel, ihre Namen
sind mein Geschäftsgeheimnis, ich bereise die halbe Welt,
jedes Jahr bin ich in Paris, Brüssel, Amsterdam. Fragen

Sie, wo Sie wollen, nach dem Perlenhändler Gorodotzki, Kinder werden Ihnen Auskunft geben.«

»Und ich«, sagte Nissen Piczenik, »bin niemals aus unserem Städtchen Progrody herausgekommen – und nur Bauern kaufen meine Korallen. Aber Sie werden mir alle hier zugeben, daß eine einfache Bäuerin, angetan mit ein paar Schnüren schöner, fleckenloser Korallen, mehr darstellt als eine Großfürstin. Korallen trägt übrigens hoch und nieder, sie erhöhen den Niederen, und den Höhergestellten zieren sie. Korallen kann man morgens, mittags, abends und in der Nacht, bei festlichen Bällen zum Beispiel tragen, im Sommer, im Winter, am Sonntag und an Wochentagen, bei der Arbeit und in der Ruhe, in fröhlichen Zeiten und in der Trauer. Es gibt viele Arten von Rot in der Welt, meine lieben Reisegenossen, und es steht geschrieben, daß unser jüdischer König Salomo ein ganz besonderes Rot hatte für seinen königlichen Mantel, denn die Phönizier, die ihn verehrten, hatten ihm einen ganz besonderen Wurm geschenkt, dessen Natur es war, rote Farbe als Urin auszuscheiden. Es war eine Farbe, die heutzutage nicht mehr da ist, der Purpur des Zaren ist nicht mehr dasselbe, der Wurm ist nämlich nach dem Tode Salomos ausgestorben, die ganze Art dieser Würmer. Und seht ihr, nur bei den ganz roten Korallen kommt diese Farbe noch vor. Wo aber in der Welt hat man je rote Perlen gesehn?«

Noch niemals hatte der schweigsame Korallenhändler eine so lange und so eifrige Rede vor lauter fremden Menschen gehalten. Er schob die Mütze aus der Stirn und wischte sich den Schweiß. Er lächelte die Mitreisenden der Reihe nach an, und alle zollten sie ihm den verdienten Beifall. »Recht hat er, recht!« riefen sie alle auf einmal.

Und selbst der Perlenhändler mußte gestehen, daß Nissen Piczenik in der Sache zwar nicht recht habe, aber als Redner für Korallen ganz ausgezeichnet sei.

Schließlich erreichten sie Odessa, den strahlenden Hafen, mit dem blauen Wasser und den vielen bräutlich-weißen Schiffen. Hier wartete schon der Panzerkreuzer auf den Matrosen Komrower wie ein väterliches Haus auf seinen Sohn. Auch Nissen Piczenik wollte das Schiff näher besichtigen. Und er ging mit dem Jungen bis zum Wachtposten und sagte: »Ich bin sein Onkel, ich möchte das Schiff sehn.« Er verwunderte sich selbst über seine Kühnheit. Ach ja: es war nicht mehr der alte kontinentale Nissen Piczenik, der da mit einem bewaffneten Matrosen sprach, es war nicht der Nissen Piczenik aus dem kontinentalen Progrody, sondern ein ganz neuer Mann, so etwa wie ein Mensch, dessen Inneres nach außen gestülpt worden war, ein sozusagen gewendeter Mensch, ein ozeanischer Nissen Piczenik. Ihm selbst schien es, daß er nicht aus der Eisenbahn gestiegen war, sondern geradezu aus dem Meer, aus der Tiefe des Schwarzen Meeres. So vertraut war er mit dem Wasser, wie er niemals mit seinem Geburts- und Wohnort Progrody vertraut gewesen war. Überall, wo er hinsieht, sind Schiffe und Wasser, Wasser und Schiffe. An die blütenweißen, die rabenschwarzen, die korallenroten – ja die korallenroten – Wände der Schiffe, der Boote, der Kähne, der Segeljachten, der Motorboote schlägt zärtlich das ewig plätschernde Wasser, nein, es schlägt nicht, es streichelt die Schiffe mit hunderttausend kleinen Wellchen, die wie Zungen und Hände in einem sind, Zünglein und Händchen in einem. Das Schwarze Meer ist gar nicht schwarz. In der Ferne ist es blauer als der Himmel, in der Nähe ist es grün wie eine Wiese. Tausende kleiner, hurtiger Fischchen springen, hüpfen, schlüpfen, schlängeln sich, schießen und fliegen herbei, wirft man ein Stückchen Brot ins Wasser. Wolkenlos spannt sich der blaue Himmel über den Hafen. Ihm entgegen ragen die Mäste und die Schornsteine der Schiffe. »Was ist dies? – Wie heißt man jenes?« fragt unaufhör-

lich Nissen Piczenik. Dies heißt Mast und jenes Bug, hier
sind Rettungsgürtel, Unterschiede gibt es zwischen Boot
und Kahn, Segel und Dampfer, Mast und Schlot, Kreuzer
und Handelsschiff, Deck und Heck, Bug und Kiel. Hundert neue Worte stürmen geradezu auf Nissen Piczeniks
armen, aber heiteren Kopf ein. Er bekommt nach langem
Warten (ausnahmsweise, sagt der Obermaat) die Erlaubnis, den Kreuzer zu besichtigen und seinen Neffen zu
begleiten. Der Herr Schiffsleutnant selbst erscheint, um
einen jüdischen Händler an Bord eines Kreuzers der kai-
serlich-russischen Marine zu betrachten. Seine Hochwohlgeboren, der Schiffsleutnant, lächeln. Der sanfte
Wind bläht die langen schwarzen Rockschöße des hage-
ren roten Juden, man sieht seine abgewetzte, mehrfach
geflickte, gestreifte Hose in den matten Kniestiefeln. Der
Jude Nissen Piczenik vergißt sogar die Gebote seiner Religion. Vor der strahlenden weißgoldenen Pracht des Offiziers nimmt er die schwarze Mütze ab, und seine roten,
geringelten Haare flattern im Wind. »Dein Neffe ist ein
braver Matrose!« sagen Seine Hochwohlgeboren, der
Herr Offizier. Nissen Piczenik findet keine passende
Antwort, er lächelt nur, er lacht nicht, er lächelt lautlos.
Sein Mund ist offen, man sieht die großen gelblichen Pfer-
dezähne und den rosa Gaumen, und der kupferrote Ziegenbart hängt beinahe über die Brust. Er betrachtet das
Steuer, die Kanonen, er darf durch das Fernrohr blicken
– und weiß Gott, die Ferne wird nahe, was noch lange
nicht da ist, ist dennoch da, hinter den Gläsern. Gott hat
den Menschen Augen gegeben, das ist wahr, aber was sind
gewöhnliche Augen gegen Augen, die durch ein Fernglas
sehn? Gott hat den Menschen Augen gegeben, aber auch
den Verstand, damit sie Fernrohre erfinden und die Kraft
dieser Augen verstärken! –

Und die Sonne scheint auf das Verdeck, bestrahlt den
Rücken Nissen Piczeniks, und dennoch ist ihm nicht heiß.

Denn der ewige Wind weht über das Meer, ja, es scheint, daß aus dem Meer selbst ein Wind kommt, ein Wind aus den Tiefen des Wassers.

Schließlich kam die Stunde des Abschieds. Nissen Piczenik umarmte den jungen Komrower, verneigte sich vor dem Leutnant und hierauf vor den Matrosen und verließ den Panzerkreuzer.

Er hatte sich vorgenommen, sofort nach dem Abschied vom jungen Komrower nach Progrody zurückzufahren. Aber er blieb dennoch in Odessa. Er sah den Panzerkreuzer abfahren, die Matrosen grüßten ihn, der am Hafen stand und mit seinem blauen, rotgestreiften Taschentuch winkte. Er sah noch viele andere Schiffe abfahren, und er winkte allen fremden Passagieren zu. Denn er ging jeden Tag zum Hafen. Und jeden Tag erfuhr er etwas Neues. Er hörte zum Beispiel, was es heißt: die Anker lichten, oder: die Segel einziehn, oder: Ladung löschen, oder: Taue anziehn und so weiter.

Er sah jeden Tag viele junge Männer in Matrosenanzügen auf den Schiffen arbeiten, die Masten emporklettern, er sah die jungen Männer durch die Straßen von Odessa wandeln, Arm in Arm, eine ganze Kette von Matrosen, die die ganze Breite der Straße einnahm – und es fiel ihm schwer aufs Herz, daß er selbst keine Kinder hatte. Er wünschte sich in diesen Stunden Söhne und Enkel – und es war kein Zweifel –, er hätte sie alle zur See geschickt, Matrosen wären sie geworden. Indessen lag, unfruchtbar und häßlich, seine Frau daheim in Progrody. Sie verkaufte heute an seiner Statt Korallen. Konnte sie es überhaupt? Wußte sie, was Korallen bedeuten?

Und Nissen Piczenik vergaß schnell im Hafen von Odessa die Pflichten eines gewöhnlichen Juden aus Progrody. Und er ging nicht am Morgen und nicht am Abend ins Bethaus, die vorgeschriebenen Gebete zu verrichten, sondern er betete zu Hause, sehr eilfertig und ohne echte und rechte Gedanken an Gott, und wie ein Grammophon betete er lediglich, die Zunge wiederholte mechanisch die Laute, die in sein Gehirn eingegraben waren. Hatte die Welt jemals solch einen Juden gesehn?

Zu Haus in Progrody war indessen die Saison für Korallen. Dies wußte Nissen Piczenik wohl, aber es war ja nicht mehr der alte kontinentale Nissen Piczenik, sondern der neue, der neugeborene ozeanische.

Ich habe Zeit genug, sagte er sich, nach Progrody zurückzukehren! Was hätte ich dort schon zu verlieren! Und wieviel habe ich hier noch zu gewinnen!

Und er blieb drei Wochen in Odessa, und er verlebte jeden Tag mit dem Meer, mit den Schiffen, mit den Fischchen fröhliche Stunden.

Es waren die ersten Ferien im Leben Nissen Piczeniks.

VI

Als er wieder nach Hause nach Progrody kam, bemerkte er, daß ihm nicht weniger als hundertsechzig Rubel fehlten, Reisespesen mit eingerechnet. Seiner Frau aber und allen andern, die ihn fragten, was er so lange in der Fremde getrieben habe, sagte er, daß er in Odessa »wichtige Geschäfte« abgeschlossen hätte.

In dieser Zeit begann die Ernte, und die Bauern kamen nicht mehr so häufig zu den Markttagen. Es wurde, wie alle Jahre in diesen Wochen, stiller im Hause des Korallenhändlers. Die Fädlerinnen verließen schon am Vorabend sein Haus. Und am Abend, wenn Nissen Piczenik aus dem Bethaus heimkehrte, erwartete ihn nicht mehr der helle Gesang der schönen Mädchen, sondern lediglich seine Frau, der gewohnte Teller mit Zwiebeln und Rettich und der kupferne Samowar.

Dennoch – in der Erinnerung nämlich an die Tage in

Odessa, von deren geschäftlicher Fruchtlosigkeit kein anderer Mensch außer ihm selber eine Ahnung hatte – fügte sich der Korallenhändler Piczenik in die gewöhnlichen Gesetze seiner herbstlichen Tage. Schon dachte er daran, einige Monate später neuerdings wichtige Geschäfte vorzuschützen und in eine andere Hafenstadt zu reisen, zum Beispiel Petersburg.

Materielle Not hatte er nicht zu fürchten. Alles Geld, das er im Verlauf seines langjährigen Handels mit Korallen zurückgelegt hatte, lag, unaufhörlich Zinsen gebärend, bei dem Geldverleiher Pinkas Warschawsky, einem angesehenen Wucherer der Gemeinde, der unbarmherzig alle Schulden eintrieb, aber pünktlich alle Zinsen auszahlte. Körperliche Not hatte Nissen Piczenik nicht zu fürchten; und kinderlos war er und hatte also für keine Nachkommen zu sorgen. Weshalb da nicht noch nach einem der vielen Häfen reisen?

Und schon begann der Korallenhändler, seine Pläne für den nächsten Frühling zu spinnen, als sich etwas Ungewöhnliches in dem benachbarten Städtchen Sutschky ereignete.

In diesem Städtchen, das genauso klein war wie die Heimat Nissen Piczeniks, das Städtchen Progrody, eröffnete nämlich eines Tages ein Mann, den niemand in der ganzen Gegend bis jetzt gekannt hatte, einen Korallenladen. Dieser Mann hieß Jenö Lakatos und stammte, wie man bald erfuhr, aus dem fernen Lande Ungarn. Er sprach Russisch, Deutsch, Ukrainisch, Polnisch, ja, nach Bedarf und wenn es zufällig einer gewünscht hätte, so hätte Herr Lakatos auch Französisch, Englisch und Chinesisch gesprochen. Es war ein junger Mann, mit glatten, blauschwarzen, pomadisierten Haaren – nebenbei gesagt, der einzige Mann weit und breit in der Gegend, der einen glänzenden, steifen Kragen trug, eine Krawatte und ein Spazierstöckchen mit goldenem Knauf. Dieser junge

Mann war vor ein paar Wochen nach Sutschky gekommen, hatte dort Freundschaft mit dem Schlächter Nikita
Kolchin geschlossen und diesen so lange behandelt, bis er
sich entschloß, gemeinsam mit Lakotos einen Korallen-
handel zu beginnen. Die Firma mit dem knallroten Schild
lautete: N. Kolchin & Compagnie.

Im Schaufenster dieses Ladens leuchteten tadellose rote
Korallen, leichter zwar an Gewicht als die Steine Nissen
Piczeniks, aber dafür um so billiger. Ein ganzer großer
Bund Korallen kostete einen Rubel fünfzig, Ketten gab es
für zwanzig, fünfzig, achtzig Kopeken. Die Preise standen
im Schaufenster des Ladens. Und damit ja niemand an
diesem Laden vorbeigehe, spielte drinnen den ganzen Tag
ein Phonograph heiter grölende Lieder. Man hörte sie im
ganzen Städtchen und weiter – in den umliegenden Dörfern. Es gab zwar keinen großen Markt in Sutschky wie
etwa in Progrody. Dennoch – und trotz der Erntezeit
– kamen die Bauern zum Laden des Herrn Lakatos, die
Lieder zu hören und die billigen Korallen zu kaufen.

Nachdem dieser Herr Lakatos ein paar Wochen sein
anziehendes Geschäft betrieben hatte, erschien eines Tages ein wohlhabender Bauer bei Nissen Piczenik und sagte: »Nissen Semjonowitsch, ich kann nicht glauben, daß
du mich und andere seit 20 Jahren betrügst. Jetzt aber gibt
es in Sutschky einen Mann, der verkauft die schönsten
Korallenschnüre, fünfzig Kopeken das Stück. Meine Frau
wollte schon hinfahren – aber ich habe gedacht, man müsse zuerst dich fragen, Nissen Semjonowitsch.«

»Dieser Lakatos«, sagte Nissen Piczenik, »ist gewiß ein
Dieb und ein Schwindler. Anders kann ich mir seine Preise nicht erklären. Aber ich werde selbst hinfahren, wenn
du mich auf deinem Wagen mitnehmen willst.«

»Gut!« sagte der Bauer. »Überzeuge dich selbst.«

Also fuhr der Korallenhändler nach Sutschky, stand
eine Weile vor dem Schaufenster, hörte die grölenden Lie-

der aus dem Innern des Ladens, trat schließlich ein und begann, mit Herrn Lakatos zu sprechen. »Ich bin selbst Korallenhändler«, sagte Nissen Piczenik. »Meine Waren kommen aus Hamburg, Odessa, Triest, Amsterdam. Ich begreife nicht, warum und wieso Sie so billige und schöne Korallen verkaufen können.«

»Sie sind von der alten Generation«, erwiderte Lakatos, »und, entschuldigen Sie mir den Ausdruck, ein bißchen zurückgeblieben.«

Währenddessen kam Lakatos hinter dem Ladentisch hervor – und Nissen Piczenik sah, daß er etwas hinkte. Offenbar war sein linkes Bein kürzer, denn er trug am linken Stiefel einen doppelt so hohen Absatz wie am rechten. Er duftete gewaltig und betäubend – und man wußte nicht, wo eigentlich an seinem schmächtigen Körper die Quelle all seiner Düfte untergebracht war. Blauschwarz wie eine Nacht waren seine Haare. Und seine dunklen Augen, die man im ersten Moment für sanft hätte halten können, glühten von Sekunde zu Sekunde so stark, daß eine merkwürdige Brandröte mitten in ihrer Schwärze aufglühte. Unter dem schwarzen, gezwirbelten Schnurrbärtchen lächelten weiß und schimmernd die Mausezähnchen des Lakatos.

»Nun?« fragte der Korallenhändler Nissen Piczenik.

»Ja, nun«, sagte Lakatos, »wir sind nicht verrückt. Wir tauchen nicht auf die Gründe der Meere. Wir stellen einfach künstliche Korallen her. Meine Firma heißt: Gebrüder Lowncastle, New York. In Budapest habe ich zwei Jahre mit Erfolg gearbeitet. Die Bauern merken nichts. Nicht die Bauern in Ungarn, erst recht nicht die Bauern in Rußland. Schöne, rote, tadellose Korallen wollen sie. Hier sind sie. Billig, wohlfeil, schön, schmückend. Was will man mehr? Echte Korallen können nicht so schön sein!«

»Woraus sind Ihre Korallen gemacht?« fragte Nissen Piczenik.

»Aus Zelluloid, mein Lieber, aus Zelluloid!« rief Lakatos entzückt.

»Sagen Sie mir nur nichts gegen die Technik! Sehn Sie: In Afrika wachsen die Gummibäume, aus Gummi macht man Kautschuk und Zelluloid.

Ist das Unnatur? Sind Gummibäume weniger Natur als Korallen? Ist ein Baum in Afrika weniger Natur als ein Korallenbaum auf dem Meeresgrund? – Was nun, was sagen Sie nun? – Wollen wir zusammen Geschäfte machen? – Entscheiden Sie sich! – Von heute in einem Jahr haben Sie infolge meiner Konkurrenz alle Ihre Kunden verloren – und Sie können mit allen Ihren echten Korallen wieder auf den Meeresgrund gehn, woher die schönen Steinchen kommen. Sagen Sie: ja oder nein?«

»Lassen Sie mir zwei Tage Zeit«, sagte Nissen Piczenik. Und er fuhr nach Hause.

VII

Auf diese Weise versuchte der Teufel den Korallenhändler Nissen Piczenik zum erstenmal. Der Teufel hieß Jenö Lakatos aus Budapest, und er führte die falschen Korallen im russischen Lande ein, die Korallen aus Zelluloid, die so bläulich brennen, wenn man sie anzündet, wie das Hekkenfeuer, das ringsum die Hölle umsäumt.

Als Nissen Piczenik nach Hause kam, küßte er gleichgültig sein Weib auf beide Wangen, begrüßte die Fädlerinnen und begann, mit einigermaßen verwirrten, vom Teufel verwirrten Augen, seine lieben Korallen zu betrachten, die lebendigen Korallen, die lange nicht so tadellos aussahen wie die falschen Steine aus Zelluloid des Konkurrenten Jenö Lakatos. Und der Teufel gab dem redlichen Korallenhändler Nissen Piczenik den Gedanken ein, unter die echten Korallen falsche zu mischen.

Also ging er eines Tages zur Post und diktierte dem öffentlichen Schreiber einen Brief an Jenö Lakatos in Sutschky, so daß dieser ihm ein paar Tage später nicht weniger als zwanzig Pud falscher Korallen schickte. Nun, man weiß, daß Zelluloid ein leichtes Material ist, und zwanzig Pud falscher Korallen ergeben eine Menge von Schnüren und Bunden. Nissen Piczenik, vom Teufel verführt und geblendet, mischte die falschen Korallen unter die echten, dermaßen einen Verrat übend an sich selbst und an den echten Korallen.

Ringsum im Lande hatte die Ernte bereits begonnen, und es kamen fast keine Bauern mehr, Korallen einzukaufen. Aber an den seltenen, die hie und da erschienen, verdiente Nissen Piczenik jetzt mehr, dank den falschen Korallen, als er vorher an den zahlreichen Kunden verdient hatte. Er mischte Echtes mit Falschem – und das war noch schlimmer, als wenn er lauter Falsches verkauft hätte. Denn also geht es den Menschen, die vom Teufel verführt werden: An allem Teuflischen übertreffen sie noch sogar den Teufel. Auf diese Weise übertraf Nissen Piczenik den Jenö Lakatos aus Budapest. Und alles, was Nissen Piczenik verdiente, trug er gewissenhaft zu Pinkas Warschawsky. Und so sehr hatte der Teufel den Korallenhändler verführt, daß er eine wahre Wollust bei dem Gedanken empfand, daß sein Geld sich vermehre und Zinsen trage.

Da starb plötzlich an einem dieser Tage der Wucherer Pinkas Warschawsky, und Nissen Piczenik erschrak und ging sofort zu den Erben des Wucherers und verlangte sein Geld mit Zinsen. Er bekam es auch auf der Stelle, nicht weniger als fünftausendvierhundertundfünfzig Rubel und sechzig Kopeken. Von diesem Geld bezahlte er seine Schulden an Lakatos, und er forderte noch einmal zwanzig Pud falscher Korallen an.

Eines Tages kam der reiche Hopfenbauer zu Nissen Piczenik und verlangte eine Kette aus Korallen für eines seiner Enkelkinder, gegen den bösen Blick.

Der Korallenhändler fädelte ein Kettchen aus lauter falschen, aus Zelluloid-Korallen zusammen, und er sagte noch: »Dies sind die schönsten Korallen, die ich habe.«

Der Bauer bezahlte den Preis, der für echte Korallen angebracht war, und fuhr in sein Dorf.

Sein Enkelkind starb eine Woche, nachdem man ihm die falschen Korallen um das Hälschen gelegt hatte, einen schrecklichen Erstickungstod, an Diphtherie. Und in dem Dorfe Solowetzk, wo der reiche Hopfenbauer wohnte (aber auch in den umliegenden Dörfern), verbreitete sich die Kunde, daß die Korallen Nissen Piczeniks aus Progrody Unglück und Krankheit brächten – und nicht nur jenen, die bei ihm eingekauft hatten. Denn die Diphtherie begann in den benachbarten Dörfern zu wüten, sie raffte viele Kinder hinweg, und es verbreitete sich das Gerücht, daß die Korallen Nissen Piczeniks Krankheit und Untergang bringen.

Infolgedessen kamen den Winter über keine Kunden mehr zu Nissen Piczenik. Es war ein harter Winter. Er hatte im November eingesetzt, er dauerte bis zum späten März. Jeder Tag brachte einen unerbittlichen Frost, der Schnee fiel selten, selbst die Raben schienen zu frieren, wie sie so auf den kahlen Ästen der Kastanienbäume hockten. Sehr still war es im Hause Nissen Piczeniks. Er entließ eine Fädlerin nach der anderen. An den Markttagen begegnete er zuweilen dem und jenem seiner alten Kunden. Aber sie grüßten ihn nicht.

Ja, die Bauern, die ihn im Sommer geküßt hatten, taten so, als kennten sie den Korallenhändler nicht mehr.

Es gab Fröste bis zu vierzig Grad. Das Wasser in den Kannen der Wasserträger gefror auf dem Wege vom Brunnen zum Hause. Eine dicke Eisschicht bedeckte die Fensterscheiben Nissen Piczeniks, so daß er nicht mehr sah, was auf der Straße vorging. Große und schwere Eiszapfen hingen an den Stäben der Eisengitter und verdichteten die

Fenster noch mehr. Und da kein Kunde mehr zu Nissen
Piczenik kam, gab er daran nicht etwa den falschen Korallen die Schuld, sondern dem strengen Winter. Indessen
war der Laden des Herrn Lakatos in Sutschky immer
überfüllt. Und bei ihm kauften die Bauern die tadellosen
und billigen Korallen aus Zelluloid und nicht die echten
bei Nissen Piczenik.

Vereist und glatt wie Spiegel waren die Straßen und
Gassen des Städtchens Progrody. Alle Einwohner taste-
ten ihre Wege entlang mit eisenbeschlagenen Stöcken.
Dennoch stürzten so manche und brachen Hals und Bein.

Eines Abends stürzte auch die Frau Nissen Piczeniks.
Sie blieb lange bewußtlos liegen, ehe sie mitleidige Nachbarn aufhoben und ins Haus trugen.

Sie begann bald, sich heftig zu erbrechen, der Feldscher
von Progrody sagte, es sei eine Gehirnerschütterung.

Man brachte die Frau ins Spital, und der Doktor bestätigte die Diagnose des Feldschers.

Der Korallenhändler ging jeden Morgen ins Krankenhaus. Er setzte sich an das Bett seiner Frau, hörte eine
halbe Stunde ihre wirren Reden, sah in ihre fiebrigen Augen, auf ihr spärliches Kopfhaar, erinnerte sich an die paar
zärtlichen Stunden, die er ihr geschenkt hatte, roch den
scharfen Duft von Kampfer und Jodoform und kehrte
wieder heim und stellte sich selbst an den Herd und kochte Borschtsch und Kascha und schnitt sich selbst das Brot
und schabte sich selbst den Rettich und kochte sich selbst
den Tee und heizte selbst den Ofen. Dann schüttete er auf
einen seiner vier Tische alle Korallen aus den vielen Säckchen und begann, sie zu sortieren. Die Zelluloidkorallen
des Herrn Lakatos lagen gesondert im Schrank. Die echten Korallen erschienen Nissen Piczenik längst nicht
mehr wie lebendige Tiere. Seitdem dieser Lakatos in die
Gegend gekommen war und er selbst, der Korallenhändler Piczenik, die leichten Dinger aus Zelluloid unter die

schweren und echten Steine zu mischen begonnen hatte, waren die Korallen, die in seinem Hause lagerten, erstorben. Jetzt machte man Korallen aus Zelluloid! Aus einem toten Material machte man Korallen, die aussahen wie lebendig und noch schöner und vollkommener waren als echte und lebendige! Was war, damit verglichen, die Gehirnerschütterung der Frau?

Acht Tage später starb sie, infolge der Gehirnerschütterung, gewiß! Aber nicht mit Unrecht sagte sich Nissen Piczenik, daß seine Frau nicht an der Gehirnerschütterung allein gestorben war, sondern auch, weil ihr Leben von dem Leben keines andern Menschen auf dieser Welt abhängig gewesen war. Kein Mensch hatte gewünscht, daß sie am Leben bleibe, und also war sie auch gestorben.

Nun war der Korallenhändler Nissen Piczenik Witwer. Er betrauerte die Frau in vorgeschriebener Weise. Er kaufte ihr einen der dauerhaftesten Grabsteine und ließ ehrende Worte in diesen einmeißeln. Und er sprach morgens und abends das Totengebet für sie. Aber er vermißte sie keineswegs. Essen und Tee bereiten konnte er selber. Einsam fühlte er sich nicht, sobald er mit den Korallen allein war. Und ihn bekümmerte lediglich die Tatsache, daß er sie verraten hatte, an die falschen Schwestern, die Korallen aus Zelluloid, und sich selbst an den Händler Lakatos.

Er sehnte sich nach dem Frühling. Und als er endlich kam, erkannte Nissen Piczenik, daß er sich umsonst nach ihm gesehnt hatte. Sonst pflegten, jedes Jahr, noch vor Ostern, wenn die Eiszapfen um die Mittagsstunde zu schmelzen begannen, die Kunden in knarrenden Wägelchen oder in klingenden Schlitten zu kommen. Für Ostern brauchten sie Korallen. Nun aber war der Frühling da, immer wärmer brütete die Sonne, jeden Tag wurden die Eiszapfen an den Dächern kürzer und die schmelzenden Schneehaufen am Straßenrand kleiner – und keine Kunden kamen zu Nissen Piczenik. In seinem Schrank aus Eichenholz, in seinem fahrbaren Koffer, der, mächtig und mit eisernen Gurten versehen, neben dem Ofen auf seinen vier Rädern stand, lagen die edelsten Korallen in Haufen, Bünden und Schnüren. Aber kein Kunde kam. Es wurde immer wärmer, der Schnee verschwand, der linde Regen regnete, die Veilchen in den Wäldern sprossen, und in den Sümpfen quakten die Frösche: aber kein Kunde kam.

Um diese Zeit bemerkte man auch zum erstenmal in Progrody eine gewisse merkwürdige Veränderung im Wesen und Charakter Nissen Piczeniks. Ja, zum erstenmal begannen die Einwohner von Progrody zu vermuten, daß der Korallenhändler ein Sonderbarer sei, ein Sonderling sogar – und manche verloren den hergebrachten Respekt vor ihm, und manche lachten ihn sogar öffentlich aus. Viele gute Leute von Progrody sagten nicht mehr: »Hier geht der Korallenhändler vorbei«, sondern sie sagten einfach: »Nissen Piczenik geht eben vorbei – er war ein großer Korallenhändler.«

Er selbst war daran schuld. Denn er benahm sich keineswegs so, wie es die Gesetze und die Würde der Trauer einem Witwer vorschreiben. Hatte man ihm noch seine sonderbare Freundschaft für den Matrosen Komrower nachgesehen und den Besuch in der berüchtigten Schenke Podgorzews, so konnte man doch nicht, ohne weiterhin schwersten Verdacht gegen ihn zu schöpfen, seine Besuche in jener Schenke zur Kenntnis nehmen. Denn jeden Tag beinahe seit dem Tode seiner Frau ging Nissen Piczenik in die Schenke Podgorzews. Er begann, Met mit Leidenschaft zu trinken. Und da ihm mit der Zeit der Met zu süß erschien, ließ er sich noch einen Wodka beimischen. Manchmal setzte sich eines der leichtfertigen Mädchen neben ihn. Und er, der nie in seinem Leben eine andere Frau gekannt hatte als seine nunmehr tote Ehefrau, er, der niemals eine andere Lust gekannt hatte als die, seine wirklichen Frauen, nämlich die Korallen, zu liebkosen, zu sortieren und zu fädeln, er fühlte sich manchmal in der wüsten Schenke Podgorzews anheimgefallen dem billigen weißen Fleisch der Weiber, seinem eigenen Blut, das der Würde seiner bürgerlichen und geachteten Existenz spottete, und der großartigen, heißen Vergessenheit, die die Leiber der Mädchen ausströmten. Und er trank, und er liebkoste die Mädchen, die neben ihm saßen, zuweilen sich auf seinen Schoß setzten. Wollust empfand er, die gleiche Wollust wie etwa beim Spiel mit seinen Korallen. Und mit seinen starken, rotbehaarten Fingern tastete er, weniger geschickt, sogar lächerlich unbeholfen, nach den Brustwarzen der Mädchen, die so rot waren wie manche Korallen. Und er verfiel – wie man zu sagen pflegt – schnell, immer schneller, von Tag zu Tag beinahe. Er fühlte es selbst. Sein Gesicht wurde magerer, sein hagerer Rükken krümmte sich, Rock und Stiefel putzte er nicht mehr, den Bart strählte er nicht mehr. Mechanisch verrichtete er jeden Morgen und Abend seine Gebete. Er fühlte es selbst: Er war nicht mehr der Korallenhändler schlechthin, er war Nissen Piczenik, einst ein großer Korallenhändler.

Er spürte, daß er noch ein Jahr, noch ein halbes Jahr später, zum Gespött des Städtchens werden müßte – und was ging es ihn eigentlich an? Nicht Progrody, der Ozean war seine Heimat.

Also faßte er eines Tages den tödlichen Entschluß seines Lebens.

Vorher aber machte er sich eines Tages nach Sutschky auf – und siehe da: Im Laden des Jenö Lakatos aus Budapest sah er alle seine alten Kunden, und sie lauschten den grölenden Liedern des Phonographen andächtig, und sie kauften Zelluloidkorallen, zu fünfzig Kopeken die Kette.

»Nun, was habe ich Ihnen vor einem Jahr gesagt?« rief Lakatos Nissen Piczenik zu. »Wollen Sie noch zehn Pud, zwanzig, dreißig?«

Nissen Piczenik sagte: »Ich will keine falschen Korallen mehr. Ich, was mich betrifft, *ich* handle nur mit echten.«

VIII

Und er fuhr heim nach Progrody und ging in aller Stille und Heimlichkeit zu Benjamin Broczyner, der ein Reisebureau unterhielt und mit Schiffskarten für Auswanderer handelte. Es waren vor allem Deserteure und ganz arme Juden, die nach Kanada und Amerika auswandern mußten und von denen Broczyner lebte. Er verwaltete in Progrody die Vertretung einer Hamburger Schiffahrtsgesellschaft.

»Ich will nach Kanada fahren!« sagte der Korallenhändler Nissen Piczenik. »Und zwar so bald wie möglich.«

»Das nächste Schiff heißt ›Phönix‹ und geht in vierzehn Tagen von Hamburg ab. Bis dahin verschaffen wir Ihnen die Papiere«, sagte Broczyner.

»Gut, gut!« erwiderte Piczenik. »Sagen Sie niemandem etwas davon.«

Und er ging nach Hause und packte alle Korallen, die echten, in seinen fahrbaren Koffer.

Die Zelluloidkorallen aber legte er auf das kupferne Untergestell des Samowars, zündete sie an und sah zu, wie sie bläulich und stinkend verbrannten. Es dauerte lange, mehr als fünfzehn Pud falscher Korallen waren es. Es gab dann einen gewaltigen Haufen schwarzgrauer, geringelter Asche. Und um die Petroleumlampe in der Mitte des Zimmers schlängelte und ringelte sich der graublaue Rauch des Zelluloids. Dies war der Abschied Nissen Piczeniks von seiner Heimat.

Am 21. April bestieg er in Hamburg den Dampfer »Phönix« als ein Zwischendeckpassagier.

Vier Tage war das Schiff unterwegs, als die Katastrophe kam: Vielleicht erinnern sich noch manche daran.

Mehr als zweihundert Passagiere gingen mit der »Phönix« unter. Sie ertranken natürlich.

Was aber Nissen Piczenik betrifft, der ebenfalls damals unterging, so kann man nicht sagen, er sei einfach ertrunken wie die anderen. Er war vielmehr – dies kann man mit gutem Gewissen erzählen – zu den Korallen heimgekehrt, auf den Grund des Ozeans, wo der gewaltige Leviathan sich ringelt.

Und wollen wir dem Bericht eines Mannes glauben, der durch ein Wunder – wie man zu sagen pflegt – damals dem Tode entging, so müssen wir mitteilen, daß sich Nissen Piczenik lange noch, bevor die Rettungsboote gefüllt waren, über Bord ins Wasser stürzte zu seinen Korallen, zu seinen echten Korallen.

Was mich betrifft, so glaube ich es gerne. Denn ich habe Nissen Piczenik gekannt, und ich bürge dafür, daß er zu den Korallen gehört hat und daß der Grund des Ozeans seine einzige Heimat war.

Möge er dort in Frieden ruhn neben dem Leviathan bis zur Ankunft des Messias.

»Wahrscheinlich der größte Dichter unter den anständigen Menschen«
Ein Nachwort von André Heller

An einem Samstag im Februar des Jahres 1937 trafen sich etwa fünfzig aufgeregte Menschen im Hotel Foyot der Pariser Rue Tournon. Sie suchten alle sofort die Toilette auf. Dort entnahmen sie kleinen, mitgebrachten Gepäckstücken Uniformen und Uniformteile, Orden und Rangabzeichen, mit deren Hilfe sie sich in etwas desolate Offiziere der ehemaligen k. u. k. Armee verwandelten. Dann marschierte die Truppe geordnet in den abgewohnten Speisesaal, um einem blassen, ziemlich parfümierten und wohlerzogenen jungen Herrn militärische Reverenz zu erweisen.

Die handelnden Personen waren unter anderem emigrierte Bankiers, ein abgelöster Wiener Vizepolizeipräsident, ruinbedrohte Landadelige, ein opiumsüchtiger Schokoladenfabrikant, ein berühmter alkoholkranker Dichter sowie hohe zwangspensionierte Beamte aus Salzburg und Graz. Der Dichter hieß Joseph Roth, der Schokoladenfabrikant Stefan Heller und der wohlerzogene junge Herr Otto von Habsburg. Es muß eine gespenstische Szene gewesen sein, denn Roth fragte den erstgeborenen Sohn Karls, des letzten Kaisers und Königs von Österreich und Ungarn sowie Königs von Jerusalem und Herzogs von Auschwitz, ob er bereit sei, in einem Sarg, als Leiche getarnt, nach Wien zurückzukehren, um sich dort als Herrscher proklamieren zu lassen.

Zur Absicherung der Unternehmung sollte eine schlagkräftige Loyalistenlegion gegründet werden, deren Ausrüstung mit Waffen und Munition Stefan Heller, mein künftiger Vater, sicherstellen wollte. David Bronson berichtet darüber in seiner exzellenten Joseph-Roth-Biographie – und mein Vater erzählte es in den fünfziger Jahren häufig seiner Dienstagsstammtischrunde, den »Dreizehnern« im Café Rebhuhn, nahe dem Wiener Stephansplatz. Ich erinnere mich dieser »Dreizehner«, als exzentrischer Vereinigung älterer, etwas anzüglicher, durcheinanderredender, mehlspeisverliebter Republikfeinde, die von vergangenen Leutnantstaten bei irgendeinem 13. Österreichischen Regiment an der russischen und später italienischen Front des Ersten Weltkriegs träumten. Sie nahmen mich mit auf Wallfahrten zum weißen Marmordenkmal der Kaiserin Elisabeth in den Volksgarten, denn sie verehrten die Ermordete als ranghöchste Kunstreiterin unter den himmlischen Schönheiten und wußten, daß ihre Fürbitte speziell bei Zahnweh und Prostatabeschwerden von großer Wirkung war.

Unter den männlichen Lichtgestalten interessierte sie der heilige Hugo von Hofmannsthal, der ihnen kurioserweise als Schutzpatron von Zwetschkenröstern und Erdäpfelschmarrn mit Dillsauce galt, sowie der heilige Alban Berg, der für erträgliche Badetemperaturen in den Seen der Sommerfrischen des Salzkammerguts zuständig war. Ich wurde von Vater angehalten, zu jedem der siebzehn »Dreizehner« Onkel zu sagen, und zwar: Onkel Herr Rossmus oder Onkel Herr Professor Cavallar oder Onkel Herr Apotheker Brettschneider.

Auch ihre Rituale waren so verschroben, daß vom Onkel Herrn Schriftführer Sefnik penibel notiert wurde, wann zum Beispiel wer und wie lange am bestickten Schnupftuch des verblichenen Erzherzogs Eugen riechen oder einen Onyx-Spazierstock Kronprinz Rudolfs ausführen durfte: Beide Gegenstände gehörten zum Inventar der kuriosen »Dreizehner«-Schatzsammlung, die der Oberkellner Simmerl in einer abgesperrten Bestecklade des »Rebhuhns« verwahrte. Die sentimentalen Veteranen sangen auch zweistimmig Lieder in den Sprachen der Monarchie: deutsche, jiddische, slowenische, tschechische, zigeunerische, ungarische, italienische und viele mehr. Aber manchmal schwiegen sie bis auf einen, und der eine war mein Vater. Dann schepperte auch keiner mit Tassen oder Gläsern. Das waren die »Stecknadelfallstunden«, und sie handelten von Joseph Roth.

»Er hat traurig sein können wie kein anderer und glcich darauf ein Meister der Tobsucht, und sieben Fernet Branca später ist ihm mitten im Gesicht eine Fröhlichkeit aufgegangen wie die Sonne über Capri«: So etwa hat der Kommerzialrat Stefan Heller gesprochen. »Einmal, an einem Gluttag, wollte ich mit Roth schwimmen gehen in den französischen Atlantik, da fauchte er: ›Wenn Gott hätte wollen, daß ich schwimme, hätt' er aus mir gemacht eine Forelle.‹ An Gott hat er sehr geglaubt, und er glaubte auch, daß Gott an ihn glaubt. Er war der katholischste Jude, dem ich je begegnet bin, und der jüdischste Katholik. Der Zusammenschluß von Juden und Katholiken schien ihm übrigens die einzig wirksame Notwehr gegen die Hitlerei. In den Stulpen seiner Hosen lagen vierblättrige Kleeblätter als Glücksbringer und zur magischen Abwehr von Hundebissen.«

Einmal fragte ich Vater, welchen Beruf der Herr Roth eigentlich habe, und er antwortete: »Jetzt ist er schon fünfzehn Jahre im Trinkerhimmel als Märchenschammes und Wolkenkalif, aber vorher war er auf Erden ein armer Jud und wahrscheinlich der größte Dichter unter den anständigen Menschen.«
»Was ist ein anständiger Mensch, Vater?«

»Einer, der am Totenbett nicht Grund hat, über sich zu seufzen.«

»Wie ist der Herr Roth gestorben?«

»Im Delirium tremens, mit prachtvollen Bildern im Kopf. Der Feldmarschall Radetzky persönlich hat ihm den Schnurrbart gebürstet, und die Stadt Venedig ließ ihm durch zwei Turbanmohren Juwelen aus Wasser überreichen.«

»War der Herr Roth dein Freund?«

»Er war mein Großvater, und du bist sein Urenkel.«

Das verstand ich nicht, denn ich hatte schon die mögliche Höchstzahl von vier Urgroßvätern. Da nahm mich Vater an der Hand, und wir gingen in die verschattete Bibliothek unseres Hietzinger Loos-Hauses, das immer nach Nüssen roch. Hinter dem Buch »Geschichte der Päpste« von Leopold Ranke befand sich ein Knopf, der auf Druck ein Geheimfach öffnete. Daraus entnahm er zwei lederne Schatullen. »Vergiß, was ich dir sage, aber ich sag's dir, damit daß du es nie vergißt!« war seine verwirrende Forderung. »In der grünen Schachtel sind die Frauenzimmer von Rang. In der roten die Mannsbilder. Lauter rare Exemplare, die den Nazis ins Gesicht geschlagen haben.«

»Wer sind die Nazis?« fragte ich, berauscht von dem Umstand, daß ich Vater einmal minutenlang für mich allein besaß. »Die Nazis sind Teufel aus Dreck, die den Sohn von der Miriam Pollak bei lebendigem Leib ins Feuer geworfen haben. Die Nazis haben uns für tausend Jahre das Lachen gestohlen.« Dann weinte er ein wenig und wie aus Wut, und zuletzt zeigte er mir Briefe und aus Notizbüchern herausgerissene Zettel mit Ratschlägen, kurzen Verwünschungen, Jammereien oder Bitten, die ihm Joseph Roth geschrieben hatte.

Der Gentleman als Wunderrabbi

»Wenn Du mich im Stich läßt, wie soll ich mit Dir noch auskommen?« stand da. Oder: »Zieh Dich gefälligst wärmer an. Der Hitler hat sich unseren Tod nicht verdient.« Oder: »Bist du auf mich böse, so sags bitte, und nicht verschweigen. Ich *kann*, ich *will* auch nicht verstehen, daß man auf einen Freund nicht wartet. Dein Großvater.« Also tatsächlich: Großvater. Wohl im Sinne von Wahlgroßvater.

»Gib mir Bücher von ihm«, bat ich.

»Du kannst doch kaum lesen«, sagte Vater.

»Ich will sie nur anschauen.«

»Ich hab' einen meschuggenen Sohn«, lobte er mich und ließ mir am nächsten Morgen durch seinen Leibraseur und Krawattenbügler Hubalek einen schweren Stapel Gedrucktes bringen. Einige Volksschuljahre betrachtete ich die Bände, die auf einem Wandbrett meines Kinderzimmers standen, vor dem Einschlafen immer lange, als wenn sie ein Spiegel wären. Dann, nach meinem zwölften Geburtstag, kurz ehe Vater an einem Blutgerinnsel erstickte, begann ich, sie zu lesen.

Das hat mir in gewissem Sinn das Leben gerettet. In der jesuitischen Internatshölle des Gymnasiums von Kalksburg, wo ich mit achtzig ungewaschenen Buben einen Schlafsaal teilte, zwischen den Prügelorgien der Präfekten und all den Rosenkranz- und Marienkinderverlogenheiten entstand mir in der Literatur Joseph Roths ein Land, das Schutz und Ermutigung gewährte. Ich konnte mich ins Exil der Geschichten retten und lernte dort Mendel Singer kennen und den Bezirkshauptmann Trotta, den Stationschef Fallmerayer und das Hotel Savoy. Ich beobachtete die Agenten des Schahs von Persien bei dessen Wiener Verstrickung und saß neben Korallenhändlern,

Puffmüttern und Eichmeistern. Vier mal vierhundertvie-
rundvierzig Arten Begegnungen und ebenso viele Arten
Abschiede las ich atemlos. Ein Kaleidoskop des Himmel-
hochjauchzend-zu-Tode-Betrübten, das mich bis heute
bannt.

   Worin aber besteht die unvergleichliche Wirkung des
Mythomanen Roth, der am 2. September 1894 in der ga-
lizischen Ortschaft Brody geboren wurde? War er ein als
Gentleman verkleideter Wunderrabbi, der mit dem Alphabet heilen konnte, oder die vor Emotionen vibrierende
Gegenposition zur vergleichsweise vollendeten Kälte
Thomas Manns? In jedem Fall Vorstand des Institutes für
pathologische und psychologische Untersuchungen an
dem verstorbenen habsburgischen Reich, von dem er in
einem Brief schrieb: »Mein stärkstes Erlebnis war der
Krieg und der Untergang meines Vaterlandes, des einzigen, das ich je besaß: der Österreichisch-Ungarischen
Monarchie. Auch heute bin ich durchaus noch patrioti-
scher Österreicher und liebe den Rest meiner Heimat wie
eine Art Reliquie.« Aber der sogenannte Rest, die Republik, war ihm nie mehr als die Boje, woran das bizarre
geistige Floß, das sich die schiffbrüchigen Monarchisten
geschaffen hatten, kurzfristig befestigt werden konnte.
Dort, inmitten brechender Wellen, erwarteten sie die Rettung, die für sie nichts anderes als die Restauration der
Habsburger sein konnte. Am 28. April 1933 schrieb Roth
diesbezüglich an seinen Hauptgönner und Hauptbewun-
derer Stefan Zweig: »Es ist ganz finster in der Welt und
auch für uns Individuen ... Ich will die Monarchie haben
und ich will es sagen. Mehrere geistige Menschen sind mit
mir: Ich hoffe, daß es mir gelingt.«

Es war allerdings weniger die politische Wirklichkeit des
Vielvölkerstaates, die er vermißte, denn deren Gebrechen
und Unterhöhlungen hatte er genauer als die meisten an-

deren analysiert, sondern es waren die Toleranz und Ritterlichkeit, die er mit jenem im Krieg zerschlagenen Reich
verband. Auch den Umstand, daß man mit chronisch verspäteten Eisenbahnen von Triest bis zu den Transsilvani-
schen Alpen und von Czernowitz bis zum Böhmerwald
unschikaniert und ohne Grenzkontrollen reisen konnte.
Stets im Bereich derselben Judikatur und unter dem
Schutz einer ornithologischen Rarität namens Doppeladler. So betrieb er in seiner Literatur ein Archiv, das für den
Augenblick, da sie gebraucht würden, die Wiederaufbau-
pläne einer versunkenen Welt bereithielt. Roth konnte
Stimmungen und Erfahrungen, die gewöhnlich nur in
Musiken auszudrücken sind, in Sprache übersetzen. Et-
was Ähnliches wie ein Schubert der Prosa ist er auf diese
Art geworden.

Ich glaube nämlich, daß jedes Wesen, jedes Ding, jede
Landschaft genauso wie Feuer, Wasser und Luft auf einen
Ton gestimmt ist, und manchmal in seligen Augenblicken
begegnen wir Figuren oder Orten, die unserer Stimmung
vollkommen entsprechen und uns zum Klingen bringen.
Ein Glück der Harmonie kann dann entstehen: zwei
schauen sich gegenseitig auf den Grund der Seele. Einer
davon kann Koloratursopran an der Mailänder Scala sein
und der andere durchaus Regenwolken über den Do-
nauauen. Der eine Eislieferant in Olmütz und der andere
der Handschuh einer betrogenen Frau. Einer Zigaretten-
schmuggler und der andere das Geräusch einer zuschla-
genden Autotür. Jede Kombination ist denkbar. Die zwei
erkennen einander, wissen, daß sie zum selben Stamm gehören und daß der Engel der guten Fügungen sie zu Recht
anspucken würde, wenn sie einander leugneten.

Schlafwandlerisch sicher im Erbarmen

So ging es Joseph Roth mit allem, was er beschrieb: der Stimme Kaiser Franz Josefs bei der Audienz in Schönbrunn und den Farben des Mondes über Odessa. Den »wie kaum erwachsene Tschinellen klingenden Sporen« eines Postdirektors und dem Labyrinth der Gerüche in Bazaren. Roths Arbeiten geben Zeugnis für die sinnlichste Wahrnehmung, die ein deutschsprachiger Dichter jemals hatte.

Mit der raren poetischen Genauigkeit, die beispielsweise Adalbert Stifter der Sonnenfinsternis des Jahres 1842 oder Marcel Proust den beruhigenden Küssen seiner Mutter angedeihen ließ, zeichnete Joseph Roth ununterbrochen und von keiner äußeren Not und kaum einer inneren ablenkbar das Gesicht seiner Zeit in all ihren berührenden und erschreckenden Facetten. Schlafwandlerisch sicher im Erbarmen, wo Erbarmen überhaupt zulässig war, und unbestechlich als Moralist und Kritiker sowohl gegenüber »einem geistig weit mehr noch als geographisch restringierten Österreich. Des Österreichs der Braunauer, der Linzer und Alpenkröpfe« als auch gegenüber dem im alltäglichen Gewand des Kleinbürgers erschienenen Antichristen, der »im Osten die Arbeiter zu befreien verheißt und im Westen die falschen Fahnen der Humanität über den Dächern der Gefängnisse hißt«.

Roth ist wahrlich nicht einer jener vom eigenen Geschwätz ermatteten intellektuellen Monumentalopportunisten und Gleichmütigkeitsrastellis gewesen.

Im Geheimfach meines Vaters, dessen Inhalt mein wesentlichstes Erbteil ist, fand ich auch ein Exemplar der Emigrantenzeitung »Pariser Tagblatt« vom 12. Dezember

1934. Darin stellten sich Größen wie Bertolt Brecht und Alfred Döblin der Frage nach der »Mission des Dichters«.

Roth schrieb unter anderem: »Es ist zu antworten: Daß der Dichter so wenig wie jeder andere ein Recht hat, keine Stellung zu nehmen zu der Unmenschlichkeit der Welt von heute; daß der Dichter niemals – und auch heute nicht – das Recht hat, sich auf seine *Berufung* zu berufen und auf seine angebliche Pflicht, sich um *zeitlose* Dinge zu kümmern. Talent und Genie befreien keineswegs von der selbstverständlichen Pflicht, das Böse zu bekämpfen. Ein Dichter, der z. B. heute gegen Hitler und gegen das Dritte Reich nicht kämpft, ist gewiß ein kleiner schwacher Mensch und wahrscheinlich auch ein wertloser Dichter. Es gibt kein wahrhaft wertvolles Talent ohne die folgenden Eigenschaften: 1. Mitgefühl für die unterdrückten Menschen; 2. Liebe zum Guten; 3. Haß gegen das Böse; 4. Mut, das Mitgefühl für die Menschen, die Liebe zum Guten, den Haß gegen das Böse auch laut und unzweideutig, also deutlich, zu verkünden. Wer diese Eigenschaften nicht besitzt und nicht offenbart, ist gewiß ein mittelmäßiges Talent oder ein Dilettant.«

(Erstabdruck: Frankfurter Allgemeine Zeitung, 3. September 1994)

Heinrich Böll. Erzählungen. Sonderausgabe. Gebunden

Als Heinrich Böll 1972 den Literaturnobelpreis erhielt, wurde er als einer der bedeutendsten Erzähler seiner Zeit gewürdigt. Dieser Band präsentiert Erzählungen aus vier Jahrzehnten und belegt, dass Bölls Werk eine überzeitliche Geltung besitzt und sich dem neugierigen Blick immer neu öffnet.

Kiepenheuer & Witsch

www.kiwi-verlag.de